COLLECTION « BEST-SELLERS »

IB MELCHIOR

LES LOUPS GUERRIERS

roman

traduit de l'américain par Jean Périer

ÉDITIONS ROBERT LAFFONT
6, place Saint-Sulpice, 75006/Paris

Cet ouvrage a été publié pour la première fois aux États-Unis, par Harper and Row, Publishers, Inc., à New York, sous le titre :

ORDER OF BATTLE

Avec toute mon affection à ma femme, dont les encouragements incessants et la compréhension quand elle me surprenait le regard perdu dans le vide m'ont permis de terminer ce livre.

L' « Ordre de Bataille » consiste en renseignements soigneusement triés et évalués provenant d'une grande variété de sources sur l'organisation, les effectifs et la disposition des forces ennemies. Ces renseignements, s'ils sont complets et précis, non seulement facilitent l'élaboration des plans d'opérations militaires mais aident les chefs d'unités sur le terrain à juger des possibilités de l'ennemi et à prendre leurs décisions en conséquence.

ORDRE DE BATAILLE
DE
L'ARMÉE ALLEMANDE
1943

SERVICES DES RENSEIGNEMENTS MILITAIRES
Washington, D.C.
Confidentiel

PREMIÈRE PARTIE

12-17 avril 1945

12 avril 1945

NEUSTADT

9 h 17

Il s'était écorché les jointures.

Il regarda d'un œil mauvais l'Allemand affalé contre le mur. Il l'avait frappé aussi violemment qu'il le pouvait en plein visage, un coup du revers de la main parti de la hanche.

L'Allemand le regardait aussi. Il avait l'air choqué ; dans ses yeux grand ouverts on lisait un mélange de surprise, de doute — et de peur.

Erik Larsen reconnaissait cette expression de peur. Bon ! Il s'approcha de l'homme, se penchant sur lui. Il prenait soudain étrangement conscience de sa main droite. Il avait la bizarre impression de sentir encore l'empreinte sur sa peau de la barbe mal rasée de l'Allemand. Il réprima l'envie qu'il avait de la frotter. Il serait peut-être obligé de frapper l'homme encore une fois...

L'Allemand semblait se ratatiner contre le mur sale de la *Bauernstube* bavaroise. Il contemplait Erik d'un air incrédule. Un long moment les deux hommes se dévisagèrent.

Erik sentit sa gorge se nouer. Au prix d'un effort délibéré il se força à prendre l'air dur. Impitoyable. Il ne pouvait pas se permettre de laisser l'Allemand deviner ses doutes. Il éprouvait un violent besoin de se rassurer lui-même, de se confirmer dans l'idée qu'il avait raison. Et pendant une fraction de seconde il se sentit plein de rancœur, déçu. C'était le problème avec ces filtrages. On devait se fier beaucoup trop à ses instincts. On n'avait pas le temps pour un véritable interrogatoire. Les cas avaient tendance à se succéder dans une ennuyeuse monotonie, à s'enliser dans des questions de routine et des réponses évasives, tout cela dans une atmosphère lourde de peur.

Ce salopard qui était par terre, Erik *savait* qu'il y avait quelque chose de suspect chez lui. Il en était certain. Mais comment voulez-vous prouver cela en quelques minutes ? Et c'était tout le temps qu'il pouvait consacrer à un interrogatoire de filtrage. Déjà les réfugiés allemands déferlaient vers les lignes par centaines, arrivant de l'Est, dans un effort frénétique pour échapper à l'Armée Rouge en marche. Qui étaient-ils ? Qu'étaient-ils ? Beaucoup d'entre eux avaient de bonnes raisons pour ne pas vouloir affronter les Russes. C'était au C.I.C. de filtrer ces gens avant de les laisser continuer en Allemagne, derrière les lignes américaines...

Anton Gerhardt était l'un d'eux. Il était arrivé dans le petit village bavarois de Neustadt au volant d'une vieille Citroën chargée jusqu'au toit d'affaires de ménage, de cartons et de valises. Il se laissa tranquillement arrêter et descendit docilement de sa voiture pour rejoindre la ligne de réfugiés qui attendaient d'être filtrés. Pendant qu'on garait sa voiture sur le bas-côté et que les hommes de la Police Militaire commençaient à fouiller l'amoncellement de ses bagages, Gerhardt fut conduit auprès d'Erik pour être interrogé.

Après les premières questions de routine, Erik savait.

Gerhardt avait une cinquantaine d'années. Il n'avait pour tout papier qu'une *Kennkarte* expirée — une carte d'identité allemande — qui le décrivait comme un employé subalterne des postes de Budweis, dans la région des Sudètes de Tchécoslovaquie. C'était classique. Si ses papiers avaient été plus complets, comme il n'y en avait qu'à peu près un sur mille dans ce cas, il aurait attiré l'attention. Et puis il y avait autre chose chez cet homme. Il avait l'air trop sûr de lui, presque condescendant, au lieu de manifester l'appréhension servile habituelle.

Erik sentait monter en lui cette intuition, cette intuition que chaque interrogateur finissait par acquérir après avoir questionné des centaines de suspects. Le genre d'intuition difficile à expliquer, mais qui se trompait rarement.

Gerhardt n'était pas du menu fretin.

Il y en avait beaucoup comme ça en Allemagne nazie. Arrogants et hautains quand ils avaient affaire au public, mais lorsqu'ils étaient confrontés à l'autorité, obséquieux et serviles ; le petit *Beamte* allemand — le fonctionnaire — c'était une espèce à part. Erik les connaissait bien pour avoir beaucoup voyagé en Allemagne avant guerre, et Anton Gerhardt n'en portait pas la marque.

Mais son interrogatoire ne menait Erik nulle part. Gerhardt s'en tenait à son histoire. Ça allait mal à Budweis. C'était le chaos. La menace de l'occupation russe provoquait la panique chez les Allemands. Les services postaux avaient cessé de fonctionner normalement et lui, Gerhardt, avait jugé préférable de regagner l'Allemagne. L'homme semblait sûr de lui et Erik n'avait aucune preuve qu'il ne disait pas en fait la vérité.

Sauf cet insolent petit sourire qui ne quittait jamais son visage. Et puis cette intuition.

Erik le dévisagea longuement. « Je ne crois pas votre histoire », dit-il catégoriquement. Son allemand était sans défaut.

« C'est la vérité, fit Gerhardt en haussant les épaules.

— Je ne marche pas. »

L'Allemand demeura silencieux. Erik le considéra sans passion et dit d'un ton détaché :

« Vous vous rendez compte, bien sûr, que si vous ne me dites pas la vérité à moi, quelqu'un d'autre, qui aura plus de temps, sera bien obligé de vous l'arracher.

— C'est une menace ? fit l'Allemand avec un pâle sourire. La violence physique ? reprit-il avec un rien de moquerie dans sa voix. Pardonnez-moi, mais maintenant c'est moi qui ne peux pas vous croire. Je sais que les officiers américains sont trop civilisés pour recourir à ce genre de... de barbarie russe. Et d'ailleurs, je dis la vérité. »

Ce fut alors qu'Erik sut ce qu'il devait faire.

Il se leva et s'approcha de l'homme debout devant son bureau. Lentement, délibérément il tourna autour de lui.

« Alors, vous croyez que nous ne porterons pas la main sur vous ? demanda-t-il nonchalamment.

— Bien sûr, répondit Gerhardt. Je suis un homme instruit. Je n'ai jamais cru à la propagande délirante du Dr Goebbels. Elle était conçue pour des gens plus crédules.

— Et vous, vous n'êtes pas crédule.

— Non.

— Vous êtes trop malin pour vous laisser duper. C'est ça ?

— Exactement.

— Mais vous apparteniez quand même au parti nazi, n'est-ce pas ? Vous le souteniez ? »

Gerhardt ne répondit pas. Ça n'aboutissait nulle part, songea-t-il. Il ne s'était pas trompé : les Américains étaient des imbéciles. Il se sentit soulagé. C'était comme s'il avait su ce que ce serait. Ce garçon ne tirerait jamais rien de lui avec ses questions stupides. Ils n'avaient aucune idée de la façon dont il fallait mener un interrogatoire. Comme ç'aurait été différent si la situation avait été renversée !

« Et comme vous êtes si malin, vous vous êtes dit que nous n'exercerions pas la moindre brutalité pour obtenir la vérité, fit Erik, interrompant ses méditations.

— Mais vous avez la vérité, dit Gerhardt en haussant les épaules. Et puis, vous appliquez les Conventions de Genève. »

Erik hocha la tête. « Pas de brutalité.

— Oui. Pas de violences physiques à l'égard des prisonniers. »

Erik examina l'Allemand d'un air songeur.

« Savez-vous où vous êtes en ce moment ? demanda-t-il.

— Non, je ne sais pas. Mais je devine. Le *Sicherheitsdienst* américain ?

— Vous n'êtes pas tombé loin. Je suis un agent du Counter Intelligence Corps, le Service de Contre-Espionnage de l'Armée américaine. Et c'est mon métier de vous faire parler. Tout de suite ! »

Gerhardt regarda d'un air intrigué ce jeune homme en face de lui. Il se demandait quel était son rang. L'Américain ne portait aucun insigne d'aucune sorte — pas de galons, pas d'écusson — rien que deux emblèmes d'officier américain en cuivre jaune au revers du col de sa chemise vert olive de l'armée américaine. Grand, bien bâti, un bon visage vigoureux d'Aryen — et si jeune. Vingt-cinq ans ? Pas plus. Un jeune garçon envoyé faire un travail d'homme, se dit-il.

« J'ai déjà parlé, dit-il avec patience. Et vous avez mes papiers d'identité.

— Des papiers peuvent être faux.

— Ils peuvent aussi être authentiques. Les miens le sont. » Il haussa les épaules d'un air résigné. «Je vous ai dit la vérité.

— Pas tout à fait, fit Erik d'une voix soudain glaciale. Mais vous allez me la dire ! »

Le mince sourire de Gerhardt lui tira les coins de la bouche. « Mais vous n'allez pas... me brutaliser, comme vous dites, pour me faire dire ce que vous voulez entendre.

— Qu'est-ce qui vous en rend si sûr ?

— J'ai étudié l'Amérique. Je sais ce que sont les Américains. Vous êtes équitables. Vous ne considérez pas un homme comme coupable tant que sa culpabilité n'a pas été démontrée. » Il sourit. « Vous essayez de m'effrayer. De m'intimider. Vous croyez que si je sais quelque chose je vous le dirai parce que j'aurai peur. » Il haussa de nouveau les épaules. « Mais, voyez-vous, je ne sais rien. Je vous ai dit la vérité en ce qui me concerne. »

Erik observa l'Allemand. Il semblait tout à fait à l'aise. Il croyait à ce qu'il disait. Personne n'allait le violenter. Pas les Américains. Pas ces démocrates amollis et décadents. Il se planta devant l'homme et le regarda droit dans les yeux.

« Je vais vous dire, fit-il d'un ton jovial. Vous et moi allons jouer à un petit jeu. »

Gerhardt regarda l'agent du C.I.C. comme si c'était un

enfant arriéré qui se montrait particulièrement exaspérant. Erik poursuivit :

« Voici les règles. Elles sont très simples. Vous allez vous mettre au garde-à-vous et je vais vous poser des questions. Chaque fois que vous direz un mensonge, je vous enverrai valser à travers la pièce ! »

Gerhardt arborait toujours son sourire un peu narquois. Il se mit au garde-à-vous. Il fallait bien faire plaisir à cet Américain puéril. Erik était juste devant lui.

« Vous venez de Budweis ? demanda-t-il.

— Oui.

— La voiture que vous conduisez vous appartient ?

— Oui.

— Etiez-vous membre du parti nazi ? »

Gerhardt hésita, puis il haussa les épaules.

« Bien sûr.

— Bon. En tant que fonctionnaire, vous y étiez obligé. » Il s'approcha un peu plus de l'Allemand.

« Etiez-vous employé des postes ?

— Oui. »

Erik frappa l'Allemand aussi fort qu'il pouvait. Le coup déséquilibra l'homme qui alla s'affaler contre le mur. L'air incrédule, Gerhardt porta une main à son visage ; un peu de rouge perlait au coin de sa bouche. Il ne s'en rendit même pas compte, car il regardait l'agent du C.I.C. penché au-dessus de lui.

La voix d'Erik était dure.

— Debout ! »

Gerhardt restait par terre. Il ne souriait plus.

« *Los !* Nous venons à peine de commencer notre petit jeu ! *Aufstehen !* Debout ! »

Gerhardt le regardait. L'Américain l'avait frappé. Il s'était donc trompé sur ce point. En quoi d'autre s'était-il trompé ? Que risquait-il encore de lui arriver ? Les Américains, après tout, étaient-ils comme les Russes ? Ou bien comme... comme les siens ? Le monde de certitudes logiques qu'il avait soigneusement édifié était en train de s'effondrer...

« Alors ? Vous étiez employé des postes ? »

Gerhardt se leva lentement. Il avait retrouvé un peu de sa dignité, mais son arrogance, son air condescendant avaient disparu.

S'il avait été comme ça depuis le début, songea Erik, je l'aurais cru. Il reprit :

« Allons-y ! »

Gerhardt se sentait nu, sans protection. Ses convictions, ses raisonnements s'écroulaient comme un château de cartes, il n'avait nulle part où chercher asile. Il se redressa avec un orgueil pathétique.

« Je suis le Standartenführer Gerhardt Wilke, dit-il.

— Votre affectation ? lança Erik.

— Chef de la Gestapo de Budweis. »

Erik revint à son bureau. Inutile de regarder dans le livre. C'était un cas d'arrestation automatique. Il appela :

« Murphy ! »

Le sergent Jim Murphy entra dans la pièce. Erik désigna l'Allemand du menton. Il se sentait soudain fatigué.

« Jim, dit-il d'un ton las, nous voilà avec un colonel de la Gestapo sur les bras. »

Murphy lança un regard intrigué à Gerhardt.

« Donnez-lui de quoi écrire. Il va nous raconter sa carrière. » Il regarda l'officier de la Gestapo. « *Verstanden ?* »

L'homme acquiesça. « *Jawohl.*

— Quand il aura fini, bouclez-le. Nous aurons besoin de lui parler encore.

— Bien, mon capitaine. » Murphy se tourna vers le nazi. « Allons, venez. »

Un moment Erik resta assis à son bureau. Encore un de pris. Il devrait se sentir content, mais ses pensées étaient sombres.

C'était la première fois qu'il avait eu recours à la violence physique sur les centaines de cas, les milliers de sujets qu'il avait interrogés depuis qu'il avait débarqué dans les vagues d'Omaha-Beach un peu plus de dix mois auparavant. Il avait toujours eu le sentiment qu'agir ainsi le mettrait sur le même pied que les nazis.

Il se rappela soudain, mot pour mot, la violente discussion qu'il avait eue avec un officier du front qui avait battu un prisonnier.

« Vos méthodes de douceur ne vous mèneront nulle part, lui avait dit l'homme avec mépris. Il n'y a qu'une façon de traiter ces salauds. Les rosser ! Les faire parler ! Etre aussi vache, dénué de scrupules qu'ils le sont.

— Et ça avance à quoi ? avait-il répliqué. A les mettre dans leurs droits, eux ? Ou dans notre tort, nous ?

— Qu'est-ce qui vous prend ? Vous avez peur de sacrifier un de vos précieux principes ?

— Un ? Puis peut-être un autre ? Et encore un ? Où s'arrête-t-on ?

— Oh, bon sang ! Tout ce qu'il suffit de faire c'est de leur montrer...

— Et si ça ne suffit pas ?

— Bon sang, mon vieux ! Qu'est-ce qui compte le plus ? Le confort d'une bande de sales Boches ou bien quelques centaines de G.I's qui se retrouvent le nez sous une couverture ? »

Erik soupira. Il n'avait pas pu approuver.

Et maintenant ? Il venait de frapper un homme, un suspect, de toute la force dont il était capable. Et en cet instant il avait voulu le frapper. Alors est-ce qu'il devenait comme... comme eux ? Après tout ce temps ? Toute cette pression ?

Il changea rapidement le cours de ses pensées. Drôle de moment pour se laisser aller à des méditations morbides, songea-t-il. Ce qu'il me faut, c'est un peu de sommeil. Et bientôt !

D'accord. Il avait envoyé le Boche au tapis. Mais, bon sang, c'était ce qu'il fallait faire !

Cette fois-ci.

Est-ce que ç'aurait été la chose à faire si l'homme lui avait vraiment dit la vérité ?...

C'était vraiment un cas qu'on aurait dit sorti d'un manuel. Comme on le lui avait enseigné au camp Ritchie dans le Maryland : Montrez-vous inattendu. Brisez le prisonnier le plus vite possible. Dès l'instant où il avait découvert la pierre angulaire de la défense de l'homme, il n'avait pas d'autre choix que de la faire sauter.

Il soupira. Il se sentait épuisé. Enfin, il l'avait cherché. Et par écrit !

Il se rappelait la lettre qu'il avait adressée au ministère de la Guerre en date du 8 décembre 1941...

Il était sorti de l'université de Minneapolis, avec un diplôme de journalisme, à peine quelques mois plus tôt et il avait regagné sa ville natale de Rochester. Il était né et avait grandi dans cette ville du Minnesota, et il s'y sentait de fortes attaches. Son père, Christian Larsen, était arrivé à Rochester en 1913, venant de l'Institut de radiologie Finsen à Copenhague pour travailler comme expert en radiations à la clinique Mayo et il y était encore, comme chef de service. Quatre ans après son arrivée, il avait épousé Karen Borg, une jeune Dano-américaine de la seconde génération et Erik était né en septembre 1918.

Erik passa les dix-huit mois suivant sa sortie du collège avec la sœur de son père, tante Birte, à Copenhague. Il étudiait les langues et la psychologie à l'Université et passait ses vacances à faire des randonnées à bicyclette à travers l'Europe et du ski en Norvège en hiver. Ce fut parce qu'il connaissait à fond le Danemark, la France et l'Allemagne ainsi que leurs langues qu'il eut l'impression qu'il pourrait se rendre utile dans un travail de renseignement et c'est ce qu'il suggérait dans sa lettre au ministère de la Guerre, offrant ses services.

Moins d'une semaine après l'avoir écrite, il recevait un mot disant : « Nous vous accusons réception de votre récente candidature à un poste dans les services de renseignements. » C'était sur du papier à lettres impressionnant, avec comme en-tête « ÉTAT-MAJOR du MINISTÈRE de la GUERRE, Division du Renseignement, G-2. » C'était signé d'un capitaine.

Quelques jours plus tard, il reçut un autre accusé de réception disant pratiquement la même chose, mais signé par un capitaine de corvette de la marine. Le lendemain une troisième lettre, cette fois signée par un civil. Cela le plongea dans la plus grande perplexité et les choses ne s'arrangèrent pas quand, au cours des deux mois suivants, il s'aperçut que ses amis et connaissances — y compris son coiffeur — le regardaient drôlement et qu'il recevait même de temps en temps une carte postale inquiète de gens qu'il était allé voir. On finit par lui poser directement la question : « Dis donc ! Qu'est-ce qui t'arrive ? Le F.B.I. est venu me poser des questions sur ton compte ! » Il comprit alors qu'il était l'objet d'une enquête approfondie.

Il reçut un jour un coup de téléphone d'une jeune femme. Elle mentionna la lettre qu'il avait adressée au ministère de la Guerre et lui demanda de venir rencontrer deux officiers, un colonel et un capitaine, pour une entrevue personnelle. Chose étrange, elle avait organisé le rendez-vous dans un obscur petit hôtel des faubourgs de Rochester. Erik, bien entendu, s'y présenta. Les deux hommes, tous deux en civil, se montrèrent aimables et détendus. Ils lui offrirent un verre bien tassé avant d'engager la conversation — et après cela Erik ne se souvenait plus de grand-chose. Il n'y avait qu'un détail qu'il se rappelait très nettement. Une question. Peut-être la nature même de cette question l'avait-elle suffisamment surpris pour laisser une impression. Le colonel avait nonchalamment demandé : « Dites-moi, Larsen, quel effet cela vous ferait de planter un couteau dans le dos d'un homme ? » Mais, il avait beau essayer, il n'arrivait pas à se rappeler ce qu'il avait répondu. Il se souvenait vaguement avoir parlé d'une quincaillerie locale dont le propriétaire était un de ses vieux amis, avoir expliqué qu'il en était un fidèle client et insisté pour que ce fût cet ami qui fournît le couteau ! Il revint à l'hôtel le lendemain pour se faire pardonner sa piètre performance, mais les deux hommes n'étaient pas là. La direction de l'hôtel affirma même n'avoir jamais entendu parler d'eux. Et Erik n'eut plus jamais de leurs nouvelles non plus.

Mais trois mois plus tard il reçut une autre lettre, cette fois signée d'un lieutenant de vaisseau. Elle contenait un questionnaire long comme l'*Encyclopaedia Britannica* qu'il devait remplir, et la lettre demandait quand il pourrait, dans les plus brefs délais, mettre en ordre ses affaires personnelles et se présenter pour prendre son service. On ne précisait pas quel service. Il répondit : « Dites-moi le lieu et l'heure, et j'y serai », et il reçut un câble, portant la petite étoile rouge qui en temps de guerre signalait les télégrammes officiels, lui demandant d'appeler un numéro à Washington. Il eut une charmante conversation avec une fille à la voix pleine de séduction, qui lui donna pour consigne de se présenter une semaine plus tard au Bâtiment Provisoire Q. « Soyez prêt à ne plus avoir de communications avec personne pour une période d'au moins trois mois, fit-elle d'un ton suave, et n'apportez rien que votre brosse à dents ! »

Lorsqu'il se présenta au Bâtiment Provisoire Q à Washington à la date fixée, on l'introduisit dans le bureau du lieutenant de vaisseau qui lui avait écrit précédemment, le lieutenant Martin Harris. Harris occupait un bureau long et étroit. C'était un homme au visage sévère avec des cheveux prématurément gris. Il leva les yeux quand Erik entra. « Entrez, Larsen, dit-il, et refermez la porte derrière vous. »

Erik obéit. Le lieutenant Harris l'examina d'un œil inquisiteur. « Lorsque vous avez franchi ce seuil, déclara-t-il d'un ton dramatique, vous avez perdu votre identité ! » Erik faillit se retourner pour regarder, mais il se retint à temps. Harris prit dans un tiroir de son bureau une feuille de papier qu'il tendit à Erik. « C'est vous qui avez écrit ça ? » demanda-t-il. Erik regarda la feuille. En effet, il l'avait écrit : c'était sa lettre au ministère de la Guerre. « Parfait », fit Harris. Il poussa vers Erik une autre feuille. « Signez ça. »

C'était un document simple, bref et sans fioritures : « Je soussigné me porte par la présente volontaire pour un service comprenant des risques, et m'engage à ne pas poser de questions », et il y avait un espace pour sa signature et pour celle d'un témoin. Sans doute Harris.

Abasourdi, Erik se demanda dans quoi il s'embarquait.

Harris le foudroya du regard et il se sentit profondément intimidé. Il n'avait pas le cran de refuser. Il signa.

Harris apposa son paraphe comme témoin, puis leva les yeux vers Erik. « En ce qui concerne votre identité, reprit-il. Désormais vous serez Lars G-8. Ça et rien d'autre ! Vous ne devez révéler à personne votre véritable identité, c'est clair ? »

Erik comprenait ce que disait Harris — mais sans plus. Il acquiesça. Harris lui expliqua que durant les trois mois suivants il allait subir un entraînement spécial, sans communiquer avec personne. « Les autres vont essayer de savoir qui vous êtes, le prévint Harris. Ne vous laissez pas faire. C'est vous qui essaierez plutôt de découvrir qui ils sont. »

Tous ces propos n'avaient absolument aucun sens pour Erik, mais il acquiesça consciencieusement de la tête.

« Avez-vous votre brosse à dents ? » demanda Harris.

Erik la lui montra.

« Bon. Otez vos vêtements. ».

Erik regarda l'officier, bouche bée.

« Tous vos vêtements », ordonna Harris. Il se leva et prit dans un placard un grand sac en papier qu'il donna à Erik. « Mettez tout là-dedans », dit-il. Erik se retrouva, face à l'officier de marine, nu comme un ver, cramponné à sa brosse à dents.

« C'est tout ! » fit Harris le congédiant. Il désigna une porte. « Passez par là. On vous dira quoi faire. »

Erik n'avait guère le choix. Il fit exactement ce qu'on lui ordonnait et il pénétra dans une grande pièce où se trouvaient environ trois cents personnes, ce fut du moins l'impression qu'il eut.

Il s'arrêta net. Il serra sa brosse à dents, comme si c'était le symbole même de sa santé d'esprit, et examina les lieux.

Il y avait en fait une trentaine d'hommes dans la salle. Tous totalement nus. Tous tenant d'une main plus ou moins nonchalante une brosse à dents. Et tous poliment occupés à faire la conversation.

Erik se mit rapidement au diapason et se trouva bientôt lancé dans une discussion animée sur les espérances de vie d'un « Bâtiment Provisoire » comme le Bâtiment Q avec un jeune homme à la poitrine extrêmement velue et un autre dont le ventre était barré d'une énorme cicatrice d'appendicite. Chacun évitait soigneusement toute allusion fût-ce vaguement personnelle — ce qui n'avait rien d'extraordinaire étant donné les circonstances.

Rien n'était réglé, le sort du Bâtiment Q demeurait en suspens, quand on distribua enfin à tout le monde des treillis et qu'on les fit tous monter dans deux grands camions. Les bâches des camions étaient fermées — hermétiquement semblait-il — et pendant le voyage, qui dura une bonne partie de la nuit, personne ne put découvrir où ils allaient.

Ce fut seulement quatre semaines plus tard qu'Erik découvrit qu'il avait abouti à l'Office of Strategic Services — l'O.S.S. !

A ce moment, il était déjà en plein dans le programme d'entraînement de base et installé au camp B-35 de l'O.S.S., au cœur d'un pays de bois et de collines. Ils étaient trente-six dans sa classe. Le matin qui avait suivi leur arrivée au camp, on les avait rassemblés à six heures. On les emmena dans un lieu isolé en dehors du camp et ils se trouvèrent dans un petit cimetière. Il y avait plusieurs tombes marquées simplement d'un nom de code et d'un numéro. Et une fosse ouverte. Toute prête. Là on les présenta à leur instructeur, qui s'appelait Porter. Il leur dit qu'ils devaient s'attendre à un entraînement sévère. Trop sévère pour certains. Pour une raison ou pour une autre, tout le monde n'allait pas jusqu'au bout. Et il désigna nonchalamment les tombes. Puis il tira de son baudrier un Colt 45 et le montra au groupe de recrues ensommeillées. Il se rendait compte, expliqua-t-il, que certains d'entre eux n'avaient que peu ou pas de formation militaire. Patiemment il expliqua qu'une extrémité du pistolet s'appelait la crosse et l'autre le canon. « Il y a une grande différence, reprit-il, selon l'extrémité à laquelle vous vous trouvez. Tenez ! » Et il fit feu soudain, vidant le chargeur sur le groupe d'hommes péniblement surpris qui lui faisait face, les balles leur sifflant aux oreilles avant d'aller s'enfoncer dans un monticule de terre derrière eux. Certains tressaillirent mais restèrent où ils étaient ; d'autres se jetèrent par terre et quelques-uns s'enfuirent en courant. Erik était trop pétrifié pour faire un geste. Toute cette démonstration insensée avait pour témoins deux hommes silencieux et à l'air sinistre, qui prenaient des notes sur de petits carnets noirs. Le lendemain, ils n'étaient plus que vingt-huit dans la classe.

C'était le début du fantastique cours d'entraînement suivi par les futurs agents de l'O.S.S. Il était conçu pour démolir un homme et le réduire à son instinct de conservation fondamental, puis à le reconstruire pour lui permettre d'affronter n'importe quelle situation avec confiance. La méthode réussissait — du moins provisoirement. Après le premier mois, Erik se leva un matin en se disant : C'est le dernier jour que je vais passer en vie — si je vis jusqu'à ce soir. Après le second mois, il se leva en songeant : Bon. Qu'ils arrivent ! Je peux battre l'Allemagne et le Japon à moi tout seul ! Le cours était bien rempli et minutieux. On n'omettait rien. Des transmissions à la cryptographie ; de l'orientation au meurtre sans bruit et au combat à main nue enseigné par le fabuleux commandant Fairburns, anciennement de la police de Hong Kong. Les futurs agents apprenaient à utiliser toutes les armes à feu possibles, celles des Alliés et celles de l'Axe, et à conduire tous les types de véhicules. Des experts leur enseignaient l'art de l'effraction et le maniement des explosifs. Et constamment les deux hommes sinistres avec leurs petits carnets noirs étaient là en observateurs silencieux. Si un homme montrait de la répugnance à desserrer avec ses dents le détonateur extrêmement instable d'une fusée, il y avait des chances pour qu'on ne le revît pas en classe.

Enfin, il y eut le saut en parachute. Ils s'entraînèrent deux jours entiers pour cela. Puis ils effectuèrent en un seul après-midi leurs cinq sauts de qualification. Ils allèrent en camion jusqu'à la base des Marines de Quantico en Virginie et décollèrent de là à bord d'un C-47 pour sauter au-dessus d'une petite clairière dans une forêt voisine. Le camion les ramassait, les ramenait à la base pour le saut suivant et la procédure se répétait jusqu'à ce qu'ils eussent effectué tous les sauts. Erik se souvenait avec amusement de la sentinelle qui les pointait chaque fois qu'ils entraient dans la base et qui ne les voyait jamais en sortir. A chaque fois il ouvrait des yeux de plus en plus grands.

Les sauts en parachute étaient comme le dernier examen précédant la remise des diplômes. L'entraînement de base était terminé. Sur la classe de trente-six, il en restait six. « Lars G-8 » était l'un d'eux.

Peu après Erik se vit confier sa première mission à exécuter en territoire occupé par l'ennemi. Il se joignit à un groupe de onze commandos norvégiens qu'on devait lâcher au-dessus de la Norvège pour faire sauter une usine produisant de l'eau lourde pour les nazis. Erik était le seul non-Norvégien de l'équipe, et on ne l'avait choisi que parce que la voie d'approche de l'usine suivait une piste de ski qu'il connaissait admirablement. Il suivit avec les Norvégiens un entraînement intense pour la mission, ce qui fit naître entre les hommes des liens d'étroite amitié. Il partit avec eux pour la base d'aviation de Westover, dans le Massachusetts, où ils s'embarquèrent sur l'appareil qui devait emmener l'équipe en Islande et de là les parachuter au-dessus de la Norvège. Là, on le fit littéralement descendre de l'avion pour le renvoyer à Washington. Personne ne voulut lui dire pourquoi. Personne ne voulut lui donner la moindre explication. Pendant une semaine il vécut dans un isolement total. Il était malade d'inquiétude. Et puis, enfin, on lui expliqua la situation : on avait découvert que la mission était compromise. Quelqu'un avait découvert l'organisation et révélé l'opération. Mais la mission était trop vitale pour être annulée. Le raid devait avoir lieu à l'heure prévue, sinon il serait trop tard. A la dernière minute on avait changé la voie d'approche. Erik n'aurait plus servi à rien ; en fait, comme il était le seul non-Norvégien, il aurait été seulement un risque supplémentaire dans une situation difficile. On l'avait donc enlevé à l'équipe et gardé dans le plus strict isolement jusqu'à la fin de l'opération. Le traître avait été découvert et la mission réussie. Mais les onze hommes du commando avaient été pris alors qu'ils tentaient de s'enfuir après le raid. Et tous les onze avaient été exécutés.

Erik fut bouleversé. Sa première réaction fut : Dieu merci je n'ai pas eu à y aller ! Puis il éprouva un accablant sentiment de culpabilité pour n'avoir pas été avec ses camarades. L'organisation lui donna deux semaines à Washington pour se mettre en paix avec lui-même. Il occupa ce temps à écrire des textes pour les émissions à ondes courtes à destination de l'étranger du Service d'Informations de Guerre.

Lorsqu'il vint reprendre son poste il constata que les choses avaient changé. Les grandes puissances s'étaient partagé le Théâtre Européen des Opérations, et chacune avait un territoire séparé où y opérer suivant les méthodes de l'O.S.S. Les pays scandinaves se trouvaient dans la zone d'opérations britannique, et Erik — qui avait été entraîné pour des missions dans ces pays — se vit offrir le choix entre être détaché auprès des autorités britanniques ou bien rester avec les Forces Américaines. Il choisit la dernière solution.

En raison de sa connaissance des langues — notamment le français et l'allemand — il fut affecté au Counter Intelligence Corps, peut-être en vertu du principe qu' « il faut un voleur pour prendre un voleur », et il suivit un cours complet d'enquêtes et d'interrogatoires. Il ne regretta jamais la formation qu'il avait reçue à l'O.S.S. Elle lui avait servi en maintes occasions...

Ça n'avait pas toujours été facile. Il s'était plaint plus d'une fois. Et non sans raison. Mais il savait que s'il devait recommencer, il écrirait une fois de plus cette fichue lettre.

Il se leva et se dirigea vers un des classeurs disposés le long du mur. Il l'ouvrit et se mit à chercher la liste noire. Si le colonel Gerhardt Wilke y figurait, on pouvait barrer son nom.

Murphy passa sa tête par l'entrebâillement de la porte.

« Vous êtes prêt pour un autre ? Ils sont entassés là-dedans comme des sardines ! »

Erik sourit. « Bon, dit-il. Au suivant ! » Le suivant. Et un autre. Et en autre encore. Et encore...

La guerre touchait à ses dernières semaines. Les fronts allemands s'écroulaient partout. Berlin même était menacé. Mais le travail du C.I.C. ne faisait que commencer. Et beaucoup de choses pouvaient se passer en quelques semaines. Un tas. Surtout en quelques semaines de guerre...

Il se frictionna la main. Cet Allemand mal rasé lui avait bel et bien écorché la peau.

Il était neuf heures vingt-huit, presque neuf heures et demie du matin. A Dachau, à 295 kilomètres au sud, deux officiers de la Waffen SS venaient de se présenter à l'entrée principale du camp de concentration...

DACHAU

16 h 34

L'Untersturmführer Wilhelm Richter regarda en plissant les yeux la fumée que vomissaient les hautes cheminées de brique. Elle se répandait en lourdes volutes d'un gris huileux dans le ciel bleu de Bavière. Les fours de Dachau ronflaient vingt-quatre heures sur vingt-quatre. Il ne restait que peu de temps pour appliquer la solution finale au problème juif.

Le jeune lieutenant de la Waffen SS s'adossa au bâtiment carré abritant les racines infernales des hautes cheminées. Les briques étaient tièdes et décolorées par la suie grasse et Willi avait soigneusement choisi un emplacement propre. Une douzaine de prisonniers du camp de concentration étaient occupés à charger un camion militaire garé non loin de là. Willi les surveillait.

Les hommes avaient un air cadavérique. Leurs uniformes rayés, usés jusqu'à la corde et marqués des lettres *KL* pendaient sur leurs corps émaciés. Sur le dos de l'espèce de veste de pyjama que portait chaque homme on avait peint un grand S — pour Sonderkommando, les prisonniers du camp qui s'étaient portés volontaires pour s'acquitter des tâches les plus répugnantes aux fours crématoires en échange de quelques semaines de vie.

Juste quelques semaines, songea Willi et quel genre de vie ! Tôt ou tard ils finiraient tous de la même façon. En fumée !

Il se mit à siffloter tout en regardant les hommes travailler.

Du kleine Fliege,
Wenn ich dich kriege...

C'était une vieille comptine allemande dont il se souvenait depuis son enfance, bien qu'il ne s'en rendît pas compte. Les prisonniers peinaient. Les caisses de bois qu'ils manipulaient étaient lourdes et les hommes étaient faibles. Ils devaient se mettre à quatre pour soulever chaque caisse et s'efforcer de la hisser sur le camion. Ils travaillaient dans un silence morne et lourd, et la demi-douzaine de gardes en uniformes noirs de SS à tête de mort qui entouraient la pitoyable corvée, un fusil mitrailleur nonchalamment passé sous le bras, ne semblait guère nécessaire. Mais le Sturmbannführer Kratzer avait insisté.

Kratzer en personne, debout à l'arrière du camion, suivait attentivement le chargement.

Petit homme, au nez chaussé de lunettes à monture d'acier, avec les cheveux coupés court et une petite moustache à la Hitler, le commandant SS n'avait rien d'impressionnant.

Mais il y avait quelque chose d'intense, de fascinant chez lui, il donnait même à Willi un sentiment de malaise.

La dernière caisse fut placée sur le camion. Les membres du Sonderkommando furent rassemblés en un petit groupe. Avec l'intuition sans défaut des désespérés, ils savaient qu'ils venaient d'accomplir leur dernière tâche. Leurs yeux creux et décolorés fixaient le sol ; seuls quelques-uns de ceux chez qui subsistait une once de défi osaient lever les yeux et contempler leur avenir qui sortait en sombres volutes des cheminées.

Le Sturmbannführer Kratzer fit signe au sous-officier SS

qui commandait les gardes. D'un geste presque distrait, il désigna de la tête le groupe des prisonniers.

« Vous savez quoi faire », dit-il du même ton de voix qu'il aurait pu employer pour donner des instructions à un employé des archives.

Le sous-officier acquiesça. « *Jawohl* Herr Sturmbannführer. »

Kratzer se tourna vers Willi.

« Richter ! appela-t-il. Allons-y ! »

Tandis que les deux SS sautaient à l'arrière du camion, Willi monta dans la cabine. Il détourna les yeux des prisonniers qui attendaient. Il y avait soudain dans l'air une puanteur désagréable. Il serait content de quitter cet endroit. Il s'installa à la place du chauffeur et prit le volant, tandis que Kratzer venait s'asseoir auprès de lui.

Le camion bringuebalait lourdement au milieu des cahots de la route. Le lourd chargement pesait sur la plate-forme à l'arrière. Willi conduisait prudemment. Ce n'était pas le moment de casser un ressort ni un essieu.

Il sifflotait doucement : « *Du klein Fliege...* »

Il s'en souvenait maintenant. Mutti le lui chantait... Il y avait longtemps, si longtemps.

Du kleine Fliege...
Wenn ich dich kriege,
Dann reiss ich dir dein kleines Beinchen aus.
Dann musst du hinken
Auf deinen Schinken...
Dann kommst du nie mehr wieder nach deinem Haus

C'était drôle qu'il y pensât maintenant. Et à sa mère... Willi était un enfant de la guerre. Son père, Walter, avait été tué sur le front de l'ouest en 1916, le jour même où il rentrait de permission. Willi était né neuf mois plus tard et avait été élevé par sa mère. Il se souvenait bien de sa petite enfance. Mutti lui chantait les vieilles comptines allemandes et lui lisait des contes : l'histoire de Konrad, qui suçait son pouce si bien que le tailleur le lui avait coupé ; l'histoire du bébé pleurnichard dont les yeux étaient tombés dans son assiette ; l'histoire de Paul le Cruel et de Pierre le Mal Peigné, et du Petit Fritz qui avait été mangé tout cru par un loup ; l'histoire de Hans, qui s'était trouvé coupé en deux alors qu'il descendait un escalier sur la rampe ; et la petite fille qui s'était brûlée pour n'être plus qu'un tas de cendres...

Il gardait encore un souvenir vivace du livre : Konrad, avec son moignon de pouce qui saignait. La couverture disait : « Belles Histoires et Dessins Drôles pour Enfants de Trois à Six Ans. » Tout d'abord il n'avait pas aimé le dessin de Konrad ; cela lui faisait peur de sucer son propre pouce. Puis il avait cessé de le faire et il en était fier. Il avait toujours secrètement l'impression que c'était bien fait pour Konrad de s'être fait couper le pouce — parce qu'il n'avait pas cessé de le sucer et il s'était habitué au dessin.

Plus tard, il était de moins en moins proche de Mutti, surtout durant les quatre années précédant son dix-neuvième anniversaire, lorsqu'il était dans les Jeunesses hitlériennes. Et puis, bien sûr, il s'était engagé dans les Waffen SS...

Kratzer tira Willi de sa rêverie.

« Par là, ordonna-t-il. A gauche. Dans la forêt. »

Dans une petite clairière juste à l'orée du bois, mais invisible de la route, un autre camion attendait. Ce n'était pas un camion de la Wehrmacht, mais un camion civil délabré, converti en gazogène dans l'effort de guerre pour conserver les ressources essentielles. La grande chaudière cylindrique à charbon de bois était maladroitement rajoutée derrière la cabine. Un homme en civil, avec blouson de cuir et casquette, attendait à quelques pas de là en tirant sur sa pipe. Il l'éteignit soigneusement d'un pouce durci par le travail et la fourra dans sa poche lorsque Willi arrêta son camion auprès de l'autre véhicule. « *Los,* ordonna Katzer. *Die Kisten umladen !* Toutes les caisses dans l'autre camion ! Vite ! » Il eut un geste impatient de son fusil-mitrailleur.

Les deux gardes SS rangèrent leurs armes. Aussitôt, avec

l'aide du civil, ils se mirent à transborder les lourdes caisses du camion de la Werhmacht dans celui à gazogène. Willi regardait avec curiosité le véhicule en piteux état. Kratzer vint le rejoindre et sourit.

« Nous ne tenons pas à trop attirer l'attention, dit-il. Dans la région que nous devons traverser l'ennemi fait des patrouilles aériennes. Mais ils ne gaspilleront pas leurs munitions sur un vieux camion à gazogène décrépit comme celui-là !

— Nous y arriverons ? demanda Willi d'un ton hésitant. Dans les montagnes ?

— Bien sûr. Ici nous sommes à 420 kilomètres de Rattendorf. Nous serons là-bas demain. De bonne heure. »

Willi espérait que le commandant ne se trompait pas. Il ne serait pas facile de négocier les virages des routes des Alpes avec un méchant gazogène.

Les hommes avaient presque fini de recharger les caisses. Ils balançaient tous les trois la dernière pour la jucher en haut de la pile dans le camion. Soudain l'un d'eux perdit prise. Les deux autres, incapables de retenir la caisse, la lâchèrent. La caisse vint se fracasser sur le sol et se brisa.

Les trois hommes contemplaient bouche bée la caisse démolie. Au milieu des éclats de bois on apercevait des lingots d'or ! D'un même mouvement les trois hommes se tournèrent vers Kratzer. Et s'immobilisèrent.

Le commandant SS les contemplait avec regret. Son pistolet mitrailleur était braqué droit sur eux.

« Je suis désolé, messieurs », dit-il doucement.

Deux brèves rafales partirent vers les hommes.

Les balles les coupèrent en deux. Un des SS regarda d'un air incrédule ses entrailles ensanglantées sortir de son abdomen déchiré pour se répandre entre ses mains avant de s'effondrer au milieu de ses camarades.

Un vol de corbeaux dans un arbre voisin s'envola affolé, poussant des cris rauques de protestation au-dessus des champs déserts.

Willi sentit dans sa bouche le goût amer de la bile. Il

avait soudain les genoux faibles. Il se força à avaler. Il contempla le commandant SS.

Sainte Mère de Dieu, songea-t-il, c'étaient des Allemands ! Ça n'étaient pas simplement des Juifs... Eux c'étaient des Allemands !

Le visage de Kratzer n'exprimait aucune émotion tandis qu'il examinait avec attention les trois corps. Pendant une fraction de seconde, Willi eut l'illusion que les yeux de son compagnon n'étaient que des creux d'un noir de jais. Malgré lui son regard était attiré vers les corps sans vie. De nouveau, il sentit la bile monter dans sa gorge. Il avait l'impression d'avoir du mal à respirer.

Kratzer ne faisait pas attention à lui. Il contemplait les corps d'un air d'extase. Il s'approcha d'eux, à petits pas. Il se vantait d'être expert dans l'art de déceler les simulateurs. Mais il était également très efficace. Pas besoin de coup de grâce : les trois hommes étaient bien morts.

Kratzer s'aperçut soudain de la présence de Willi. Il semblait lire dans les pensées du jeune homme.

« Willi ! Venez ici », ordonna-t-il calmement.

Willi vint le rejoindre, encore ébranlé.

« Ils savaient où nous allions, dit-il. Nous ne pouvons pas nous permettre de laisser courir le bruit qu'on peut trouver à Rattendorf vingt millions de Reichsmarks en or. »

Il a raison, bien sûr, se dit Willi. Il se reprenait. Il avait un peu honte. Il avait failli s'effondrer.

Kratzer du bout de sa botte donna un coup dans les lingots d'or.

« Des dents ! fit-il en riant. Ça en représente des dents ! »

Il eut un rire glacé.

« Les Juifs ne sont pas entièrement mauvais, dit-il. Il y a un cœur d'or chez la plupart d'entre eux. »

Il rit encore, d'un petit rire qui vous serrait l'estomac.

« Et une quantité suffisante de bons petits cœurs d'or juifs aidera le Troisième Reich à survivre. Nous y veillerons. »

Il se tourna vers Willi.

« Venez. Chargeons le reste sur le camion. Plus tôt nous

arriverons à Rattendorf, plus tôt nous pourrons rentrer à Thürenberg... »

Le vieux gazogène ne roulait pas mal. Willi était au volant. C'était un bel après-midi. Il n'y avait que quelques nuages gris dans le ciel. Ou bien était-ce la fumée des fours crématoires ?...

Kratzer sommeillait auprès de lui. Willi se remit à siffler doucement l'air de cette vieille comptine que Mutti lui chantait : « *Du kleine Fliege...* »

Petite mouche
Quand je t'attraperai,
Je t'attacherai tes petites pattes.
Alors tu traîneras
Sur tes fesses...
Alors tu ne rentreras jamais chez toi.

Il s'arrêta.

Sans qu'il sût pourquoi, il avait la bouche sèche.

BERLIN

23 h 37

A Berlin le *Stadtmitte,* le centre de la ville — était en flammes. Un raid de bombardement de la R.A.F. venait de semer la destruction sur la capitale allemande. De nombreux bâtiments avaient été gravement endommagés par les explosifs ; certains, comme le grand et élégant Hôtel Adlon, au coin d'Unter Den Linden et de la Wilhelmstrasse, étaient en feu. Mais le ministère de la Propagande au bout de la rue était relativement intact.

La ville mortellement blessée luttait pour son existence. Les voitures de pompiers, les ambulances et les véhicules militaires fonçaient dans les rues encombrées de gravats, où soldats, civils et pompiers s'efforçaient désespérément de noyer l'incendie qui faisait rage et où les employés de la Croix-Rouge, maniant leurs lourds couteaux, s'attaquaient aux débris fumants pour tenter de parvenir jusqu'aux mourants et jusqu'aux morts prisonniers des décombres.

Les flammes provenant des restes de la Chancellerie s'élevaient dans le ciel de la nuit maintenant vide, pour se refléter dans les fenêtres sombres du ministère de la Propagande, transformant le bâtiment en un monstre aux yeux innombrables qui clignotaient d'une lueur malveillante.

Au fond de ce chaos, débouchant derrière l'Adlon en flammes, une petite cavalcade motorisée s'approchait du ministère. Une grande limousine noire, précédée et suivie de deux motocyclistes SS, se frayait un chemin au milieu des décombres aussi vite que le permettait l'activité des sauveteurs et des pompiers. Le petit cortège s'arrêta devant le perron du ministère.

L'ordonnance sauta à terre et vint ouvrir la portière de la limousine. L'unique passager sortit rapidement. C'était un petit homme. Il portait une casquette d'uniforme nazi et un long manteau de cuir aux larges revers avec une grande ceinture. Il se dirigea vers les marches avec une claudication prononcée. Au pied du perron il se retourna pour regarder la destruction autour de lui.

Le Dr Joseph Goebbels, ministre de la Propagande du Troisième Reich, était consterné. Son visage aux traits étrangement simiesques était résolu. Ça n'allait pas être facile, songea-t-il. Il se rendait bien compte qu'un nombre croissant de Berlinois ne partageaient plus sa foi inébranlable dans le Führer. Bien sûr, c'étaient des brebis égarées. Ils avaient tort. Mais ça n'allait pas être facile de s'assurer de leur soutien constant devant des raids aériens de jour et de nuit comme celui-ci.

Il grimpa les larges marches. Un petit groupe sortit soudain en courant. Visiblement agités et au comble de l'excitation, ils le rencontrèrent au milieu du perron. D'une voix pressante, avec une exultation qu'il ne parvenait pas à dissimuler, un secrétaire du ministère s'adressa au *Doktor*.

Les flammes des immeubles en feu allumaient des reflets dansants sur le visage penché de Goebbels. Le secrétaire essayait de se faire comprendre au-dessus du fracas de la rue. Et soudain, Goebbels saisit le bras de l'homme. Une lueur de triomphe illumina son visage et, suivi des autres, il entra à grands pas dans le bâtiment.

Le ministre se dirigea droit vers son bureau. Tandis qu'il traversait rapidement le couloir, des mains empressées le débarrassèrent de son grand manteau de cuir. Tout le monde semblait d'excellente humeur.

Goebbels se dirigea droit vers le bureau massif qui dominait son cabinet de travail somptueusement meublé. Il s'assit et se tourna vers ses collaborateurs tout excités qui faisaient cercle autour de lui.

Il se frotta les mains, un sourire de satisfaction aux lèvres.

« Et maintenant, fit-il, qu'on apporte notre meilleur champagne. Passez-moi le Führer au téléphone. »

Quelqu'un se précipita pour exécuter les ordres du ministre. Le secrétaire entreprit d'établir le contact avec le bunker du Führer où Hitler se réfugiait pendant les alertes. Le Dr Goebbels avait les yeux brillants. Son regard s'arrêta sur le grand calendrier de bureau posé devant lui et qui portait la date du jeudi 12 avril 1945. Il jeta un coup d'œil à sa montre et tendit la main pour arracher la page. Une nouvelle journée avait commencé.

Le secrétaire lui tendit l'appareil. Goebbels attendit un moment en silence. Les autres l'observaient avec attention. On n'entendait pas un son dans la grande pièce. Puis Goebbels parla.

« Mon Führer, dit-il d'une voix vibrante, je vous félicite ! C'était écrit dans les astres : « La seconde moitié d'avril sera pour nous le tournant ! » Nous sommes vendredi 13 avril ! Mon Führer... Voici le tournant. On vient de m'annoncer la nouvelle : *le président Roosevelt est mort !* »

13 avril 1945

BERLIN

2 h 49

Les petites coupoles lumineuses qui constellaient le plafond à intervalles réguliers baignaient d'une lumière jaunâtre les murs de béton du long couloir reliant le bunker de l'état-major avec le bunker du Führer profondément enfoui sous la Chancellerie.

L'Oberst Hans Heinrich Stauffer, adjoint du Generalfeldmarschall Wilhelm Keitel, Chef du Haut Commandement des Forces Armées, boutonna le dernier bouton de sa tunique d'uniforme tout en s'engageant rapidement dans le couloir. Quand on était convoqué au bunker du Führer, cela signifiait tout de suite, même s'il était trois heures du matin. Il y avait plus de gens dans les corridors donnant accès au bunker que d'habitude à cette heure-là, et Stauffer se demanda ce qui se passait. Peut-être les Alliés ont-ils enfin capitulé ! se dit-il dans une bouffée d'humour macabre.

Stauffer franchit diverses portes, traversa le mess où quelques gardes SS buvaient de l'ersatz de café noir et descendit l'escalier qui menait au bunker du Führer, à quinze mètres au-dessous du niveau de la rue. Il traversa en hâte l'antichambre déserte et entra dans la salle de conférences.

Une poignée d'officiers se trouvaient là, parmi lesquels

l'assistant du Führer, le général Wilhelm Bergdorf ainsi que son aide de camp et garde du corps, le colonel SS Otto Günsche. Tous les regards se tournèrent vers Stauffer lorsqu'il entra, mais personne ne dit rien. Ils avaient tous l'air tendus et dans l'expectative.

Stauffer chercha des yeux le Feldmarschall mais ne le vit pas. Il en conclut que le chef d'état-major était avec le Führer. Il lança un regard inquisiteur à Günsche qui acquiesça de la tête.

Stauffer attendit avec les autres. Il était déjà venu d'innombrables fois dans cette salle de conférences du bunker, mais il ne s'y était jamais habitué. La salle était meublée de façon confortable, encore que désordonnée, avec un assortiment de sièges et de tables descendus des bureaux de la Chancellerie. Aux murs étaient accrochées des toiles représentant des paysages allemands et il y avait deux grandes cartes, l'une de la plus grande Allemagne et l'autre de la région de Berlin. Toutes deux étaient hérissées de signes et de symboles militaires. Les régions à l'est de Berlin étaient si couvertes de marques rouges qu'elles semblaient éclaboussées de sang. Sur une longue table s'entassaient d'autres cartes. Pour la centième fois Stauffer se posa des questions sur le somptueux tapis persan qui recouvrait de façon fort incongrue le sol en ciment. De quel bureau de la Chancellerie venait-il ? On avait dû en replier les bords pour le faire tenir. Il remarqua que les bords s'usaient déjà : cela se verrait toujours.

Les autres officiers discutaient entre eux à voix basse. Le colonel Stauffer s'apprêta à attendre. Il en avait l'habitude. Il avait passé des heures à cela : c'était un soldat de carrière...

3 h 7

La porte métallique du bureau de Hitler s'ouvrit soudain. Aussitôt les officiers qui attendaient se turent. Le Generalfeldmarschall Wilhelm Keitel apparut sur le seuil. Stauffer apercevait derrière lui le cabinet de travail. C'était une pièce petite et simplement meublée : un divan, un bureau, quelques chaises, une table sur laquelle s'entassait un amoncellement de cartes. Seuls quelques détails personnels rappelaient que c'était le bureau d'Adolf Hitler. Une pendule surchargée d'ornements et, au-dessus du bureau, un portrait de Frédéric le Grand, le roi guerrier de Prusse qu'Hitler vénérait. Hitler était planté devant le tableau, tournant le dos à la porte, les mains croisées derrière lui.

Keitel allait refermer la porte quand le Führer lança :

« *Sie ! Herr Feldmarschall !* dit-il sans se retourner. *Ich verlasse mich auf Sie !* Je vous fais confiance ! » Il y avait une force surprenante dans la voix de Hitler, observa Stauffer avec intérêt. C'était comme au bon vieux temps. Ce n'était pas habituel. Hitler était déjà physiquement un homme brisé. Il était courbé et voûté. Son bras gauche et sa main blessés lors de l'attentat tremblaient fortement et il traînait le pied gauche en marchant. Ses yeux pourtant pouvaient encore être brillants, étincelant d'un étrange pouvoir hypnotique.

« Mon Führer, dit Keitel, je ferai de mon mieux. »

Il fit le salut *Heil Hitler* et referma la porte. Pendant un moment il examina sans rien dire les officiers rassemblés devant lui...

Le Generalfeldmarschall Wilhelm Bodewin Johann Gustav Keitel semblait l'incarnation même du junker prussien. Grand, très droit, avec des cheveux grisonnants coupés en brosse et une petite moustache bien taillée ; des yeux pâles et froids, un monocle qu'il se vissait parfois dans l'œil gauche ; avec son uniforme gris immaculé et ses hautes bottes noires étincelantes, il offrait l'image parfaite d'un aristocrate prussien plein de morgue. Pourtant il n'était ni prussien ni aristocrate.

Keitel était au fond du cœur un fermier issu d'une famille du Hanovre violemment antiprussienne. Il n'aimait rien tant que de s'occuper des devoirs bucoliques de diriger sa propriété d'Helmsherode, dans le Braunschweig et de tirer le chevreuil, le sanglier et le faisan. C'était ce qu'il faisait chaque fois qu'il pouvait se dispenser quelques jours d'exécuter les ordres du Führer et d'apposer sa signature au bas de documents qui allaient coûter des millions de vies...

Keitel était inquiet. Cela faisait quelque temps maintenant qu'il n'avait pas vu son cher domaine. Les Américains l'avaient envahi deux jours plus tôt et depuis lors il n'avait eu aucune nouvelle. Et maintenant ceci. Cette dernière idée de Hitler ne lui inspirait aucun enthousiasme, mais il avait reçu ses ordres ; les ordres personnels du Führer. Il ne pouvait pas les changer. Il ne le voulait pas. Mais il y avait quand même quelque chose qu'il pouvait faire.

« *Meine Herren,* dit-il d'un ton solennel. Ce que je vais vous dire ne doit jamais sortir de cette pièce ! »

Il scruta les visages devant lui. Les hommes le contemplaient avidement. Il se dirigea vers les deux grandes cartes murales.

« Messieurs, reprit-il. La fortune de la guerre va changer. Le Führer m'a chargé de vous annoncer la nouvelle : le président Roosevelt est mort ! »

Il attendit patiemment que l'excitation se fût calmée parmi le groupe des officiers. Stauffer, lui aussi, sentait son cœur battre plus vite. C'était le genre de nouvelles qui pouvait déclencher... ma foi, n'importe quoi ou rien du tout. Il observa attentivement son chef. Il était étonné.

Ce n'est que le lever de rideau, se dit-il.

Stauffer se sentait mal à l'aise. Cela faisait longtemps qu'il travaillait avec Keitel. Il connaissait la plupart de ses manies. Ce que Keitel avait à dire, il ne l'avait pas encore dit. Et c'était important. Le maréchal parvenait toujours à avoir l'air raide et guindé quand il devait prendre la parole devant un groupe. Plus il était préoccupé par ce qu'il avait à dire, plus il était crispé, plus son ton était emprunté. Stauffer décida que son supérieur était très préoccupé. Keitel poursuivit.

« Pour reprendre les mots du Führer : nous n'allons pas refuser l'appel du Destin ! »

Il se tourna vers la carte de Berlin derrière lui.

« C'est aux portes mêmes de Berlin que les Russes vont essuyer leur plus sanglante défaite ! »

Il se tourna vers la carte d'Allemagne et sa main la balaya d'un geste décidé. « Nous allons repousser les Alliés jusqu'à la mer ! »

Il fit face aux officiers, les fixant de ses yeux pâles et froids, encadré par la carte derrière lui d'une Allemagne vaincue.

« Le Führer a dit : « Le vainqueur de la dernière bataille est le vainqueur de la guerre. » Cette dernière bataille, *meine Herren,* sera pour nous ! »

Stauffer sentit son cœur se serrer. Mon Dieu ! songea-t-il. Encore une arme secrète invincible ! Les autres officiers écoutaient et observaient le chef d'état-major avec des réactions allant de la fascination à l'incrédulité totale. Stauffer était inquiet. Keitel en faisait trop. Stauffer n'avait pas grand respect pour son chef. Personnellement il le considérait comme un homme sans caractère, esclave de son obéissance aveugle pour son dieu, Adolf Hitler...

Keitel était Chef des OKW (*Oberkommando der Wehrmacht*) — Chef du Haut-Commandement des Forces Armées — depuis le 4 février 1938. C'était pour l'objectif que s'était fixé Hitler un choix parfait. Sa loyauté était incontestable. Son dossier était au-dessus de tout reproche. Il avait pris part à la conspiration nazie pour rebâtir les forces armées allemandes au début des années 30, en violation flagrante du traité de Versailles, et il l'avait fait avec un dévouement total, donnant des ordres et des instructions verbalement, chaque fois que c'était possible, en vertu du principe selon lequel « on ne peut rien prouver de ce qui s'est communiqué verbalement, mais on peut toujours le nier ». Depuis lors, il s'était montré d'une docilité totale envers tous les ordres et les exigences de Hitler, ne mettant jamais en doute les mobiles ni la moralité du Führer — et ne permettant à personne d'autre de le faire. Le Feldmarschall était un homme pédant, sans inspiration et sans humour, mais qui excellait aux détails et à la routine du travail administratif. Le fermier Wilhelm Keitel était exactement le genre d'officier d'état-major dont Adolf Hitler avait besoin pour réaliser ses désirs sans poser de questions, sans protester. Keitel était toujours proche du Führer. C'était appuyé à son bras que Hitler était sorti du bâtiment démoli par l'explosion de la bombe à Rastenburg, blessé, brûlé et meurtri, les cheveux roussis, le visage noirci, après la tentative d'assassinat du colonel von Stauffenberg. Keitel lui-même avait été secoué mais pas blessé...

Keitel se dirigea vers la table des cartes. Les officiers se groupèrent autour de lui. Il choisit une carte, et Stauffer la déploya sur la table. C'était une carte des régions alpines de Bavière, d'Autriche et de l'Italie du Nord. La voix et le débit de Keitel, tandis qu'il poursuivait son exposé, ils les connaissaient tous pour les avoir déjà entendus lors de précédentes conférences d'état-major. Pourtant, cela allait être quelque chose de plus qu'une simple réunion d'état-major. Il allait se passer quelque chose d'extraordinaire. Ils le sentaient tous. L'atmosphère était comme électrisée par leur curiosité.

« C'est maintenant que nous allons déclencher l'opération, déclara Keitel. Dès que cela sera possible nous regrouperons, nous consoliderons comme prévu nos forces... ici. » Il posa sa main ouverte sur la carte. « Le réduit alpin bavarois : *Die Alpenfestung*. C'est de là que la guerre sera gagnée ! J'ai recommandé au Führer qu'on donne au Feldmarschall Kesselring le commandement du front sud. »

Keitel regarda un officier après l'autre.

« Les Américains ont reçu un rude coup en perdant à ce moment crucial leur président belliciste. Ils sont décontenancés, démoralisés. Le peuple allemand, nos troupes ont besoin de concentrer leur attention sur un point. Tout de suite. Il faut un coup hardi, audacieux pour les revigorer, rendre l'*Alpenfestung* vraiment imprenable ! Ce coup, nous allons l'asséner ! »

Stauffer regardait le Feldmarschall, fasciné. L'homme croyait-il vraiment ce qu'il disait ?

Keitel continua.

« Les Américains viennent d'être mis à genoux par le sort.

C'est à nous d'agir maintenant. C'est nous qui devons les abattre totalement ! Ils ont perdu leur tête politique. Nous, nous allons les décapiter militairement ! *Meine Herren...* »

Il marqua un temps très théâtral.

« *Meine Herren,* le Führer a donné l'ordre de tuer le général Eisenhower. *Maintenant !* »

15 avril 1945

FELDSTEIN

20 h 47

Roulant sur ses jantes, la bicyclette délabrée avançait en grinçant sur le gravier du bas-côté de la route. Un groupe composé de six hommes et d'une femme suivait la petite route de campagne plongée dans l'ombre. Ils portaient des paquets et des sacs à dos. Un homme avait deux vieilles valises accrochées à une corde qui lui passait autour des épaules et la bicyclette, poussée par un autre homme, était chargée de nombreux ballots. Tous les sept avaient l'air épuisés et dépenaillés : le petit groupe classique de réfugiés civils sans but, abandonné dans le sillage de la guerre. La nuit était noire, le ciel était couvert et il tombait par moment une petite pluie fine et froide.

A cinq kilomètres à l'ouest de Feldstein, dans les environs de Francfort-sur-le-Main, la route traversait une région un peu boisée. Là, un grand secteur avait été entouré de rouleaux de barbelés en accordéon. On distinguait vaguement entre les arbres d'énormes amoncellements de jerricans et de bidons. A l'entrée gardée par une sentinelle, une pancarte bien éclairée annonçait que c'était un dépôt de l'armée américaine, classe III : Essence et huile.

Le groupe de réfugiés passa d'un pas traînant devant l'entrée, de l'autre côté de la route et disparut dans un virage.

Le fantassin Henry Williams les regarda s'éloigner. Il était à sa quatrième heure de garde et il attendait avec impatience d'être relevé. Il se demanda un instant s'il ne devait pas appeler le sergent de garde pour signaler le passage des réfugiés, mais il décida que non. Il ne savait pas exactement quelles étaient les heures du couvre-feu ici et il ne tenait pas tellement à se faire engueuler s'il s'était trompé. Ces Boches étaient peut-être parfaitement en règle et d'ailleurs ils avaient disparu. Alors, pourquoi faire des histoires ?

Après le virage, le dépôt s'arrêtait et les barbelés s'enfonçaient dans les bois à angle droit. Le groupe de réfugiés traversa la route pour gagner le coin du dépôt. Ils quittèrent la grand-route et prirent un sentier qui courait le long des barbelés à travers bois. Une stupéfiante métamorphose s'opéra alors.

Presque instantanément, le groupe de réfugiés épuisés par des jours de marche se transforma en un commando d'une redoutable efficacité. Deux des hommes s'emparèrent aussitôt de la vieille bicyclette et la soulevèrent tout en se précipitant sans bruit dans le sentier. On n'entendait pas un son. Puis, comme obéissant à un ordre muet, ils se plaquèrent tous au sol auprès des barbelés.

Pendant quelques instants ils tendirent l'oreille. Puis leurs regards se tournèrent vers un homme. Celui-ci hocha la tête. Pas un mot n'avait été échangé. Une paire de tenailles, un fusil-mitrailleur Schmeisser et deux pistolets automatiques apparurent aussitôt des paquets tandis que quatre des hommes reprenaient leur sac à dos.

D'une main experte, sans bruit, deux coupèrent les barbelés un à un, jusqu'au moment où une ouverture eut été pratiquée, assez grande pour les laisser passer un par un. La femme resta en arrière avec un des hommes, armé du fusil-mitrailleur. Les cinq autres disparurent promptement dans l'ombre entre les piles de bidons et de tonneaux.

Le soldat de première classe David Rosenfeld était dégoûté.

Totalement dégoûté. Il avait passé des semaines dans ce fichu camp de remplacement au fond de la Normandie en attendant une nouvelle affectation. Il avait dix-neuf ans et brûlait de partir. Et qu'est-ce qui s'était passé ? Deux jours plus tôt, il avait fini par recevoir son ordre de mission.

Ça y est ! avait-il songé. Enfin je vais participer à un peu d'action. Tenez-vous bien les gars, j'arrive !

D'un coup de pied rageur, Rosenfeld expédia au loin un caillou. Pour ce qui était de l'action, il était servi ! Garder un malheureux tas de bidons. Quelle merde !

Rosenfeld tourna les yeux vers un petit groupe de baraquements à quelque distance de là. Quelques jeeps, un command-car et une Cadillac vert olive étaient garés. Deux chauffeurs militaires flânaient autour des véhicules. Il se passait quelque chose au Q.G. du dépôt. Un tas de gros bonnets étaient arrivés peu de temps auparavant. Sans doute encore une ligne de ravitaillement bloquée, songea Rosenfeld.

Il soupira. Il contempla d'un œil morne les bidons d'essence entassés les uns sur les autres ; les amoncellements de barils d'huile. Pour ce qui était de l'action, il était vraiment gâté !

Il ne vit pas l'ombre furtive filer entre deux piles de bidons d'essence. Il était trop occupé à s'apitoyer sur son sort...

La première explosion supprima le soldat Rosenfeld.

Elle fit jaillir dans le ciel de la nuit un grand jet de flammes. Une fraction de seconde plus tard, une autre explosion ébranla le dépôt puis une autre. En un instant tout n'était plus qu'un brasier. De l'essence enflammée, projetée en l'air par de formidables explosions, retombait en pluie sur les baraques du Q.G. Les explosions secouaient violemment les bâtiments.

Un des chauffeurs, arrosé d'essence, s'enflamma d'un coup. Comme un épouvantail agitant les bras, il se précipita en avant et trébucha sur une pile de jerricans. Les bidons retombèrent en avalanche autour de lui. L'homme aussitôt fut englouti dans un jaillissement de feu aveuglant.

Plusieurs hommes sortirent en courant des baraques, leurs silhouettes se découpant sur les flammes qui bondissaient. Ils essayaient désespérément de se protéger des débris incandescents qui pleuvaient de toutes parts. Quelques-uns d'entre eux bondirent dans les deux voitures. Le command-car fut le premier à démarrer. La limousine suivit presque aussitôt. Prenant de la vitesse, elle dévala une route entre de grandes piles de barils d'huile. Soudain une violente explosion juste à côté de la voiture la souleva en l'air et elle retomba sur le sol en une masse de métal tordu arrosé de gas-oil en feu. La voiture fut secouée d'un dernier sursaut lorsque le réservoir d'essence explosa.

On pouvait distinguer trois corps prisonniers du bûcher funéraire. Ils étaient carbonisés et mutilés de façon méconnaissable. Mais on pouvait encore reconnaître sur le parechocs avant une plaque métallique portant l'étoile d'un général américain !

En quelques secondes tout le secteur du dépôt était la proie d'une activité frénétique.

Le soldat de première classe Rosenfeld n'en vit rien.

16 avril 1945

KRONACH

10 h 19

La salle de liaison donnant sur la salle de guerre ultra-secrète au second étage du bâtiment abritant le P.C. du Corps était relativement calme lorsque Erik et son coéquipier, l'agent spécial Donald Lee Johnson, y firent leur entrée. Le commandant Lund, qui était le patron des lieux et qui avait réussi à se rendre indispensable. expliquait une opération à un général de brigade et à deux colonels rassemblés autour d'une carte déployée sur une table. Il salua d'un petit signe de tête amical l'arrivée des deux agents du C.I.C. mais sans manquer une virgule dans son exposé.

Erik et Don avaient eux-mêmes amené le Standartenführer Gerhardt Wilke au Q.G. du Corps pour un interrogatoire stratégique. L'homme s'était révélé être une véritable encyclopédie de l'organisation de la Gestapo en pays sudète. Les Tchèques seraient certainement très intéressés.

Ils étaient arrivés la veille dans la pittoresque petite ville de Kronach, où se trouvait le Quartier Général des échelons avancés du XIIe Corps, juste à temps pour assister au service célébré à la mémoire du président Roosevelt, dans les jardins derrière les bâtiments du Q.G. C'était le commandant du corps d'armée, le général « Matt » Eddy qui avait prononcé l'émouvante oraison funèbre.

Le brusque décès du commandant en chef avait été profondément ressenti par tout le monde. Erik, bien qu'il ne l'eût jamais vu, éprouvait un sentiment aigu de perte personnelle. F.D.R. était président depuis qu'il avait l'âge de s'en souvenir. Pour lui, c'était comme si une partie des Etats-Unis avait disparu.

Erik se jucha sur le coin d'un bureau et se mit à feuilleter une liasse de rapports de renseignements ronéotypés. Don s'approcha de la fenêtre et regarda dehors.

Du haut d'une colline rocheuse sur l'autre rive du fleuve, la grande forteresse médiévale de Feste Rosenberg dominait majestueusement l'ancien et le nouveau quartier de la ville de Kronach — sans trop accorder d'attention à l'ensemble de bâtiments de deux et trois étages aux toits de tuiles grises qui abritaient le P.C. du Corps.

Don avait une excellente vue du vieux château. Il la savourait. En fait, il aimait voir et visiter ce genre d'endroits. En Angleterre, en France, au Luxembourg et en Allemagne. A sa grande surprise il avait découvert que l'intérêt qu'il éprouvait à visiter ces lieux chargés d'Histoire pouvait aller de pair avec la sinistre besogne du travail de contre-espionnage en temps de guerre. Avec un peu de remords parfois, il se considérait comme un touriste en uniforme — bien qu'il ne l'admît jamais, et surtout pas à Erik, qui avait parcouru toute l'Europe et qui parlait couramment cinq ou six langues. Don faisait bien de s'abstenir. Car c'était sûrement un avantage envers quelqu'un né et élevé à Amarillo au Texas, et qui avait déjà du mal avec l'anglais !

Don contemplait le château massif sur la colline. Un édifice fier. Impressionnant, songea-t-il, même sous l'occupation ennemie. D'ailleurs, ce n'était pas la première fois. L'Histoire avait l'art de se répéter même si parfois cela prenait un moment. Quelque trois siècles plus tôt, le roi de Suède Gustave Adolphe avait installé son quartier général à Feste Rosenberg lorsqu'il avait envahi l'Allemagne, décidé à libérer ses frères allemands luthériens. Ce siècle-ci, c'est le tour des Juifs, se dit Don.

Il se demanda vaguement d'où lui venait cette information inutile. Faisait-elle partie des quatre-vingt-dix pour cent de ce qu'il avait appris au collège et qu'il était censé avoir oublié, mais dont il se souvenait encore ?

Don vint rejoindre Erik. Le commandant Lund terminait. Il accompagna le général et les deux colonels jusqu'à une grande carte fixée au mur auprès de la carte générale des situations. Elle portait la légende :

Installations non confirmées dans
SECTEUR SUPPOSE DU REDUIT

Elle montrait les régions alpines de Bavière, d'Autriche et d'Italie, avec la ville de Munich au nord. Un large secteur au centre avait été entouré d'une grosse ligne en pointillé et était hérissé de symboles militaires. Lund désigna la carte.

« Voilà, dit-il. Et c'est à jour.

— Mais non confirmé, commenta sèchement le général.

— Oui. Mais des indices montrent que les nazis se préparent effectivement à une âpre lutte dans ce secteur.

— Vous voulez dire une sorte de baroud d'honneur. » Le général avait un ton vaguement pontifiant. Le général de brigade Millard McGraw était un combattant : il n'avait guère bonne opinion des officiers d'état-major.

« Exactement. » Le commandant Lund se tourna vers la carte, répétant les explications qu'il avait déjà données des centaines de fois auparavant. « Comme vous pouvez le voir, mon général, le secteur du Réduit National — la prétendue forteresse alpine — comprend des parties des Alpes bavaroises, de l'Autriche occidentale et de l'Italie du Nord, une cinquantaine de milliers de kilomètres carrés de terrain montagneux pratiquement imprenables.

— Un beau domaine ! dit un des colonels impressionné.

— Je pense bien ! Le propre repaire de Hitler — Berchtesgaden — est juste au centre. » Il montra l'endroit. « Exactement... ici. »

Le général examina la carte. Il avait l'air sceptique. Il se tourna vers Lund.

« Et les prétendues fortifications ? Les installations militaires ?

— Nous avons eu littéralement des centaines de rapports, mon général.

— Provenant de quel genre de sources ? Valables ? »

Le commandant Lund leva les yeux. C'était une façon bien méprisante de s'exprimer, se dit-il.

« Oui, mon général, répondit-il. De nos propres services de renseignements. Des Anglais. De l'O.S.S. et de nombreuses sources neutres en Suisse. Même de factions antinazies en Allemagne. »

Le général grommela. Le commandant Lund désigna les symboles sur la carte. Il parlait en s'efforçant délibérément de ne pas avoir l'air agacé.

« Comme vous pouvez le voir, mon général, des drapeaux indiquent des dépôts de ravitaillement, d'essence, de munitions, de matériel de guerre chimique — la plupart des réserves de gaz asphyxiant allemand se trouvent là — de casemates, de bunkers, de centrales électriques. Les points de concentration des troupes, les lignes de position puissamment fortifiées — dont certaines reliées, paraît-il, par des kilomètres de voies ferrées souterraines... nous avons même eu des rapports sur des usines souterraines à l'épreuve des bombes. »

Le général McGraw le regarda.

« C'est un tableau fichtrement inquiétant que vous nous brossez, commandant... même si ce n'est qu'à moitié vrai. » Il y avait un peu de sarcasme dans sa voix et le commandant Lund ne s'y trompa pas. L'officier de renseignement sentit une vague colère monter en lui. Ce salopard a une étoile, songea-t-il. Ça n'est pas à moi d'aller vérifier l'exactitude des rapports qui arrivent. Mais c'est bien la peine d'en faire état pour que des salauds comme lui lancent des remarques méprisantes ! Lund savait, bien sûr, ce que lui-même pensait de cette histoire de forteresse alpine. Il y avait une part de propagande. Des discours de Goebbels. Beaucoup des rapports étaient exagérés. Un grand nombre étaient discutables. Mais il en restait assez pour l'inquiéter. Pour l'inquiéter bel et bien. Il jeta un coup d'œil au général : celui-ci étudiait de nouveau la carte.

« Des munitions ? » demanda-t-il sèchement.

Si c'est un tableau que tu veux, mon salaud, se dit Lund, je vais t'en peindre un ! Tout haut il répondit :

« Oui, mon général. De toutes sortes... »

Le général le regarda avec un léger haussement de sourcils. Lund poursuivit :

« ... y compris des missiles V-2 capables de porter des charges explosives plus lourdes que les engins utilisés sur Londres. »

Il regarda le général droit dans les yeux, parlant avec une candeur étudiée :

« En fait, mon général, le chef des services de renseignements de la Septième Armée signale que plusieurs trains de matériel sont arrivés dans la Zone du Réduit chaque semaine depuis février et que certains d'entre eux, d'après les rapports, transportaient un nouveau type de canon. Le rapport faisait même état d'une usine souterraine installée pour fabriquer des Messerschmitt ! »

Malgré lui, le général avait l'air impressionné.

« Ce sont les gars du G-2 de Patch qui ont dit ça ? demanda-t-il d'un ton incrédule.

— Oui, mon général. Le chef du Bureau de Renseignements du général Alexander Patch.

— Ça alors !

— Oui, mon général. »

Le général lança à Lund un regard rapide. Est-ce que ce petit merdeux se fichait de lui ? Lund s'empressa de poursuivre :

« Je veux dire, mon général... aussi bien le général Marshall que le général Bradley sont extrêmement préoccupés, mon général. »

Le général grommela. C'était vrai. A son P.C., il était inondé de messages. Il regarda de nouveau la carte. Quand même, songea-t-il, si les nazis étaient vraiment retranchés dans un coin comme ça, ils pourraient tenir des années.

« A combien estime-t-on la capacité des effectifs du Secteur du Réduit ? demanda-t-il.

— Environ trois cent mille hommes, mon général. Pour l'instant. »

Le général resta un moment silencieux. Puis il regarda le commandant Lund.

« Merci de votre exposé, commandant. Ça a été très... très utile. »

Il tourna les talons et, suivi de ses deux colonels, quitta la pièce.

Don regarda en souriant le commandant Lund.

« C'était qui, votre commandant ? » demanda-t-il.

Lund se calmait. « Un général qui veut péter plus haut que son cul, dit-il.

— Alors, vous vous êtes bien payé la tête de ce pauvre type. » Don désigna du menton la carte du Réduit. « Et tout ça ? Qu'est-ce que vous en pensez ? »

Lund sourit.

« Je ne fais que peindre des tableaux, mes enfants. » Il ne réussit pas tout à fait à dissimuler un peu d'amertume.

Un des sous-officiers qui travaillaient dans la salle lui apporta une tasse de café. C'était exactement ce dont il avait besoin. Il l'accepta avec un hochement de tête reconnaissant.

« On remonte. Rien de spécial ? » demanda Don.

Lund buvait son café à petites gorgées.

« Procédure d'opération standard, dit-il. Vous pouvez avoir les derniers renseignements sur la situation de l'ennemi. »

Erik avait pris sur le bureau un des rapports ronéotypés. Il le brandit vers Lund.

« C'est le rapport complet sur le Réduit ? » demanda-t-il.

Lund, qui buvait toujours son café, acquiesça de la tête.

« Je n'ai jamais eu l'occasion de le lire. »

Erik parcourut le rapport. Il avait l'air intéressé. Tout d'un coup il releva la tête.

« Ecoute, Don, dit-il. Ecoute ça ! Un vrai tableau de jugement dernier. C'est du rapport de renseignements du 11 mars du S.H.A.E.F. » Il se mit à lire :

> « ... Défendus par la nature et par les armes secrètes les plus efficaces jamais inventées, les dirigeants qui ont jusque-là guidé l'Allemagne vont survivre pour réorganiser sa résurrection... Un corps spécialement sélectionné de jeunes hommes sera entraîné à la guérilla, de façon que toute une armée clandestine puisse être mise sur pied pour libérer l'Allemagne des forces d'occupation. »

Don secoua lentement la tête.

« Ça ressemble plus à une page de mythologie nazie qu'à un rapport de renseignements ! »

Le commandant Lund reposa sa tasse vide.

« Bradley et le S.H.A.E.F. ne sont pas d'accord avec vous.

— Ce sont des choses qui peuvent arriver !

— Les choses ont un peu changé depuis la dernière fois que vous êtes allé là-bas. Notre principal effort maintenant est de couper l'Allemagne en deux en fonçant vers le centre, pour empêcher leurs forces de se concentrer dans le Réduit. Et à cet effet, des ordres viennent d'arriver du S.H.A.E.F. pour dérouter plus de la moitié de nos forces.

— Ça va être une belle course, observa Erik. Est-ce qu'on peut les couper en deux avant qu'ils arrivent à s'installer dans leur forteresse alpine ? »

Le visage de Don s'éclaira. « Tiens ! fit-il. J'aimerais bien faire un petit pari sur cette course, mon commandant ! Pour deux dollars, c'est à quel guichet ? »

Le commandant Lund sourit. Puis son visage redevint grave.

« Ne gaspillez pas votre argent, Don, dit-il. N'importe qui peut encore gagner. »

Il se tourna et s'approcha lentement de la grande carte murale du secteur supposé du Réduit.

« Mais je vais vous dire une chose. D'ici que vous soyez prêt à empocher vos gains, beaucoup d'hommes dans les deux camps seront morts ou blessés. Toute la campagne a été changée. Notre objectif principal a changé. Nous nous dirigeons vers la forteresse alpine... Pas Berlin ! »

BERLIN

22 h 7

Tout autour des faubourgs de Berlin le ciel nocturne était teinté d'une lueur d'un rouge sang, et le grondement sourd et lointain de l'artillerie lourde déferlait par vagues sur la ville en ruine.

A exactement quatre heures ce matin-là, le front de l'Est aux abords de la capitale avait explosé en un rugissement à faire trembler le sol lorsqu'au même instant, les vingt mille canons du maréchal Gheorghi Joukov s'étaient mis à arroser les défenses nazies de leurs obus explosifs.

La bataille de Berlin avait commencé. Les derniers canons tonnaient pour le *Götterdämmerung...*

La Potsdamerstrasse, qui menait de la Potsdamer Platz à la Chancellerie, avait été terriblement endommagée par les raids aériens américains et anglais. Les immeubles bordant la rue avaient été éventrés. Des murs entourant le vide se dressaient comme des décors délabrés d'un gigantesque studio de cinéma. La rue elle-même était jonchée de gravats. Au coin de la place, on avait tendu un cordon autour des ruines et des panneaux arborant un crâne et des tibias entrecroisés annonçaient : ACHTUNG ! MINEN ! Il y avait de nombreuses bombes non éclatées encore prêtes à semer la mort au milieu des décombres. De l'eau sortant de conduites fracassées gargouillait dans les cratères creusés par les bombes et s'écoulait lentement par les caniveaux bouchés. Le feu couvait encore et fumait parmi les ruines, partout où il restait quelque chose susceptible de brûler.

Un chemin avait été dégagé au milieu de la rue, mais le Stabsgefreiter Werner avait encore du mal à piloter sa motocyclette entre les blocs de maçonnerie effondrés et la chaussée déchiquetée. Son épaule gauche lui faisait mal. Elle ne s'était jamais tout à fait guérie. Quand même il ne s'en tirait pas trop mal : il n'était qu'à quelques blocs de la Chancellerie et du bunker du Führer.

Le Stabsgefreiter Stefan Werner était l'estafette motocycliste de la Wehrmacht à Berlin depuis maintenant plus d'un an. Il estimait qu'il avait de la chance. Il gardait encore un souvenir vivace de ce que ç'avait été : il avait été blessé à Stalingrad le 19 janvier, deux ans auparavant. Il en faisait encore la nuit des cauchemars dont il s'éveillait baigné d'une sueur froide.

Avec deux de ses camarades, ils étaient servants d'une mitrailleuse. Leur position était installée dans les décombres d'un immeuble dévasté. Un obus russe avait atterri dans les ruines et un mur s'était effondré sur leur position, tuant ses deux camarades. Werner avait été à demi enseveli et avait perdu connaissance. Quand il était revenu à lui, des soldats russes se frayaient un chemin à travers les gravats. Il s'enfouit le visage dans les éclats de brique et demeura parfaitement immobile. Il savait qu'à Stalingrad les Russes ne faisaient pas de prisonniers. Il sentit le soldat s'approcher de lui. Il le sentit s'arrêter et le regarder. Il percevait même son odeur. Il essaya de ne pas respirer. La peur remontait comme une araignée glacée le long de son dos. Puis il sentit la douleur brûlante lorsque le Russe lui enfonça sa baïonnette dans le dos. Il faillit se couper la lèvre en deux en essayant de ne pas bouger ni crier. Puis, une fois de plus, il perdit connaissance.

Il avait de la chance. Son lourd manteau et son omoplate avaient fait dévier la baïonnette juste ce qu'il fallait. Son sang gela sur la plaie ouverte, l'empêchant de saigner à mort. Et lorsqu'il reprit connaissance, il était dans un train sanitaire, il rentrait au pays...

La rue paraissait bloquée devant lui, et Werner coupa par la Potsdamer Platz et reprit la Wilhelmstrasse. Il apercevait maintenant les bâtiments ravagés, noircis par le feu de la Chancellerie.

Soudain deux coups de feu claquèrent devant lui. Un homme déboucha en courant, son long manteau militaire gris lui battant les chevilles. Derrière lui, deux silhouettes en uniformes le talonnaient, la plaque métallique qu'ils portaient en sautoir battant contre les boutons de leurs tuniques tandis qu'ils couraient : police militaire.

Un coup de feu de nouveau claqua, tandis que le fugitif plongeait derrière la carcasse calcinée d'un camion de la Wehrmacht. Un des policiers lui cria :

« *Halt !* »

Werner s'écarta pour ne pas se trouver dans la ligne de tir. Un déserteur, songea-t-il. Ou un pillard. Il plaignait le fugitif. Il savait ce qui lui arriverait s'il était pris vivant.

Encore un coup de feu. La balle frappa le châssis du camion. L'homme soudain bondit de sa cachette et se précipita dans la rue. Aussitôt, un des policiers militaires prit un fusil-mitrailleur et tira dans sa direction une rafale de balles. L'homme s'effondra en hurlant. Au même instant, Werner sentit un coup le frapper au bras gauche. Surpris, il baissa les yeux. Dans l'obscurité il ne pouvait rien voir, mais son bras était engourdi. Il ôta son lourd gant de cuir pour tâter, il se retrouva les doigts poisseux de sang.

Bon Dieu ! se dit-il, furieux. Un ricochet ! Ça alors, quelle poisse !

La blessure se mit à lui faire très mal. Il fléchit les doigts et bougea avec précaution son bras. Ça n'était qu'une éraflure, mais ça lui faisait un mal de chien.

Dans la rue, les hommes de la Police Militaire avaient rejoint l'homme qui gisait dans le ruisseau. Ils essayèrent de le relever. Il se mit à hurler. Les balles du fusil-mitrailleur lui avaient brisé les deux chevilles. Les policiers le prirent par les bras et le traînèrent jusqu'à un lampadaire qui se dressait désespérément seul dans ce paysage de désolation...

Werner descendit de sa machine. Il vérifia qu'il avait toujours sa sacoche de courrier et partit à pied vers la Chancellerie.

Les deux SS qui montaient la garde à l'abri sous la voûte criblée d'éclats d'obus de la Chancellerie lui barrèrent le chemin. Werner s'arrêta. Il se tenait le bras gauche pour réduire autant que possible la douleur quand il se déplaçait.

« *Papiere herzeigen!* demanda sèchement une des sentinelles. Vos papiers !

— Dépêche urgente. Generalfeldmarschall Keitel », dit Werner en tendant au SS son ordre de mission.

L'homme examina les papiers à la lueur d'une torche électrique. Le bras de Werner laissa tomber à ses pieds quelques gouttes de sang.

Le SS lui rendit ses papiers. Il fit signe à Werner d'entrer.

« *In Ordnung*. C'est en ordre. »

Werner hâta le pas. Il connaissait le chemin. Il avait déjà apporté des dépêches au bunker du Führer. Il était habitué à la surveillance rigide et impitoyable des SS.

Traversant les ruines de la Chancellerie, il déboucha dans les jardins et se dirigea droit vers le blockhaus massif et sans fenêtres avec l'unique porte d'acier qui donnait accès au bunker du Führer profondément enfoui dans le sol. Au-dessus de lui, des trous vides, maculés de suie, là où jadis il y avait des fenêtres, le contemplaient et dominaient les jardins désolés, comme des orbites béantes privées de leurs yeux. Ce qui jadis avait été un beau parc avait été impitoyablement détruit ; des cratères de bombes, des fragments de béton, des colonnes brisées et des statues en miettes gisaient parmi les arbres déracinés. Une bétonneuse abandonnée était restée près du blockhaus, ses entrailles bloquées, depuis longtemps inutilisable.

On vérifia de nouveau l'ordre de mission de Werner à l'entrée du bunker et il s'engagea dans l'escalier long et étroit au moment où la porte d'acier se refermait bruyamment derrière lui. Il avait des élancements dans le bras, il souffrait et il le soutenait du mieux qu'il pouvait.

Au pied de l'escalier, dans le couloir aux murs de béton

violemment éclairé, deux SS à l'air sévère, armés de pistolets mitrailleurs Schmeisser, l'arrêtèrent brutalement.

C'est de la folie, se dit-il. Ils ne doivent se fier à personne après cette histoire d'assassinat. Machinalement il déclara : « Dépêche urgente. Generalfeldmarschall Keitel.

— Restez où vous êtes, ordonna sèchement un des SS. Il s'approcha de l'estafette.

— Votre sacoche de courrier ! »

Werner la lui tendit.

Tandis que l'autre garde le couvrait, le SS examina la sacoche. Werner attendit patiemment, en tenant son bras blessé. La douleur était de plus en plus vive. Il essayait de son mieux de ne pas faire tomber de sang par terre.

Le SS se tourna vers lui et lui fit signe avec son arme. « Les mains en l'air ! »

Werner le regarda, bouche bée. Il commençait à protester. « Allons ! » lança le garde.

Werner leva son bras droit. Les deux SS le regardaient d'un œil glacial. Quand même, pensa-t-il avec colère, qu'est-ce qu'ils croient ? Que je suis venu faire tout sauter ? Est-ce qu'ils s'imaginent que j'ai une arme cachée dans ce fichu trou que j'ai au bras ? Le diable les emporte ! Se mordant les lèvres, il parvint à soulever son bras gauche blessé. Il sentait le sang tiède ruisseler le long de son épaule, sous ses vêtements. Il regardait droit devant lui. Du diable s'il allait donner à ces salauds de SS la satisfaction de le voir souffrir.

Les gardes le fouillèrent... Brutalement, minutieusement.

Sortant du secteur du bunker, un capitaine SS entra dans le couloir. D'un coup d'œil il aperçut la scène. Les SS se mirent au garde-à-vous. Werner ne bougea pas. L'officier se tourna vers une des sentinelles.

« Qu'est-ce que c'est ?

— Une estafette avec une dépêche pour le Generalfeldmarschall Keitel, Herr Hauptsturmführer », répondit aussitôt le garde.

L'officier SS jeta un coup d'œil à Werner. Puis il lança un regard interrogateur aux SS.

« Tout est en ordre, Herr Hauptsturmführer. »

L'officier fit signe à Werner.

« Suivez-moi. »

Werner baissa les mains. Son bras gauche lui faisait l'effet d'être gonflé comme un ballon. Le SS lui lança la sacoche et il se précipita derrière l'officier.

Le colonel Hans Heinrich Stauffer avait une violente migraine. Ç'avait été une longue journée. Une journée impossible. Et ce n'était pas encore fini. En voyant le capitaine SS suivi du Stabsgefreiter Stefan Werner entrer dans son bureau, il leva les yeux de ses papiers. Chaque fois qu'il voyait l'officier SS, il éprouvait un sursaut de dégoût. Les SS devenaient chaque jour plus encombrants, plus impossibles. Voilà maintenant qu'on entrait dans son bureau comme dans un moulin !

Le capitaine SS leva son bras, faisant le salut nazi.

« Heil Hitler ! »

Stauffer se replongea délibérément dans ses papiers. Il ne lui rendit pas son salut. Sans lever les yeux, il dit d'un ton acerbe :

« Entrez, capitaine. Je ne vous ai pas entendu frapper. Qu'y a-t-il ? »

Le visage de l'officier SS se crispa. D'une voix grinçante il dit :

« Un courrier avec une dépêche urgente pour le Generalfeldmarschall Keitel, Herr Oberst ! »

Stauffer leva les yeux. Il tendit la main. Werner sortit rapidement une grande enveloppe scellée de sa sacoche ; il s'approcha de Stauffer et lui remit le document. Il laissa son bras gauche pendre le long de son corps. Le sang coulait de nouveau sur son poignet. Il tendit l'autre main, essayant de l'arrêter avant qu'il ne s'égoutte sur le tapis.

Stauffer prit la dépêche. Il remarqua le bras de Werner qui saignait. Il en fut agacé. Il fixa le capitaine SS d'un œil froid. Celui-ci avait bien dû s'en apercevoir. Il devait savoir. Et il n'avait absolument rien fait. Stauffer sentit une vague de dégoût monter en lui. Des brutes, tous autant qu'ils étaient ! Ce fut d'une voix coupante comme de la glace qu'il reprit :

« Cet homme est blessé. Il saigne. J'imagine que vous vous en êtes aperçu ! Je veux qu'on le soigne. Tout de suite ! Je compte sur vous pour que d'ici une heure vous veniez en personne me faire un rapport sur son état ! »

Les lèvres serrées, l'officier SS acquiesça sèchement de la tête.

« A vos ordres, mon colonel. »

Stauffer regarda la dépêche qu'il tenait à la main.

« Ce sera tout. »

De nouveau le capitaine SS fit le salut nazi... en insistant !

« Heil Hitler ! »

Stauffer l'ignora. L'officier tourna les talons et sortit à grands pas du bureau. Werner le suivit rapidement. Il s'efforçait de se faire aussi peu remarquer que possible. Il n'était absolument pas ravi d'être ainsi entre l'arbre et l'écorce. Mais son bras lui faisait fichtrement mal...

Stauffer ouvrit l'enveloppe. Rapidement, il lut le message, son visage s'assombrit.

La barbe ! se dit-il. Ils ont manqué leur coup. Sa migraine se fit soudain plus violente. *Il va être furieux...*

Le maréchal Keitel arpentait d'un pas raide son bureau. Il faisait claquer rageusement le message contre sa paume ouverte. Il avait le visage crispé par la fureur et la déception.

« Les imbéciles ! Incompétents ! »

Stauffer aurait bien voulu de l'aspirine. Il essaya de réfléchir où il pourrait en trouver. Tout haut il dit :

« Herr Feldmarschall. C'est un groupe très efficace, très compétent... »

Keitel se retourna vers lui.

« Compétent ! Ils ont de la chance si le Führer ne les fait pas fusiller !

— C'est le même groupe qui avait déposé les bombes à retardement à Saint-Avold, Herr Feldmarschall, en décembre dernier... »

Keitel leva la main pour le congédier. Stauffer fit semblant de ne rien voir et poursuivit :

« Il y a eu soixante-neuf victimes. De nombreux officiers

américains d'un grade élevé. Ce qui est plus important encore, cela a obligé l'ennemi à changer totalement ses procédures d'occupation. Il a fallu mettre au point tout un nouveau système de sécurité avant qu'ils n'osent occuper un bâtiment. Ça a causé beaucoup de confusion. Le Führer a fait décorer le chef du groupe. »

Keitel restait silencieux. Stauffer ajouta doucement :

« Il y avait très peu de temps pour préparer cette mission.

— Ça n'est pas une excuse !

— Il a fallu changer les plans à la dernière minute. A cause des Américains. Eisenhower n'est pas allé lui-même à Feldstein. Il a envoyé quelqu'un d'autre. Ils ne pouvaient pas savoir...

— Alors, tout leur bilan ça a été quelques bidons d'essence et des officiers obscurs, fit Keitel d'un ton sarcastique. Le Führer va être ravi de la façon dont ses ordres ont été exécutés ! »

Stauffer ne répondit rien.

Keitel se dirigea vers la carte de situation au mur. Il la regardait sans vraiment la voir. Il était profondément troublé. Jamais il n'avait douté de son Führer, mais ce fut un choc pour lui de se rendre compte qu'il n'arrivait pas à partager sa certitude qu'on pourrait renverser le courant à un stade aussi tardif et gagner encore la guerre depuis Berlin. Il estimait indispensable qu'Hitler abandonnât la capitale pour partir vers le sud, dans le réduit alpin, à Obersalzburg, au-dessus du village de Berchtesgaden. Des positions de montagne là-bas, on pourrait continuer la lutte. De là on pourrait transformer la défaite en victoire.

Il fronça les sourcils, cherchant désespérément la bonne perspective. Les événements parfois allaient trop vite pour lui. Et sans ordre. Surtout sans ordre. Il était impossible de rien faire marcher convenablement sans ordre. Il se sentait irrité. Il avait horreur de voir changer les plans une fois qu'on s'était décidé. Et que tout avait été arrangé.

Déjà une semaine plus tôt le Führer avait envoyé ses domestiques personnels à Berghof afin de préparer pour son arrivée la retraite montagnarde. Le Führer comptait les suivre, le 20 avril. Pour son cinquante-sixième anniversaire. Mais voilà maintenant que des indices de plus en plus nombreux montraient qu'il pourrait bien rester à Berlin et diriger en personne la défense de la ville.

La situation évoluait rapidement. Keitel espérait seulement que ce n'était pas trop rapidement. La présence d'Hitler dans l'*Alpenfestung* était impérative. Il était indispensable que ce fût lui qui assurât le commandement en personne. Si seulement le Führer voulait bien ne pas attendre trop longtemps. Tout était prêt à être activé. Tout.

Les plis qui barraient le front de Keitel se creusèrent encore davantage. Comment pourrait-il expliquer au Führer cet échec? La première tentative pour exécuter ses ordres ! Toute cette affaire le mettait mal à l'aise. Il avait de plus en plus l'agaçante impression que le Führer attachait une trop grande importance aux problèmes non militaires. A l'avis des mystiques et des astrologues. Aux missions spéciales, comme ce projet d'assassinat. Aux promesses de nouvelles armes absolues, comme ces expériences avortées sur la réaction nucléaire en chaîne que menaient les savants à Haigerloch. Ils avaient bel et bien raconté au Führer qu'ils pourraient fabriquer une bombe de la taille d'un ananas et susceptible d'anéantir une ville entière ! Bah ! Ils étaient toujours à bricoler dans leur grotte de la Forêt-Noire. C'était de la magie noire plus que de la science ! Et tout aussi peu militaire et peu plausible. C'était pour Keitel une pensée qui le troublait, et il ne voulut pas aller plus loin.

Toutefois, il éprouvait une certaine rancœur à se trouver impliqué dans cette tentative d'assassinat. Non pas pour des raisons morales. Et l'idée, il fallait le reconnaître, avait un certain mérite.

Le Führer était obsédé par l'assassinat des chefs ennemis, aussi bien politiques que militaires, depuis l'échec de « l'opération Grand Saut » cette tentative avortée d'assassinat des Trois Grands lorsqu'ils s'étaient réunis à Téhéran pendant l'hiver 43. Cette fois il avait la certitude qu'un échec ne serait pas toléré. C'était devenu pour le Führer une question trop personnelle. Après tout, il s'était trouvé lui-même jouer les cibles ! A Rastenburg.

Mais Keitel prévoyait mille difficultés. Il faudrait remettre à Hitler une foule de rapports négatifs. Et il n'aimait pas cela. Il en avait assez sur les bras. D'ailleurs, ça n'était pas le genre de responsabilité qu'il lui faudrait endosser. C'était le genre de chose qui devrait être supervisé par quelqu'un d'autre.

Quelqu'un d'autre ? Mais bien sûr !

Il avait la solution. Et on pouvait l'intégrer au plan d'ensemble. C'était ce qui en faisait la beauté ! Il se tourna vers Stauffer.

« Où est Krueger ? demanda-t-il. Quelle est son affectation actuelle ?

— Thürenberg. » Stauffer vint rejoindre Keitel auprès de la carte. Un bon point pour toi, Willi ! songea-t-il avec un amusement cynique. Je savais bien que tu trouverais un moyen d'esquiver les reproches !

Keitel poursuivait. Il était redevenu le pète-sec qu'il était généralement.

« C'est Krueger qui va exécuter les ordres du Führer. Ça doit être sa responsabilité à lui. Ça fait partie de sa mission générale. Je veux qu'on prépare aussitôt les ordres.

— Bien, monsieur le Maréchal. »

Keitel était ravi de cette solution. C'était simple. Logique.

« Qu'est-ce qu'il fait maintenant ?

— Il a déjà reçu l'ordre de boucler Thürenberg. De passer au stade opérationnel. Ordre du Reichsführer Himmler.

— Quand ça ?

— Il y a deux jours. Il est en train actuellement de préparer ses positions.

— Où ça ? »

Stauffer indiqua les emplacements sur la carte, tous dans le sud de la Bavière.

« Ici... ici... ici... son quartier général près de Schönsee, ici... tout près de sa dernière position dans l'*Alpenfestung*.

— *Prima* ! Les ordres qu'il va recevoir auront priorité

absolue. Il doit exécuter sa mission sans délai. Le Führer exige des résultats !

— *Jawohl,* Herr Feldmarschall », dit Stauffer. Le vieux était de nouveau en pleine forme.

Le maréchal contemplait la carte.

« Les Russes pilonnent les portes de Berlin. Les Américains ne relâchent pas leur pression. » Presque pour lui-même il ajouta : « Il faut poursuivre le combat... A partir du Réduit alpin... »

Stauffer tourna les talons et s'apprêtait à prendre congé.

« Attendez ! »

Il s'arrêta et regarda Keitel d'un air interrogateur.

« Krueger n'est que colonel, n'est-ce pas ?

— Oui.

— Donnez-lui de l'avancement. Nommez-le général. Général de Brigade. Au nom du Führer ! »

Il resta un instant silencieux.

« Encore une chose. Le Reichsamtsleiter von Eckdorf. Il est toujours à Berlin ?

— Je crois que oui, Herr Feldmarschall.

— Il a de la famille dans la région de Schönsee. Des fermiers, si je me souviens bien. » Il soupira. « Envoyez-le à Thürenberg. Exécution immédiate. Je veux qu'il me fasse directement ses rapports. Il ne sera responsable qu'envers moi ... et envers le Führer personnellement !

— Bien, monsieur le Maréchal. »

Stauffer sortit. Keitel le suivit des yeux. Il se sentait vaguement soulagé d'un fardeau accablant. Une fois le plan du Führer réalisé et les Américains violemment secoués, une fois Krueger et l'épine dorsale de son organisation en place ; une fois l'*Alpenfestung* prêt à devenir opérationnel sous le commandement personnel de Hitler, le phœnix allemand pourrait encore se lever des cendres d'une défaite provisoire...

17 avril 1945

THURENBERG

13 h 22

Werewölfe ! les loups-garous ! songea-t-il avec dédain. Pour la cinquantième fois il changea de position sur la banquette arrière de la limousine grise 1939.

Le Reichsamtsleiter Manfred von Eckdorf trouvait le voyage extrêmement inconfortable. Et il était de fort mauvaise humeur. Il y avait trois cents kilomètres de Berlin au village tchèque de Thürenberg et au vieux château du même nom. Trois cents kilomètres. Trois cent mille mètres et un trou dans cette fichue route à peu près à chaque mètre !

Von Eckdorf était de méchante humeur. Cela faisait plus de sept heures qu'il était sur la route. On l'avait réveillé au petit matin pour le conduire au bunker du Führer. Là un colonel de la Wehrmacht insupportable lui avait remis un ordre de mission à priorité absolue l'expédiant dans un coin perdu de Tchécoslovaquie avec moins de deux heures pour se préparer.

Les explications du colonel avaient été brèves et précises, mais von Eckdorf, à son grand agacement, avait cru déceler une raillerie voilée dans l'attitude de l'officier. Ce n'était pas du tout ce à quoi il s'attendait. Il était venu de Munich à Berlin pour faire son rapport au Führer sur la situation financière en Bavière. Dans un geste conçu simplement pour prouver son loyalisme, il avait offert ses services à Adolf Hitler pour toute mission que celui-ci voudrait bien lui confier. Mais il n'avait certainement pas compté sur celle-ci ! Berger d'un troupeau de Werewölfe ! La voiture franchit un nouveau cahot et von Eckdorf fut précipité en avant. Furieux, il se rattrapa.

Avant les explications que lui avait données le colonel, il ne savait pas grand-chose des Werewölfe. Il s'était toujours méfié de ce mot. Il avait l'impression que c'était une invention de ce petit « nain venimeux » de Goebbels. Il avait été sincèrement surpris d'apprendre que les Werewölfe étaient une création du Reichsführer SS, Heinrich Himmler, lui-même, depuis un certain temps déjà et avec la pleine approbation de Hitler. Bien sûr, le Führer avait toujours eu un penchant pour ce mot « Wolf » comme nom de code. Et il lui semblait que depuis toujours il avait saisi toutes les occasions d'utiliser le loup comme symbole. Son quartier général de Rastenburg en Prusse orientale s'appelait le *Wolfsschanze* — la Tanière du Loup. Ailleurs, il ne se rappelait plus où, c'était le *Wolfsschlucht* (la Gorge du Loup) ; à Vinnitsa, en Ukraine, *Werewolf*. Et maintenant c'étaient les Werewölfe. Ils étaient censés être des combattants de guérilla, spécialement équipés et opérant suivant des ordres ultrasecrets. Ils étaient censés former l'épine dorsale des forces de résistance de l'*Alpenfestung*.

On lui avait donné des explications vraiment très sommaires, songea-t-il avec rancœur. Il n'en savait guère plus maintenant qu'avant. Il était censé inspecter le quartier général de l'organisation, sous le commandement d'un certain général de brigade nouvellement promu du nom de Krueger, pour s'assurer que les Werewölfe étaient prêts à commencer les opérations le plus tôt possible. En tant que civil occupant un rang élevé dans le parti, il était censé observer ensuite les activités des Werewölfe et faire un rapport là-dessus. Les Werewölfe avaient une mission capitale, ultrasecrète à exécuter dans les prochains jours. Ensuite, ils iraient prendre position dans l'*Alpenfestung*, et les responsabilités de von Eckdorf s'arrêteraient là.

Tout cela était ridiculement mystérieux. Mais von Eckdorf

était un expert en économie. Tout ce à quoi il s'intéressait devait en fin de compte s'inscrire dans un total. Tout devait être d'une précision et d'une correction mathématiques. Ce ne serait pas différent cette fois.

Le chauffeur s'engagea dans une petite route. Sur les collines devant eux se dressait le vieux château de Thürenberg.

Le printemps avait déjà commencé à parsemer les pentes montagneuses de taches toutes fraîches d'un vert pâle. Les bois de conifères plus sombres contrastaient avec l'exubérance des nouvelles pousses. Bâti voilà longtemps avec des blocs massifs de pierres du pays, le château sans prétention, jaillissant du roc avec une grâce qui ne manquait pas de force, semblait faire partie du paysage. C'était un décor d'une beauté paisible.

Pour accéder au château, il fallait passer sous une lourde voûte de pierre entre deux poternes carrées. Au milieu du portail, on avait placé une barricade en travers de la route.

La voiture reçut ordre de faire halte. Deux Waffen SS armés examinèrent l'ordre de mission de von Eckdorf sous la surveillance attentive d'autres gardes armés à la barrière. On ouvrit le passage et on fit signe à la voiture d'avancer.

La cour du château de Thürenberg était étonnamment large et entièrement entourée par les bâtiments et par un haut mur de pierre. En face du portail, un large et imposant escalier conduisait à l'entrée principale. Il y avait dans tout cela une atmosphère résolument médiévale — tout à fait dans la tradition Werewölf, se dit von Eckdorf en ricanant sous cape. La voiture traversa lentement la cour en direction de l'escalier. Von Eckdorf se pencha en avant et, stupéfait, regarda par la portière. Il ne s'attendait pas du tout au spectacle qui s'offrait à ses yeux.

La vaste cour au pavé inégal était le théâtre d'une activité fébrile mais visiblement organisée. Un grand nombre de voitures à chevaux et de charrettes de toutes catégories étaient alignées sur plusieurs rangs. Von Eckdorf fit un bref calcul : il y en avait au moins soixante. Une petite flotte de véhicules automobiles, aussi bien militaires que civils, étaient garés le long d'un mur, y compris un vieux camion au gazogène. Deux hommes — un civil portant la culotte de cuir bavaroise et une veste de laine grise frappée d'une feuille de chêne verte, l'autre un Rottenführer Waffen SS — chargeaient des bûches dans le réservoir à bois du gazogène.

Non loin de là, quatre hommes chargeaient péniblement un mortier sur une charrette. A côté on entassait sur une carriole des casseroles, des pots, des marmites, des boîtes d'ustensiles de cuisine. Plusieurs soldats de la Wehrmacht chargeaient des mitrailleuses sur un camion ; d'autres entassaient des caisses de munitions. Dans toute la cour, autour des chariots, des carrioles et des automobiles, des hommes s'agitaient, la moitié au moins n'ayant pas vingt ans. Des caisses de ravitaillement et des équipements de toutes sortes s'entassaient entre les véhicules. Des armes légères, des mortiers, des mitrailleuses ; des caisses de rations et des tonneaux de provisions, des bidons d'essence ; des malles d'osier pleines de vêtements ; des meubles et du matériel de bureau. Sur un chariot s'entassaient déjà des batteries ; sur un autre, des outils, des rouleaux de barbelés, des madriers.

Les hommes entourant un camion garé à l'écart mettaient le plus grand soin à y charger des caisses. Chacune portait une inscription en grosses lettres rouges : EXPLOSIFS.

Von Eckdorf embrassa toute la scène. Dans son ahurissement il chercha un cliché pour se réconforter. On dirait des fourmis, se dit-il. Des fourmis s'agitant dans les débris d'une fourmilière soudain découverte. Seulement, ce n'étaient pas des fourmis. Il n'y avait aucune uniformité. On trouvait là des soldats de la Wehrmacht, des Waffen SS, des Jeunesses hitlériennes, des civils, pêle-mêle et même des hommes qui ne portaient que des parties d'uniformes.

Un ramassis déshonorant, songea von Eckdorf. Son esprit ordonné était choqué de l'absence totale de tout esprit militaire et la discipline manifestement très relâchée.

La limousine s'arrêta au pied de l'escalier. Le lieutenant de Waffen SS Willi Richter descendit précipitamment les marches et ouvrit la portière au Reichsamtsleiter Manfred von Eckdorf.

Le fonctionnaire du parti nazi était un petit homme sec d'environ cinquante-cinq ans et vêtu d'un costume civil fort conservateur. Willi aussitôt leva le bras droit.

« Heil Hitler ! »

Von Eckdorf rendit son salut au jeune officier. Son visage avait une expression crispée et arrogante.

« Bienvenue à Thürenberg, Herr Reichsamtsleiter », dit Willi.

Von Eckdorf ne répondit pas. Il se retourna et, avec un déplaisir évident, examina l'activité désordonnée qui se déployait dans la cour devant lui.

« Le colonel Krueger vous attend, monsieur. »

Von Eckdorf se mit à gravir les marches, suivi de Willi. Arrivés devant les grandes et lourdes portes, ils durent laisser le passage à deux hommes qui portaient un standard téléphonique de campagne de la Wehrmacht. Après avoir jeté un dernier regard vivement désapprobateur en direction de la cour, von Eckdorf entra dans le château de Thürenberg.

Le bureau massif et surchargé de sculptures avait bien deux mètres cinquante de long. Il était de toute évidence fait pour l'énorme pièce avec les panneaux de bois incrustés, les grosses poutres au plafond et les fenêtres à vitraux qui s'ouvraient dans les murs épais de plus d'un mètre. On n'aurait pu en dire autant des classeurs métalliques purement fonctionnels qui s'alignaient le long d'un mur — la plupart d'entre eux avec leurs tiroirs ouverts, béants et vides. Plusieurs hommes s'affairaient à vider le reste, tirant et transférant papiers et documents dans diverses caisses ; d'autres fermaient et scellaient les caisses et les emportaient.

Derrière le grand bureau, en train de classer des liasses de papiers, se tenait un officier en uniforme de colonel de la Wehrmacht. C'était le colonel Karl Krueger. Il leva les yeux en voyant entrer Willi et von Eckdorf.

« Reichsamtsleiter von Eckdorf, Herr Oberst », annonça cérémonieusement Willi.

Von Eckdorf fit le salut nazi :

« Heil Hitler ! »

Krueger fit le tour de son bureau pour aller au-devant de son visiteur. C'était un homme mince, grisonnant déjà à cinquante et un ans. Il se tenait très droit, mais sans la raideur prussienne. Son long visage, dominé par des yeux intelligents et pénétrants sous des sourcils en broussailles, était creusé de rides profondes et de sillons gravés profondément aux coins d'une bouche aux lèvres minces. Il n'y avait aucune chaleur dans son expression tandis qu'il considérait von Eckdorf, mais plutôt une politesse délibérée née de la nécessité.

« Heil Hitler ! dit-il sans enthousiasme excessif. Ou bien, comme nous le dirons bientôt, *Grüss Gott !* »

Von Eckdorf inspecta l'officier. Il eut une moue de dégoût. Ça n'est pas étonnant, songea-t-il. Pas étonnant qu'il n'y ait aucun ordre ici. Un officier, qui vous salue avec des expressions de paysan bavarois.

« Le Generalfeldmarschall Keitel vous envoie le bonjour », dit-il d'une voix désagréablement aiguë.

Krueger inclina la tête. « Je vous remercie. Il faut excuser l'aspect des lieux. Nous ne sommes pas préparés à recevoir des invités. »

Von Eckdorf se redressa. « Je ne suis pas un invité, colonel Krueger, dit-il d'un ton acerbe. Je suis un émissaire du Feldmarschall Keitel. Je vous ai apporté vos ordres. Le Feldmarschall tient beaucoup à ce que vous commenciez les opérations le plus tôt possible. » Le petit homme frémissait d'indignation.

Un petit connard susceptible, se dit Krueger.

« Bien sûr », dit-il.

Von Eckdorf tourna délibérément les yeux vers les hommes travaillant sur les classeurs. « Je suis un peu... déconcerté... » il savourait délicatement les mots... « par la situation qui règne ici, colonel. J'aurais cru que vous étiez prêt — en fait que vous auriez déjà fait mouvement ».

Krueger lui jeta un bref coup d'œil. Alors c'est ça le jeu que nous allons jouer, se dit-il. Le gros bonnet qui vient déplacer de l'air. Pas dans mon unité !

« Ç'aurait été inopportun, Reichsamtsleiter », dit-il sans donner plus d'explication. Que ce petit salopard en demande, songea-t-il.

Von Eckdorf fixait sur lui un regard impérieusement interrogateur.

« Alors ? demanda-t-il d'un ton irritable.

— Notre position suivante n'aurait pas été prête pour nous, dit-il simplement. Je suis certain que vous le savez. »

Willi observait les deux hommes. Il était fasciné. Il se rendait compte de la lutte qui se jouait pour avoir la supériorité. Une supériorité revendiquée par von Eckdorf sous prétexte qu'on la lui avait conférée, mais appartenant en fait au colonel Krueger simplement parce qu'il la possédait déjà.

Von Eckdorf avait l'air pincé. Son ton se fit encore plus sec.

« On vous a informé, je pense, que je dois agir ici en tant que représentant personnel du Führer ?

— Parfaitement.

— Bien. Je vais m'installer dans un village tout près du secteur de votre quartier général.

— Je vois.

— Je compte, bien sûr, être pleinement informé de toutes vos activités, dès l'instant où vous deviendrez opérationnel.

— Naturellement.

— Et quand cela sera-t-il, colonel ? » Il y avait dans la voix de von Eckdorf une note de sarcasme appuyé. Il se sentait de nouveau maître de la situation. « Les choses me semblent encore... comment dirais-je, dans un certain désordre. »

Krueger regarda le petit homme. Il ne manquait plus que cela se dit-il avec agacement. Etre encombré d'un insupportable petit péteux gonflé de son importance, comme ça ! Il le considéra avec un étonnement étudié.

« A la date exacte prévue, bien sûr Herr von Eckdorf, dit-il délibérément. Je présume que vous la connaissez ? »

Von Eckdorf rougit. Il n'avait pas demandé à être envoyé ici. Mais il n'allait certainement pas supporter la moindre impertinence !

Il s'apprêtait à répliquer vertement quand Krueger se détourna pour faire signe à une ordonnance qui venait d'entrer dans le bureau. L'homme s'approcha.

Il avait environ trente-cinq ans, avec le teint rougeaud et de grands yeux bleus innocents. Il portait une brassée de vêtements : une paire de culottes de cuir grises de forestier, des chaussettes de laine, une chemise en grosse laine verte et une veste bavaroise grise avec des boutons en os sculpté. Krueger examina nonchalamment les vêtements tout en continuant à parler à von Eckdorf. On sentait nettement à son ton qu'il congédiait son visiteur.

« Les premières unités partent ce soir. Le reste, y compris mon état-major et moi-même, demain. »

Von Eckdorf chercha désespérément quelque chose de valable à dire. Il sentait son importance, son autorité lui échapper.

« Nous serons en position le lendemain, Herr Reichsamtsleiter — comme prévu, conclut Krueger.

— Bien, dit sèchement von Eckdorf. J'aimerais toutefois m'assurer moi-même de votre état de préparation. » C'était le mieux qu'il pouvait faire.

Krueger le regarda avec un petit sourire un peu moqueur.

« Bien sûr, dit-il avec une amabilité condescendante. L'Untersturmführer Richter est à votre disposition. »

Il prit la veste bavaroise des bras de l'ordonnance.

« Vous voudrez bien m'excuser. » C'était une affirmation, pas une requête. « Il faut que je passe mon... mon nouvel uniforme. »

Il se tourna vers l'ordonnance.

« *Schon gut*. Très bien, Plewig, dit-il. Allons-y. »

Von Eckdorf le foudroya du regard. Puis il pivota sur ses talons et sortit, suivi de Willi. Brusquement il s'arrêta. Il tira de la poche intérieure de sa veste une enveloppe. Il revint vers Krueger et la lui rendit.

« Ah oui. Encore une chose, dit-il froidement. Le Führer vous envoie ses félicitations, generalmajor Krueger ! »

Sans attendre de commentaires, il tourna les talons et quitta la pièce.

Krueger le regarda s'éloigner. Il était vaguement amusé. Un petit homme pour une grande tâche, songea-t-il. Résultat inévitable : un excès de zèle ! Il regarda l'enveloppe. Elle portait l'emblème nazi : l'aigle fier tenant un svastika dans une guirlande de feuilles de chêne. Il jeta l'enveloppe sur le grand bureau sans l'ouvrir. Il soupira. D'un air songeur il palpa le rude tissu de la veste grise de paysan bavarois...

Von Eckdorf était encore furieux de l'insolence de Krueger. L'air maussade, les lèvres crispées, il descendait le large couloir. Des soldats et des civils allaient et venaient dans un flot d'activités incessantes. L'école des Werewölfe fermait, on se préparait à passer dans la clandestinité. Von Eckdorf se détendit lentement. Après tout, c'était pour ça qu'il était ici. Pour observer. Pour calculer, pour évaluer. Et pour faire son rapport. Et c'était exactement ce qu'il allait faire. Avec exactitude. Systématiquement, et avec une minutieuse précision. Il se sentait mieux. Il se retrouvait sur un terrain familier.

Les deux hommes franchirent le seuil d'une porte. Les deux lourds battants de chêne sculpté étaient grands ouverts. Von Eckdorf jeta un coup d'œil à l'intérieur. C'était la grande salle d'armes. De grands murs aux panneaux de chêne sculpté ; des fenêtres longues, étroites, qui s'ouvraient dans les murs épais ; deux rangs de vieux drapeaux lourds de poussière qui pendaient sous le plafond couvert de peintures ; sur un mur de pierre, une grande surface rectangulaire plus claire, là où devait naguère être accrochée une tapisserie sans prix. La salle était déserte, à l'exception des deux hommes occupés à brûler des papiers et des documents devant un feu qui ronflait dans une énorme cheminée au fond de la salle.

Von Eckdorf traversa la pièce et s'approcha de la cheminée. Willi lui emboîta le pas. Ils ne disaient rien. Il avait décidé de garder le silence jusqu'au moment où le Reichsamtsleiter lui adresserait la parole. Alors il verrait.

Un des hommes auprès de la cheminée prit une grande feuille de carton sur une pile entassée sur le sol. Il la plia en deux et la jeta dans les flammes. Il tendit la main pour en prendre une autre mais von Eckdorf l'arrêta.

« Laissez-moi voir », ordonna-t-il.

L'homme jeta un rapide coup d'œil à Willi. Willi acquiesça de la tête. L'homme tendit le carton à von Eckdorf.

« *Bitte.* »

Von Eckdorf la retourna. Il y avait des mots imprimés dessus :

RISE	ROSE	RISEN
RUN	RAN	RUN
SAY	SAID	SAID
SEE	SAW	SEEN
SEEK	SOUGHT	SOUGHT
SELL	SOLD	SOLD
SEND	SENT	SENT
SET	SET	SET
SHAKE	SHOOK	SHAKEN
SHALL	SHOULD	SHOULD
SHED	SHED	SHED
SHINE	SHONE	SHONE
SHOOT	SHOT	SHOT
SHOW	SHOWED	SHOWN
SHRINK	SHRANK	SHRUNK
SHUT	SHUT	SHUT
SING	SANG	SUNG
SINK	SANK	SUNK
SIT	SAT	SAT
SLAY	SLEW	SLAIN

Il tourna vers Willi un regard interrogateur.

— Qu'est-ce que c'est ? demanda-t-il.

— Ça vient de nos classes d'anglais, Herr Reichsamtsleiter, expliqua Willi. Une leçon de grammaire. Les membres de notre groupe de renseignements parlent un excellent anglais.

— *So.* »

Von Eckdorf repoussa le tableau. Du bout de sa botte il écarta les autres tableaux entassés sur le sol. Il pencha la tête pour en étudier un particulièrement coloré, qui montrait les insignes des sous-officiers et officiers de l'armée américaine avec les rangs correspondants inscrits en anglais et en allemand. Il était content. Il approuvait les tableaux. Tout cela était ordonné. Il sortit de la salle.

Les deux hommes regagnèrent le couloir. Un groupe de jeunes filles les croisa. Chacune était jolie, avec l'air naturel, sain, luisant de propreté de la jeune fille allemande. Toutes portaient une jupe large avec un corsage ajusté au décolleté provocant, et toutes avaient une petite valise à la main. Von Eckdorf et Willi les regardèrent passer. Malgré leur charme et leur féminité, elles évoluaient avec une précision toute militaire.

Von Eckdorf regarda Willi.

« Ce sont des employées de bureau, Herr von Eckdorf — parlant anglais. Nous comptons qu'elles travailleront dans les bureaux du gouvernement militaire américain, ajouta Willi en souriant. Et qu'elles feront de bonnes petites amies pour les Amerloques !

— Je vois. »

Von Eckdorf se rembrunit. Il n'était pas tout à fait d'accord avec ce genre de méthode. Il fallait faire des sacrifices, bien sûr, mais était-ce bien nécessaire de... de souiller ainsi la féminité des femmes allemandes ?

Willi désigna un tableau de service accroché au mur.

« Voici une liste des cours en anglais pour employées de bureau, Herr Reichsamtsleiter, dit-il. Cela pourrait vous donner une idée de ce que nous avons fait dans ce domaine. »

Von Eckdorf se tourna vers le tableau. Les cours semblaient bien conçus. Complets. Il étudia la liste.

Willi suivit des yeux les filles qui disparaissaient dans le couloir encombré. Même de dos, elles offraient un spectacle séduisant. Surtout la petite blonde, qui le regardait toujours avec un air si effronté.

Gerti, songea-t-il. Gerti Meissner. Voilà à qui elle ressemble. Le même petit derrière rond qui danse si délicieusement sous la jupe. Quand était-ce donc ? Deux ans plus tôt ? Presque. Il était encore à l'école des officiers.

Il se demandait ce qu'était devenue Gerti. Et son fils. Il était sûr que c'était un fils.

Il ne repensait pas souvent à Bodenheim. Il n'avait jamais décidé — s'il devait en être fier ou le regretter. Il laissa ses pensées revenir en arrière...

Willi était mal à l'aise quand son commandant à l'Ecole des officiers l'avait convoqué dans son bureau. Il était planté là, au garde-à-vous. Le commandant avait son dossier étalé devant lui. Il était content de ses états de service, annonça-t-il. Willi Richter était exactement le genre de jeune Allemand dont le Troisième Reich avait besoin. D'homme à homme, il avait confiance en Willi. On avait soigneusement enquêté sur ses antécédents, sur ses ancêtres — on était remonté jusqu'au XVIIIe siècle, précisa-t-il — sur toute son histoire médicale. On s'était assuré qu'il était de pure et saine race aryenne. Là-dessus il lui posa la question : aimerait-il se porter volontaire pour passer deux semaines à Bodenheim ?

Ce fut un choc pour Willi. Qu'on lui demande à lui ! Il était tout excité. Il avait entendu parler d'endroits comme Bodenheim. C'était l'objet de mille plaisanteries dans les casernes. Certains des hommes appelaient ça des haras. Il y en avait plusieurs répandus à travers l'Allemagne, généralement cachés dans les régions les plus belles et les plus reculées. Bodenheim dans les Alpes souabes, près de Stuttgart, était un de ces endroits. Un établissement *Lebensborn* — « Source de Vie. »

Le commandant de Willi lui raconta toute l'histoire. Le Troisième Reich avait depuis longtemps compris la nécessité vitale de conserver la race allemande pure. Si on accouplait une jument de pure race avec un étalon de pure race, cela donnerait un pur-sang. C'était une question de chromosomes ou quelque chose comme ça qui transmettait les caractéristiques héréditaires, expliqua-t-il. L'Allemagne avait besoin de tels « pur-sang ». De purs enfants allemands produits par deux êtres humains de pure race, de sang aryen sans mélange. Une nouvelle race — la première génération de purs Aryens, de purs nazis — créée par la Mère Patrie ! Dans le *Lebensborn,* le Führer rendait la chose possible. Là, de jeunes Allemandes sélectionnées pour leurs caractéristiques nordiques parfaites étaient à la disposition de jeunes hommes de souche aryenne tout aussi pure. Il n'y avait pas de responsabilité. Pas d'obligation. Le rejeton qui en résultait appartenait au Troisième Reich !

Willi se sentait vaguement troublé par les explications et les comparaisons cliniques, mais son malaise fut vite dissipé par l'orgueil qu'il éprouvait d'avoir été choisi. Et par l'excitation. C'était comme un rêve devenu réalité. Deux semaines de gymnastique au lit ! songea-t-il avec une impatience enthousiaste. Et aux frais de l'Etat !

Lorsque Willi se retrouva à Bodenheim une partie de son excitation s'était muée en appréhension. Il se demanda dans quoi il s'était laissé entraîner.

Bodenheim était niché dans une vallée boisée des montagnes. C'était, semblait-il, un petit village entièrement occupé par le *Lebensborn.* Il y avait beaucoup de constructions nouvelles parmi les vieilles maisons. Le quartier général de l'établissement était dans l'ancienne auberge, le seul bâtiment de quelque importance.

Willi perçut l'atmosphère froide et impersonnelle de l'endroit. Cela refroidit encore un peu son enthousiasme déclinant. Une femme indifférente, au visage aigu, portant l'uniforme d'un sous-officier des B.D.M., prit son ordre de mission et emplit sa fiche. L'établissement apparemment était tenu par les Bund Deutscher Mädel — la contrepartie féminine des Jeunesses hitlériennes. Sans doute la plupart des filles étaient-elles des B.D.M. Il promena autour de lui un regard curieux. Il n'avait encore vu aucune de ses futures compagnes de lit.

On lui attribua une chambre dans une petite maison proche de l'auberge. Il devait rester là deux semaines. Ce serait le théâtre de toutes ses activités.

Et puis une fois de plus, il y eut l'inévitable examen médical.

Quand le médecin, un Stabsarzt SS, en eut fini avec lui, il le remit à un infirmier, un type rude et désagréable qui arborait perpétuellement un sourire déplaisant. Peut-être qu'il est jaloux parce qu'il ne participe pas aux réjouissances, songea Willi avec amusement. Ce serait rudement pénible dans un endroit pareil ! L'homme préleva un échantillon de sang et un échantillon d'urine aux fins d'analyses.

Du sang et de l'urine, se dit Willi. Du sang et de l'urine : voilà les mesures d'un homme !

Puis l'infirmier lui tendit un petit récipient portant déjà une étiquette à son nom.

« Tenez, dit-il. Donnez-moi un échantillon de votre sperme. »

Sperme ! Willi regarda l'homme, perplexe. Il comprit soudain et sentit le sang lui monter au visage. Du sperme ! Mais comment ? Comment pouvait-il s'en procurer ? Il regarda l'infirmier d'un air incertain.

« Ah, vous ne pouvez pas le pisser, lança l'homme avec impatience. Branlez-vous ! »

Willi resta fiché sur place. L'ordonnance lui désigna une porte. « Là-dedans. Faites comme chez vous. » Il fit à Willi un petit sourire paillard. « Il y a quelques journaux cochons. Ça vous aidera peut-être ! »

Willi entra dans la petite pièce et referma la porte derrière lui. Il n'y avait pas de verrou. Il s'assit. Il savait qu'il n'y arriverait pas. Pas sur commande. Tout cela était impossible. Il n'arrivait même pas à avoir une érection.

Il se tortilla sur sa chaise. Il faut tout de même que j'essaye, se dit-il. D'une main maladroite il ouvrit son pantalon. Bon sang, se dit-il. Rien à faire. Et il n'arrivait à penser qu'à cet infirmier si encombrant juste derrière la porte.

Il aperçut les magazines posés sur une table basse. En tout cas, ils ont pensé à tout, songea-t-il. Il en prit un. Il se mit à le feuilleter. Les photos étaient fantastiques. Pas seulement suggestives. Précises. Les femmes étaient délectables. Sexy en diable ! Willi regarda de plus près. Il commençait à s'intéresser. A sa surprise, il sentit soudain une certaine chaleur au bas-ventre. Il baissa les yeux. Ça alors, se dit-il.

Il approcha une main hésitante. Doucement, il caressa. Il choisit une photo d'une blonde voluptueuse en déshabillé transparent allongée sur un divan et se concentra sur elle. Au bout d'un bref instant, la chose ne lui paraissait plus désagréable du tout.

Il lui fallut beaucoup moins de temps qu'il n'aurait cru pour avoir un échantillon dans le récipient pour l'infirmier. Il l'examina avec curiosité en le levant vers la lumière. Il n'avait vraiment jamais regardé. Des millions de parfaits petits Aryens, se dit-il en souriant. Enfin, des moitiés.

Il se reboutonna. Maintenant que c'était fini il se sentait vaguement honteux, humilié. C'était quand même quelque chose qu'on vous fasse faire ça pour votre pays !

Le lendemain soir il aperçut la fille dans la salle de réunion de l'auberge. Elle était toute seule au comptoir des jus de fruits à siroter une citronnade. Elle semblait très jeune — et un peu vulnérable. Il la trouva ravissante. Le résultat des examens avait été positif — ou bien fallait-il dire négatif ? en tout cas, on lui avait donné pour consigne d'aller se mêler aux autres et de faire connaissance. Plus vite ce serait fait et plus intimement ce serait, mieux cela vaudrait.

Il s'approcha du bar en se frayant un chemin au milieu des couples qui dansaient au son du phonographe. Il y avait au moins vingt couples sur la piste de danse ; d'autres étaient assis çà et là dans la salle, à bavarder. Les jeunes hommes étaient tous en uniformes. La plupart d'entre eux étaient des SS, mais il y avait des uniformes de toutes les armes. Les filles étaient vêtues de tout un assortiment de robes séduisantes.

Comme Willi s'approchait du comptoir, un jeune homme en uniforme de la Luftwaffe s'arrêta pour adresser la parole à la fille.

Willi sentit une crispation d'angoisse. Allait-elle partir avec lui ? Il fut surpris de l'intensité de ses sentiments. Il n'avait même pas encore adressé la parole à la jeune fille. Mais elle secoua la tête et le soldat de la Luftwaffe s'éloigna.

Elle s'appelait Gerti Meissner. Elle venait de Nuremberg. Elle avait tout juste dix-huit ans.

Ils furent aussitôt attirés l'un par l'autre. Des mois à faire connaissance, à sortir ensemble, à se découvrir l'un l'autre parurent se téléscoper en quelques heures. Par nécessité, bien sûr. Mais ils choisirent de n'y pas penser.

Il était tard. De nombreux couples avaient quitté la salle. Willi et Gerti dansaient. Il serrait la jeune fille contre lui. Elle était douce et molle dans ses bras. C'était arrivé si vite, se dit-il, mais il savait que c'était elle qu'il voulait. Il se demanda comment ce serait avec elle. Ses pensées s'attardèrent là-dessus et il sentit son excitation grandir. Il la serra plus fort. Il ne pouvait pas s'en empêcher. Il était la proie de ses phantasmes, de ce doux corps féminin pressé contre lui. Tout d'un coup, il eut peur. Ils étaient si près l'un de l'autre. Et il s'écarta un peu. Mais Gerti se rapprocha, s'accrochant désespérément à lui. Il sentait entre ses jambes la douceur de sa cuisse. Il savait qu'elle devait se rendre compte de son état.

Elle leva les yeux vers lui. De grands yeux.

« Willi, murmura-t-elle. Tu seras le premier. »

La main dans la main, ils sortirent de la salle. Ils traversaient le foyer quand une voix stridente les appela :

« Vous là-bas ! Un instant ! »

C'était la femme sous-officier des B.D.M. au visage aigu. Elle s'approcha d'eux et regarda Willi d'un air mauvais.

« Vous la retenez ? » demanda-t-elle.

Willi sentit toute son ardeur se refroidir. « Oui.

— Montrez-moi votre carte, ordonna la femme. La vôtre aussi, ma fille. »

Ils tendirent sans un mot leurs cartes.

« Vous n'avez pas lu les instructions ? demanda la femme d'un ton irritable. Vous ne pouvez pas sortir comme ça d'ici et vous précipiter au lit sans remplir les formalités ! » Elle tourna les talons et se dirigea vers son bureau. « Venez ! »

Machinalement, Willi et Gerti lui emboîtèrent le pas.

« Il faut tamponner vos cartes. » D'un grand geste elle appliqua un tampon de caoutchouc sur chacune de leurs cartes. Puis elle nota rapidement quelque chose dans un grand livre. « L'union doit être enregistrée. » Elle regarda Gerti. « Il faut qu'on note sa sortie du dortoir. »

Elle fixa Willi d'un regard sinistre.

« Vous comprenez, n'est-ce pas, qu'il n'y a pas de possibilité de revenir sur votre choix ? Dès l'instant où vous la retenez, elle reste avec vous jusqu'à votre départ. »

Elle haussa les épaules.

« Après ça... on verra. Si ça a pris, parfait ! Sinon, elle retourne au dortoir. »

Gerti gardait un silence de mort. Sa main dans celle de Willi était comme de la glace. Il sentait les ongles de la jeune fille s'enfoncer dans sa paume.

La femme leur rendit leurs cartes dûment tamponnées. « *In Ordnung* », dit-elle.

Willi sentait tout son corps baigné d'une sueur froide. *In Ordnung*, songea-t-il. Les règlements du *Lebensborn* de Bodenheim ont été respectés !

Il eut soudain une vision fugitive de cette drôle de photographie encadrée sur le manteau de la cheminée dans la maison où il avait passé son enfance. Mutti dans sa longue robe blanche ; son père avec sa moustache imposante. Tous les deux raides et guindés, et fiers. L'absurde photo de mariage de Mutti et de Vati.

Gerti était tendue. Dans un geste de défi pathétique, elle se dirigea droit vers le lit de Willi et s'assit dessus. Inquiète. Crispée.

« Ta carte a été tamponnée, dit-elle d'une voix sans timbre. La mienne aussi. » Elle fixait sur lui le regard de ses yeux qui brillaient d'un éclat anormal.

Willi comprit. Dans un rare moment d'intuition il comprit. Il savait de quel tourment la jeune fille devait être la proie. Il le savait, parce qu'il ressentait la même chose. Il éprouvait des sentiments qu'il n'aurait jamais cru pouvoir aller de pair : de la tendresse et de la honte ; du désir et du dégoût ; de l'envie et de l'humiliation.

Il ne dit rien. Sans un mot il s'assit auprès d'elle et la sentit se crisper davantage. Il ne la toucha pas.

« Je la plains », murmura-t-il.

Gerti leva vers lui un regard surpris.

« Je plains vraiment cette femme, reprit-il. Elle ne saura jamais. »

Gerti le regardait avec curiosité, son attention un instant détournée d'elle-même, de sa propre humiliation.

« Elle n'aura jamais ce que toi et moi pouvons avoir ensemble. » Il se leva. « Elle ne saura jamais ce que ça peut être. » Il s'éloigna du lit, s'approcha de la fenêtre et souleva le rideau.

« C'est beau, dit-il. La façon dont le clair de lune brille comme ça à travers les sapins. Viens voir. »

Pendant un moment ce fut le silence. Puis il entendit la jeune fille se lever. Elle s'approcha de lui. Ensemble, ils regardèrent la nuit calme sur la forêt, dehors. Il la prit par la taille et elle mit la tête sur son épaule.

Soudain elle fut dans ses bras. Elle se cramponnait à lui avec désespoir. De grands sanglots secouaient son corps frêle.

Il la serra tendrement. Il enfouit son visage dans les cheveux d'or. Il ne bougeait pas. Il ne parlait pas. Et elle finit par se calmer.

Il lui prit le visage entre ses mains. Il embrassa ses yeux secs et brillants, incapables de produire des larmes. Il embrassa sa gorge lisse et sentit son pouls qui battait follement. Il trouva sa bouche, ouverte, avide — qui l'attendait.

Lentement il la ramena vers le lit. Avec une tendre maladresse il commença à la déshabiller. Elle l'aida avec impatience. Et bientôt chacun contemplait avec excitation et ravissement le jeune corps nu de l'autre.

Il caressa sa peau fraîche et soyeuse. Il posa un baiser sur les petits seins dardés et sentit les boutons se durcir. Il lui caressa les reins et se sentit prêt à éclater de désir.

Ils étaient ensemble. Rien n'existait qu'eux deux. Et bientôt ils n'étaient plus deux. Gerti gémit. Son parfum musqué le grisait. Et tout d'un coup la jeune fille poussa un hurlement. Ce fut pour lui comme un coup de clairon, il se sentit exploser en elle dans un jaillissement d'agonie sensuelle. Il sentit toute sa force vitale qui jaillissait.

En cet instant, ils s'appartenaient l'un à l'autre. Totalement.

Après cela, ils furent insatiables. L'obscurité de la nuit virait déjà au gris lorsqu'ils finirent par s'endormir dans les bras l'un de l'autre. Gerti dormait encore quand il s'éveilla. Un rayon de soleil filtrait à travers les rideaux baignant d'une bande d'or ses cheveux. Doucement il s'arracha à ses bras. Il se redressa et se regarda. Avec étonnement il vit sur sa cuisse une tache de sang séché. Il regarda la jeune fille endormie. Il éprouva soudain pour elle un déferlement de tendresse. Il se dit : je ne vais pas laver cette tache. Elle avait quelque chose de quasi sacré. C'était ainsi que son enfant avait été conçu. Avec le sang de l'innocence.

Dehors, une motocyclette eut un raté. Le Lebensborn de Bodenheim s'éveillait.

Willi se dirigea vers les douches...

Il y avait longtemps de cela. Il savait maintenant qu'il avait simplement été un « étalon » dans un haras national-socialiste. Comme les autres. Il savait que son enfant — son fils ? — était un « bébé de Hitler ». Il savait qu'il appartenait au Troisième Reich et il savait qu'il ne le verrait jamais. Il ne lui restait que ses souvenirs. Et il ne savait pas s'il devait en être fier ou les regretter.

Von Eckdorf se détourna du tableau de service. Il repartit dans le couloir et Willi lui emboîta le pas. Au-devant d'eux, s'avançait un petit homme trapu vêtu d'un costume civil crasseux. Il portait un chiffon plein d'huile. Von Eckdorf le considéra avec répugnance. Quand l'homme arriva à leur hauteur, il l'arrêta et tendit la main.

« Vos papiers ! »

L'homme parut stupéfait. Il lança un coup d'œil rapide à Willi. Willi ne dit rien. L'homme se retourna vers von Eckdorf en secouant la tête. Il avait l'air désemparé, affolé. D'une voix haletante, il bredouilla quelque chose d'inintelligible. Von Eckdorf n'y comprenait plus rien.

« Vos papiers d'identité, espèce d'idiot », lança-t-il.

L'homme tressaillit. Il parut pétrifié mais il ne répondit pas.

« Alors ? »

L'homme se recroquevillait devant von Eckdorf. Il secouait violemment la tête.

« *Nein — verstehen* », balbutia-t-il.

Von Eckdorf contempla l'homme avec stupeur. Tout cet endroit est un asile de fous, se dit-il. Avec un petit sourire, Willi expliqua :

« L'homme a l'ordre de ne parler que russe, Herr Reichsamstleiter.

— Russe ? fit von Eckdorf. Mais... il est allemand ?

— Bien sûr, Monsieur. Mais pour les Américains il sera un... un travailleur étranger. Un Ukrainien. Il a reçu la consigne de ne parler que russe, même ici, pour s'y habituer... pour se conditionner. » Il se tourna vers l'homme. « Vous pouvez répondre, Kunze », dit-il.

L'attitude de l'homme changea aussitôt. Il se mit au garde-à-vous.

« *Jawohl,* Herr Untersturmführer. »

Il s'empressa de sortir ses papiers d'identité qu'il tendit à von Eckdorf. Le Reichsamstleiter les examina avec curiosité.

« Ils sont absolument authentiques, fit Willi avec un orgueil évident. Chaque tampon, chaque signature. Rien n'est faux. » Il sourit. « Sauf, bien sûr, les renseignements qu'il comporte ! »

Von Eckdorf inspectait toujours les papiers. « A quoi ça sert ? demanda-t-il. »

— Kunze va être un agent extérieur. Il va recueillir des renseignements pour nous, expliqua Willi. Son identité de travailleur étranger est simplement sa couverture. Nous savons que les Américains utilisent souvent ces étrangers — ils les appellent des personnes déplacées — pour divers travaux. Par exemple, comme serveurs ou comme plongeurs dans leurs clubs militaires. Dans leurs parcs automobiles. » Il sourit. « Les Américains n'aiment pas faire eux-mêmes le sale boulot s'ils peuvent trouver quelqu'un d'autre pour le faire. Nous serons trop heureux de leur rendre service !

— Je vois. Un espion Werewölf au milieu des Américains. Bien sûr. Ça pourrait se révéler fort utile », fit von Eckdorf en manifestant à regret son approbation. Il se tourna vers Kunze. « Vous avez un pistolet ?

— Non, monsieur.

— Pas même un couteau, Herr Reichsamtsleiter, intervint Willi. Des armes visibles le trahiraient. Mais il est quand même armé. »

Von Eckdorf semblait totalement déconcerté. Willi commençait à voir la façon dont il devait s'y prendre. Il sentait que malgré ses préjugés, il était en train de captiver l'attention du Reichamtsleiter. Willi savait qu'il était important de ne pas se faire un ennemi d'un haut fonctionnaire du Parti comme von Eckdorf, même si c'était un salopard gonflé de son importance. Il savait mieux que la plupart des gens que tout ce qui se faisait en Allemagne aujourd'hui avait une coloration politique, et il se rendait compte que cela ne pouvait pas être autrement. C'était la seule façon dont le Vaterland pourrait survivre. Krueger, lui, n'était qu'un soldat. Le meilleur ! Willi le suivrait n'importe où. Le colonel — général maintenant — était un expert dans la guerre de guérillas. Pendant plus d'un an il avait combattu les partisans de Tito dans les Balkans et il avait beaucoup appris d'eux. Mais il n'avait rien à faire des politiciens qui venaient fourrer leurs nez ignorants dans les questions militaires. Si Willi pouvait rendre service en adoucissant le Reichsamtsleiter von Eckdorf, il était tout prêt à se casser le dos pour ça ! Il se pencha et prit un crayon dans la poche de poitrine de la veste usée de Kunze. Il le tendit à von Eckdorf.

« Il a quand même une arme, reprit-il. Ça ! »

Von Eckdorf retourna le crayon entre ses doigts. Il l'examina. Il le gratta de l'ongle. Il tâta la pointe. Puis il le rendit à Willi.

« Ça n'est qu'un crayon ordinaire, dit-il.

— Oui, Monsieur, confirma Willi. Ça n'est qu'un simple crayon... Mais... reprit-il, en regardant von Eckdorf comme un gosse qui exhibe un nouveau jouet. Si je puis me permettre de montrer au Herr Reichsamtsleiter. »

Il se tourna pour surveiller le flot de gens qui passaient dans le large couloir. J'espère que je n'en fais pas trop, se dit-il, ravi au fond de son idée. Il fit signe à un soldat qui portait un fusil. L'homme s'approcha. Willi prit à part le soldat et Kunze et leur donna quelques brèves instructions. Il reprit le crayon des mains de von Eckdorf et le rendit à Kunze qui le remit dans sa poche, bien en vue. Von Eckdorf surveillait les opérations avec un froncement de sourcils impatient. Willi vint le rejoindre.

« S'il vous plaît, Herr Reichsamtsleiter, dit-il avec empressement. Les hommes vont vous faire une démonstration. » Il fit signe aux deux hommes. Le soldat posa le fusil sur son épaule et prit position comme s'il montait la garde.

« Imaginez, je vous prie, commenta Willi d'un ton de conspirateur, que le soldat est une sentinelle qu'il faut éliminer. En silence. Efficacement. Regardez s'il vous plaît... » Kunze et le soldat se mirent dans la peau de leur rôle avec enthousiasme. Ils avaient déjà fait cela bien des fois. A l'entraînement.

Kunze s'approcha du soldat. L'homme prit son fusil à deux mains et l'interpella. Avec un grand sourire désarmant, Kunze offrit ses mains vides dans un geste de soumission inoffensif. Il dit quelques mots en russe.

« Parle allemand, péquenot, aboya le soldat. Qu'est-ce que tu veux ? »

Kunze haussa les épaules d'un air bonhomme. Son sourire

s'élargit. « Pas... Parler », dit-il. Il se lança dans un flot de russe. Le soldat de toute évidence ne comprenait rien. Kunze gardait ses distances. Manifestement, il ne présentait aucune menace pour la sentinelle tandis qu'il continuait à gesticuler et à pérorer.

Mon Dieu, quel cabotin, se dit Willi avec amusement. C'est un vrai numéro qu'il monte. Mais il en faudra plus que ça pour obtenir une réaction positive d'un critique aussi sévère que ce pontifiant petit crétin ! Il risqua un coup d'œil vers von Eckdorf. Le Reichsamtsleiter observait avec un intérêt plein de méfiance.

Kunze n'arrivait à rien. Il cessa son babil. Il pencha la tête pour réfléchir. Il parut soudain avoir une idée.

« *Tovarich !* dit-il rayonnant. Je... montrer... »

De la poche de poitrine de sa veste il tira avec précaution un vieux bout de papier. Et le crayon. Il en humecta avec application la pointe sur sa langue et se mit laborieusement à griffonner quelque chose sur le papier. Il semblait totalement absorbé dans sa tâche, au point qu'il s'approcha un peu plus près du soldat qui le regardait.

Willi avait beau savoir ce qui allait se passer, il se sentait tendu. Il avait conscience de la présence de von Eckdorf auprès de lui. Le petit homme était fasciné par la scène, il sentait que le dénouement était proche. Il tenait toujours à la main les papiers de Kunze, il n'y pensait plus. Maintenant, se dit Willi. *Maintenant !*

Soudain, avec une stupéfiante rapidité, la main de Kunze décrivit une courte trajectoire pour frapper le soldat au ventre avec le crayon. D'un geste instinctif l'homme esquiva le coup en rentrant le ventre. Pendant une fraction de seconde, il se trouva penché un peu en avant, la tête tendue, le cou découvert. Le coup au ventre n'avait été qu'une feinte. Sans hésitation, et sans heurt dans son mouvement, Kunze poussa la pointe acérée du crayon droit vers la veine jugulaire et au dernier moment il détourna le coup. Du même mouvement, il releva le crayon et l'abattit, cette fois l'embout métallique en avant, de façon à ne pas avoir à le faire pivoter dans sa main — droit vers l'œil du soldat, s'arrêtant juste au moment où il allait le lui crever. Le soldat s'effondra. Son fusil tomba par terre. Normalement, il aurait été un homme mort.

L' « attaque » avait duré moins de deux secondes.

Von Eckdorf contempla l'homme affalé sur le sol. Willi expliqua d'un ton détaché :

« La pointe du crayon perce la veine jugulaire, Herr Reichsamtsleiter. La mort est instantanée. S'il manquait son coup, il pourrait encore enfoncer le crayon dans l'œil de la sentinelle jusqu'au cerveau. L'os est très peu épais à cet endroit. »

Von Eckdorf ne dit rien. Malgré lui, il avait été fasciné par la scène dont il avait été le témoin. Mais ce n'était ni le lieu ni l'heure de le montrer.

Willi congédia le soldat. « C'est une manœuvre très efficace », dit-il. Il jeta un coup d'œil à von Eckdorf. Le Reichsamtsleiter serrait toujours dans sa main les papiers de Kunze. Ce petit salaud est impressionné, songea Willi. Mais c'est une trop sacrée tête de mule pour le reconnaître ! Peu importe. Nous venons tout juste de commencer, mon petit bonhomme ! Von Eckdorf fit exprès de ne paraître nullement intéressé. « J'imagine », dit-il. Il s'aperçut tout d'un coup qu'il tenait toujours les papiers de Kunze. Il les lui rendit aussitôt. Ils étaient froissés et chiffonnés. Il eut un petit signe de tête assez sec.

« Vous pouvez disposer », dit-il.

Kunze claqua des talons et s'éloigna. Willi le regarda. Il était content.

« Nous avons beaucoup de ces... personnes déplacées, dit-il avec satisfaction. Ils nous fourniront des renseignements — des renseignements précieux — sur de nombreux objectifs importants. C'est un programme très au point. Bien entendu, c'est une idée du général Krueger. »

Von Eckdorf ne dit rien.

Il restait quatorze Lilliput dans la caisse. Hauptmann Ludwig Schmidt compta rapidement les hommes rassemblés autour de la table. Ça suffirait. Il en resterait au moins une demi-douzaine. Il donnerait l'ordre à Steiner de les charger avec le matériel du Q.G.

Du coin de l'œil, il vit Willi Richter approcher, flanqué d'un petit civil à l'air autoritaire. Ce devait être l'homme de Berlin dont Krueger avait annoncé l'arrivée. Il s'avança au-devant d'eux.

Willi se tourna vers von Eckdorf.

« Herr Reichsamtsleiter, dit-il. Puis-je me permettre de vous présenter Hauptmann Schmidt. Notre commandant en second. » Schmidt salua. « Heil Hitler ! »

Von Eckdorf lui rendit son salut. Il examina Schmidt avec une curiosité mêlée de consternation. Le capitaine de la Wechrmacht était en uniforme, mais sa jambe et son bras droits étaient enfermés dans une armature de métal et de cuir.

« Vous êtes... mutilé, Hauptmann Schmidt ?

— C'est le cas de beaucoup d'entre nous, Herr Reichsamleiter », fit Schmidt avec un sourire glacé. Il désigna le groupe d'hommes réunis autour de la table. Plusieurs d'entre eux étaient également mutilés. L'un d'eux, un homme qui frisait la quarantaine, se détourna de la table pour quitter le groupe. Il était en civil. Il avait perdu son bras gauche et la manche vide de sa veste était épinglée à son épaule. Il portait un bandeau sur l'œil gauche et marchait en boitant.

« Heinz a perdu son bras et son œil dans l'Afrikakorps, à El-Alamein », expliqua Schmidt. Il frappa son bras droit sanglé de cuir contre l'armature d'acier qui soutenait son pilon. « Moi, j'ai été blessé à Salerne. » Il regarda von Eckdorf droit dans les yeux.

« Nous sommes mutilés. Mais nous n'en sommes pas moins fidèles à notre Führer. » Un pâle sourire plissa ses lèvres. « Et qui considère un pauvre infirme comme dangereux ? » ajouta-t-il.

Von Eckdorf jeta à l'officier un regard approbateur. Enfin un véritable officier allemand, songea-t-il. « Excellent », fit-il.

Les trois hommes s'approchèrent de la table. Un sous-officier, Steiner, distribuait des pistolets aux hommes et enregistrait les numéros de série dans un cahier. Schmidt prit un des pistolets dans la caisse et le tendit à von Eckdorf. Le Reichsamtsleiter le tripota gauchement. C'était une arme extrêmement petite et compacte.

« C'est le Lilliput, Herr Reichsamtsleiter, expliqua Schmidt. De fabrication allemande. 4,25. Avec chargeur. Facile à dissimuler. C'est le plus petit automatique à haut rendement qui existe. »

Von Eckdorf soupesa la petite arme dans sa main. Il pouvait l'enfermer totalement dans sa paume. Il était impressionné. Pour l'esprit inventif, songea-t-il avec orgueil, les Allemands sont vraiment les plus forts. Il rendit le petit pistolet à Schmidt.

« Très bien », dit-il. Il réussit quand même à prendre un ton protecteur. J'en suis ravi.

— C'est l'équipement standard, Herr von Eckdorf, dit Willi. Est-ce que le Herr Reichsamtsleiter m'autorise à lui montrer quelque chose... Quelque chose de spécial ?

— Certainement. »

Il se tourna vers Steiner.

« Steiner, dit-il, montrez-nous ! »

Steiner sourit. « *Jawohl,* Herr Untersturmführer ! »

Il fit quelques pas. Les hommes s'écartèrent sur son passage. C'était un robuste gaillard musclé, vêtu d'une chemise brune aux manches retroussées et d'un pantalon gris de la Wehrmacht retenu par le classique ceinturon de cuir, avec la grosse boucle métallique frappée de l'aigle nazi. Steiner s'arrêta. Tous les regards étaient fixés sur lui.

Soudain il pivota vers un grand miroir appuyé contre le mur. Au même instant sa main droite frappa la boucle de son ceinturon. Elle s'ouvrit aussitôt et du même mouvement la gueule de quatre pistolets à canon court apparut. Steiner aussitôt pressa le rebord de la boucle et quatre coups de feu claquèrent en rapide succession, fracassant le miroir et brisant en une multitude d'éclats l'image de Steiner.

Von Eckdorf sursauta. Il se reprit, se rendant compte que

tous les hommes l'observaient, et conscient qu'il était de leur amusement soigneusement dissimulé. Ils s'attendaient à me voir sauter au plafond, les imbéciles ! se dit-il avec fureur. C'est un coup monté. Steiner s'approcha.

« On vise simplement avec le ventre, dit-il en souriant. On ne peut pas rater son coup !

— Ça a été mis au point spécialement pour nous », fit Willi. Il tendit la main et Steiner ôta son ceinturon et le lui tendit. Willi prit soin de ne pas montrer à quel point il s'était réjoui de voir von Eckdorf sursauter. Il l'attendait. Ça allait peut-être le faire descendre d'une marche ou deux de son piédestal. Il montra le ceinturon à von Eckdorf.

« Le dispositif se trouve dans la boucle du ceinturon, expliqua-t-il. Ils tirent quatre cartouches de 7,65. On presse un levier sur le côté de la boucle. Les quatre canons sont aussitôt dégagés et verrouillés en position. Chacun peut tirer séparément grâce à une détente individuelle — ou bien comme vous avez vu Steiner le faire. »

C'était à peine si von Eckdorf l'avait entendu. Il fit semblant d'examiner minutieusement le dispositif. Il avait besoin de temps pour se remettre, pour contrôler sa mortification. Il avait bel et bien été vilainement secoué. Il avait bondi comme un lapin et tout le monde l'avait vu. Il était impressionné par le dispositif, mais il avait encore une conscience plus aiguë d'avoir perdu sa dignitié devant les hommes. C'était intolérable.

Il rendit le ceinturon à Willi. Puis il se tourna délibérément vers Steiner et le toisa froidement.

« Ce miroir, dit-il. C'était sans doute la propriété du Reich ! »

Steiner prit un air ahuri. « Oui, Monsieur, dit-il calmement.

— Alors vous en serez responsable. Sur vos deniers », dit von Eckdorf avec un calme glacé. Il tourna les talons et s'éloigna.

Willi s'empressa de lui emboîter le pas.

Ils avaient tout inspecté. Von Eckdorf était un homme

extrêmement minutieux. Mais, malgré les efforts de Willi, le Reichsamtsleiter était toujours resté hautain et protecteur.

Ils approchaient de l'entrée principale. Débouchant d'une porte marquée d'une croix rouge, un homme s'engagea dans le couloir. Il était torse nu. Un pansement frais lui enserrait le haut du bras gauche. Willi l'arrêta.

« Il lui en reste encore beaucoup à passer, Pitterman ? demanda-t-il.

— Seulement deux ou trois, Herr Untersturmführer », répondit l'homme. Willi acquiesça de la tête. L'homme s'éloigna. Von Eckdorf le suivit des yeux.

« Ça va cicatriser dans la semaine, dit Willi. Il ne restera pas de marque. Une semaine de plus et on ne verra plus rien. »

Il jeta un coup d'œil à von Eckdorf. Pas de réaction. Qu'est-ce qu'on peut fiche d'un salaud comme ça ? se demanda-t-il, agacé.

« Nous avons pensé à tout », ajouta-t-il.

Von Eckdorf se tourna vers lui.

« Merci de m'avoir consacré votre temps, dit-il sans chaleur. Vous n'avez pas besoin de m'accompagner jusqu'à ma voiture. Je suis certain que vous avez beaucoup à faire. Transmettez mes... mes félicitations au général. Si vous échouez dans votre mission, ce ne sera pas parce que votre Führer et votre Vaterland auront négligé de vous préparer.

— Nous ne pensons pas en termes d'échec, Herr Reichsamtsleiter !

— Vous avez bien raison. Heil Hitler ! »

Von Eckdorf tourna les talons et s'éloigna, laissant Willi le suivre des yeux. Celui-ci n'avait pas l'impression d'avoir accompli grand-chose. Il n'arrivait pas à comprendre pourquoi. Il avait fait faire à ce petit homme le grand tour de toute l'installation. Il lui avait expliqué les programmes, les tactiques, les méthodes. Il lui avait fait des démonstrations. Il lui avait tout montré. Le grand jeu, quoi ! Et ce salaud s'était montré à peu près aussi enthousiaste qu'un végétarien devant un steak saignant ! Qu'est-ce qu'il avait donc ?

Willi regarda von Eckdorf disparaître par la grande double porte. Au-dessus du seuil était toujours accroché dans son cadre la devise des Werewölfe : ES GIBT KEINE KAMARADEN...

> IL N'Y A PAS D'AMI
> QUI TIENNE ! SI TA MISSION
> EST EN JEU, ATTAQUE-LE...
> SI BESOIN EN EST TUE-LE !
>
> *Henrich Himmler.*

Je me demande si on va la laisser ici ou l'emporter, songea rêveusement Willi. Il chassa Eckdorf de ses pensées. Le diable l'emporte, se dit-il. Mais il avait raison sur un point : il y a encore beaucoup à faire !

Willi fit demi-tour et repartit rapidement dans le corridor. Il sifflotait doucement :

Du kleine Fliege
Wenn ich dich kriege...

23 h 09

Le grand bureau massif était dans une flaque de lumière jaune au milieu de la pièce sombre et déserte. Les lourdes draperies tirées devant les grandes fenêtres empêchaient la lumière de l'unique lampe de bureau de filtrer au-dehors. Même ici, dans les montagnes de Bohême, les règlements du black-out étaient sévèrement appliqués.

Le général Krueger était seul dans la pièce. Il était assis derrière le grand bureau. Etalés devant lui se trouvaient les ordres et les rapports apportés par von Eckdorf. Chaque page, chaque photographie, chaque tableau était marqué GEHEIMSACHE — « ultra-secret ». Il avait soigneusement examiné tous les documents. Il les avait évalués. Il ne restait pas beaucoup de temps. Les Américains étaient à moins de cent kilomètres de ses positions de Schönsee.

Krueger, en éliminant tout le vocabulaire militaire officiel et guindé des ordres émanant du Grand Quartier Général du Führer, avait dégagé deux missions principales, séparées quoique interdépendantes. La première : éliminer le commandant suprême allié, le général Dwight D. Eisenhower.

Cette mission ne le déconcertait pas. Il ne la considérait pas comme un assassinat. C'était une opération militaire qui ne différait des autres que dans ses ramifications. Eisenhower, en tant que commandant suprême était un objectif militaire légitime. Il pouvait comprendre les motivations d'un pareil ordre. L'élimination d'Eisenhower affecterait directement de nombreuses phases de la guerre vitales pour les plans du Troisième Reich. Cela ne manquerait pas de créer une certaine confusion et des retards dans le déroulement de la campagne alliée, même s'ils n'étaient que temporaires. Cela donnerait aux forces allemandes un temps dont elles avaient bien besoin et peut-être un bref répit qui leur permettrait de consolider et d'occuper l'*Alpenfestung*. Pour le moment, la situation se détériorait beaucoup plus vite que personne ne l'avait prévu. Il ne se berçait pas de l'illusion que l'élimination d'Eisenhower modifierait le cours de la guerre. Le commandant suprême allié n'était pas indispensable. D'autres poursuivraient sa tâche. Toutefois, si l'on procédait à cette élimination d'une manière telle qu'elle apparaîtrait de façon irréfutable comme une action des Werewölfe, les Américains seraient contraints de détourner de leurs objectifs de nombreuses troupes et de consacrer beaucoup d'efforts à se protéger désormais contre les activités des Werewölfe. Là encore, cela aurait pour effet d'apporter aux forces allemandes un certain soulagement dont elles avaient grand besoin. En outre, il y avait, bien sûr, l'indéniable aspect de propagande de l'affaire ; le coup de fouet que cela donnerait à l'esprit de résistance allemand, aussi bien chez les civils que chez les militaires. S'il était exécuté correctement, le plan réussirait. Krueger allait se concentrer là-dessus dès que le mouvement sur Schönsee aurait été mené à bon terme. La mission serait accomplie.

Deuxièmement — mais également d'une importance primordiale pour Krueger — il y avait la mission à long terme : constituer le noyau, l'épine dorsale des forces de l'*Alpenfestung*. Livrer combat à l'ennemi par des opérations de guérilla bien contrôlées et avec une organisation efficace. L'épuiser par un harcèlement de coups rapides et gagner le temps nécessaire à la réalisation du maître plan.

Seul dans la pièce sombre et nue, il sourit. Quelle ironie du sort : c'était Himmler qui avait conçu les Werewölfe, mais c'était lui, le generalmajor Karl Krueger qui était totalement responsable de l'opération. Il avait été personnellement choisi par Himmler pour réaliser le plan du Reichsführer. Et pour une excellente raison. Il savait mieux que tout autre officier allemand ce qu'on pouvait obtenir par la guérilla. Pendant près de deux ans, il avait combattu les partisans yougoslaves dans toutes les Alpes Dinariques. Pendant deux ans, il n'avait cessé de connaître d'ignominieuses défaites, mais il avait appris !

Son entraînement avait commencé au début de l'automne 1941, alors qu'il était encore lieutenant-colonel. Dans la Yougoslavie occupée, les partisans de Tito étaient en train de devenir rapidement l'organisation de guérilla la plus efficace et la plus dangereuse qui ait jamais combattu un envahisseur. Maintes et maintes fois au cours des mois suivants, des offensives à grande échelle avaient été montées contre les partisans, on avait déployé jusqu'à dix divisions avec de l'artillerie lourde et un appui aérien. Il avait commandé certains éléments de ces offensives. A chaque fois, les guérilleros avaient échappé à toutes les tentatives faites pour les anéantir et s'étaient enfuis pour continuer leur guerre de coups de main.

Krueger eut un sourire mélancolique. Il avait été battu. Battu à plate couture. Par un métallurgiste croate ! Au fond sans doute devrait-il lui en être reconnaissant. Josip Broz Tito. Deux ans auparavant, il l'avait maudit, lui et ses partisans. Et voici qu'aujourd'hui il se préparait à les imiter et à utiliser tout ce qu'il avait appris d'eux sur le combat clandestin. Il avait le plus grand respect pour l'efficacité d'opérations aussi peu orthodoxes. Des guérillas à elles toutes seules n'ont peut-être jamais gagné une guerre, mais elles ont bel et bien empêché l'un ou l'autre camp de remporter la victoire, songea-t-il. Ce qu'il fallait, c'était frapper brusquement. Attaquer l'ennemi là où il présente l'objectif le plus valable. Frapper là où il est le plus faible. Et surtout, là où il s'y attend le moins. Et une fois le coup porté, ne pas s'attarder. Disparaître aussitôt. Se fondre dans le paysage. C'était la tactique des partisans. Ce serait la tactique des Werewölfe.

Il avait confiance. On avait eu la preuve concluante ces dernières années qu'une force de guérilla bien organisée constituait un facteur militaire de première importance, contre lequel une armée moderne d'occupation était à bien des égards impuissante. Les Werewölfe constitueraient une telle force. Avec un amusement un peu amer, Krueger se rappela les paroles du Dr Goebbels quelques semaines plus tôt, lorsque la décision avait été prise d'annoncer publiquement à la radio d'Etat l'existence des Werewölfe. Il avait trouvé ses propos un peu pompeux. « Les Werewölfe seront l'épée de Siegfried qui abattra le dragon qui cherche à dévorer notre mère patrie », avait déclaré le petit Doktor. Et il avait ajouté : « C'est d'eux que dépendra le succès de notre plan ! »

Ainsi soit-il.

Krueger approcha l'épais rapport ronéotypé.

GEHEIMSACHE

ZUSTAND DER ALPENFESTUNG

Führerhauptquartier den 15.4.45

Il y avait en appendices au rapport toute une série de cartes et de photographies aériennes. Il prit l'une des photos et l'examina d'un air songeur. C'était une vue aérienne montrant une paisible vallée entre deux massifs alpins majestueux ; un chapelet de prairies à flanc de coteau entourées d'un bois de sapins et parsemées çà et là de quelques cabanes et granges. Il la retourna. Au dos il y avait une longue liste avec en en-tête : LwUFH — 7. Il inspecta de nouveau la photographie. Le camouflage était remarquable. Il était impossible de déceler le moindre signe indiquant qu'il s'agissait en fait d'une base souterraine de la Luftwaffe. La piste d'accès — comme l'entrée d'une ruche géante, se dit-il — était totalement dissimulée dans les bois. Les cabanes et les granges sur les prés dissimulaient efficacement les bouches d'aération nécessaires pour le terrain qui se trouvait en dessous. Il repoussa le cliché et prit une carte. Il lut la légende. Chaque symbole marquait l'emplacement d'une cachette d'un genre très particulier. Argent liquide, objets de valeur, or. Il en connaissait déjà certaines. Le trésor en pièces d'or du monastère de Kremsmünster caché dans le Tyrol près de Salzbourg. Il se souvenait avec dégoût du petit commandant SS, Helmuth von Hummel, un des adjoints de Bormann, qui avait été chargé d'installer la cachette. A elle seule, elle ne devait pas représenter moins de vingt-cinq millions de Reichsmarks. Il y avait aussi les réserves en monnaies étrangères de Berchtesgaden. Qui savait combien ça représentait ? L'or caché près de Rattendorf. Encore au moins vingt millions. Et d'autres. Il se demanda de quels fonds on disposait en fait pour financer la résistance dans l'*Alpenfestung*. Il renonça. En tout cas, il devait y avoir plus qu'on ne saurait en avoir besoin.

Il rassembla les documents. C'était un rapport impressionnant. Plus que cela. C'était un témoignage sur le potentiel formidable de l'*Alpenfestung*.

Il s'étira et regarda sa montre. Il était tard. On frappa à la porte.

« *Herein* », dit-il.

Schmidt et Willi entrèrent. Ils s'arrêtèrent juste sur le seuil.

« Les dernières unités sont parties, Herr general, signala Schmidt.

— Merci.

— Tout est prêt pour notre départ demain.

— Très bien. »

Les deux officiers subalternes se mirent au garde-à-vous. Ils tournèrent les talons, s'apprêtant à partir.

« Attendez ! fit Krueger en se levant. Il s'étira de nouveau. Il contourna le grand bureau. « Je crois que ce soir nous pouvons arroser cela au schnaps, dit-il. Qu'est-ce que vous en pensez ? » Il était détendu, sans cérémonie. Les deux hommes adoptèrent aussitôt le même ton que le général.

« Oh, bien sûr, merci beaucoup, dit Schmidt, et il ajouta en souriant : Et mes félicitations... mon général !

— Félicitations, mon général, fit Willi en écho.

— Je vous remercie, messieurs. » Krueger ouvrit la porte qui donnait sur le couloir. »

« Plewig ! cria-t-il. Plewig ! »

Il se tourna vers Willi et désigna la pièce vide. « Il ne reste pas grand-chose », dit-il. Il désigna les classeurs métalliques. « Approchez un classeur. Asseyez-vous dessus !

— Oui, mon général ! » fit Willi en souriant.

Plewig arriva en courant. Il était en chaussettes et tenait son pantalon d'une main. Il s'arrêta en glissant sur le parquet bien ciré.

« Le général m'a appelé, fit-il, haletant.

— En effet, dit Krueger. Je veux que vous alliez me chercher une bouteille de cognac dans la cave. La dernière bouteille d'armagnac. Et trois verres.

— Bien, mon général.

— Et, Plewig. Prenez une bouteille de schnaps pour vous et les autres.

— Bien, mon général ! Merci mon général ! » Le petit homme disparut. Krueger revint dans la pièce.

Willi et Schmidt avaient renversé un classeur métallique vide qu'ils avaient approché du bureau. Le général s'installa dans son fauteuil et désigna le classeur.

« Prenez un siège, messieurs. Ce ne sera peut-être pas le plus confortable du monde, mais autant vous habituer à l'inconfort. »

Les deux hommes sourirent et s'assirent sur le classeur. Le métal émit un grincement de protestation. Krueger posa une main sur les documents étalés sur son bureau.

« Nous avons déjà examiné les ordres, dit-il. Nous savons

ce que nous avons à faire. » Il scruta un instant ses deux adjoints. « Entre nous, qu'en pensez-vous ? »

Willi et Schmidt échangèrent un coup d'œil. Schmidt dit :

« Il n'y a pas beaucoup de temps, mon général, si un nombre de troupes suffisant doivent atteindre l'*Alpenfestung.* »

Krueger acquiesça. « D'accord. Nous sommes pressés par le temps. » Il regarda ses officiers. « Mais Hitler m'a personnellement promis de maintenir l'accès de ce secteur ouvert aussi longtemps que possible.

— Munich ? demanda Willi.

— Les troupes SS, fit Krueger en hochant la tête, ont reçu l'ordre de prolonger le plus longtemps possible la résistance. »

On frappa à la porte et Plewig entra avec une bouteille d'armagnac et trois verres. Il avait passé ses bottes et une veste. Krueger lui désigna le bureau.

« Ah, fit-il avec enthousiasme. Le meilleur alcool du monde. Cela rivalise avec le cognac le plus fin, messieurs. C'est la même qualité, mais dans un style un peu différent. C'est plus délicat. » Il contempla la bouteille d'un œil respectueux. « Trente ans d'âge. Du grand bas-armagnac. Les meilleurs alcools viennent de cette région. Attendez-vous à un régal ! »

Plewig versa un doigt d'alcool dans chaque verre. Il reposa la bouteille sur le bureau et partit. Krueger prit son verre.

« *Prost !* » dit-il aimablement.

Les deux hommes levèrent leurs verres vers lui. « *Prost !* »

Ils burent. Willi sentit la délicieuse brûlure de l'armagnac glissant sur les parois de son palais et dans sa gorge. Il exhala lentement, savourant de tout son être les somptueux parfums de l'alcool. C'est ça la vie, se dit-il. Se piquer le nez avec le général !

« Vous avez raison, Schmidt, dit Krueger. Le temps est en effet d'une importance vitale. C'est à nous de faire en sorte que nous en disposions du maximum pour atteindre nos objectifs. »

Willi regarda le général. Pourquoi pas ? se dit-il. Pourquoi ne pas prendre le risque ? Après tout, ce n'est qu'une question. Il s'éclaircit la voix.

« Mon général, dit-il. Quand nous aurons atteint l' *Alpenfestung*, les autres seront là aussi. » Il avala sa salive. « Quelles sont nos chances ? Sincèrement. »

Krueger regarda un instant le jeune homme.

« Willi, dit-il avec dans sa voix une affection presque paternelle. J'estime que vous avez le droit de savoir. » Il marqua un temps. Il contempla gravement son verre d'alcool en le faisant lentement tourner dans sa main. Puis il regarda les deux officiers.

« Pour l'instant, dit-il gravement. Pour l'instant, notre mère patrie est battue. La guerre est perdue. »

Willi regarda le général, bouche bée. Non pas qu'il n'eût pas envisagé lui-même cette possibilité. Mais c'était un choc de l'entendre exprimée avec aussi peu d'équivoque. Et par le général. Krueger poursuivit :

« Mais nous pouvons encore transformer en victoire de demain la défaite d'aujourd'hui. Il y a une façon et une seule d'y parvenir. Le maître plan du Reichsführer SS Himmler ! »

Il se carra dans son fauteuil. Willi et Schmidt l'observaient intensément. Il but lentement une gorgée d'alcool.

« Nous ne pouvons plus gagner la guerre tout seuls, dit-il. Nous avons perdu cette chance en juin de l'année dernière, quand les Alliés ont établi leur tête de pont en Normandie. Après cela, seul un miracle aurait pu nous donner la victoire. Et aucun miracle ne s'est produit. Non, messieurs... nous avons besoin d'aide. Nous avons besoin de l'aide soit de la Russie... soit de l'Amérique. »

Willi sursauta. Krueger ne parut pas s'en apercevoir et continua :

« Déjà Himmler a réussi à semer la méfiance dans l'esprit des Russes. Il les a persuadés, par exemple, qu'en dépit des protestations des Américains, ceux-ci ont l'intention de marcher sur Berlin, en laissant l'*Alpenfestung* comme une épine dans le flanc de Staline. Les Alliés de l'Est et de l'Ouest ne peuvent pas se sentir. Ils sont déjà au bord des hostilités ouvertes. Ce sera à nous de pousser un peu. Pour les faire basculer ! Cela peut être fait de bien des façons. Sur le plan diplomatique, bien sûr, en inventant de fausses « fuites » de documents « confidentiels ». Dans des pays neutres. En Suède. En Suisse. Nous pouvons y parvenir aussi par des missions spéciales. Des provocations soigneusement mises en scène. Nos hommes en uniformes russes attaquant une unité américaine. Des Américains tuant des Russes ! De petits incidents sans importance en eux-mêmes. Mais... les représailles seront réelles. Dans le conflit entre l'Est et l'Ouest qui en résultera, on verra vite qui est le plus fort. Et au camp vainqueur, Himmler — au nom du Führer — sera en mesure d'apporter la force décisive du Troisième Reich, mise en réserve dans l'*Alpenfestung*. Suivant nos conditions ! Le maître plan transformera la défaite en victoire finale ».

Il but une gorgée de son armagnac.

« Mais il nous faut agir vite. De façon décisive. Au mieux nous avons jusqu'à la fin de ce mois. »

Il regarda bien en face les deux officiers. Une lueur résolue brillait dans ses yeux au regard pénétrant.

« L'élimination d'Eisenhower nous donnera quelques jours de plus. Peut-être. Sitôt cette mission accomplie, conclut-il, nous faisons mouvement vers l'*Alpenfestung*. »

Il but une gorgée d'alcool. Douze ans, songea-t-il. Pendant douze longues et dures années — dont la moitié passées en guerre — le Troisième Reich national-socialiste avait lutté pour obtenir la place à laquelle il avait droit comme première puissance du monde. Et voilà maintenant que deux semaines allaient décider de son sort ultime ! Cette idée l'impressionnait. Il regarda les deux jeunes gens devant lui. Savaient-ils quel rôle ils allaient jouer pour changer le cours de l'histoire ?

« Deux semaines, messieurs, dit-il d'un ton grave. Deux semaines avant que les Américains bouclent le secteur des Alpes. A moins que nous ne puissions les en empêcher. »

Il se leva. Les deux jeunes officiers l'imitèrent aussitôt. Krueger leva son verre.

« Au maître plan, dit-il. *Sieg Heil !*

— *Sieg Heil !* »

Ils burent. Krueger regarda son verre. Il regarda les vêtements civils bavarois qu'il portait, la culotte de cuir de forestier, la chemise en grosse laine verte, la veste grise avec les boutons d'os sculpté. Une fois encore il leva son verre, presque vide. Il se redressa de toute sa hauteur. Puis d'une voix calme il dit :

« *Hoch ! Hoch*... aux Werewölfe ! »

DEUXIÈME PARTIE

28 avril 1945

WEIDEN

9 h 57

Les draps blancs pendaient aux fenêtres, mornes et flasques, parsemant de taches claires les vieux bâtiments colorés de la petite ville bavaroise de Weiden de leurs signaux de capitulation. Ils avaient accueilli les troupes américaines lorsque les premiers camions avaient débouché dans la ville une semaine plus tôt. Ils étaient toujours là, comme une assurance calculée contre la violence de la guerre.

Erik et Don descendirent de leur jeep et se dirigèrent vers la prison de la ville. C'était un des rares bâtiments importants et modernes de l'agglomération et c'était là que s'était installé le Counter Intelligence Corps.

Erik jeta un coup d'œil dans la rue. C'était pour lui un sujet d'étonnement sans cesse renouvelé de voir avec quelle rapidité la population des petites bourgades allemandes semblait accepter le bouleversement de leur univers. Déjà les habitants de Weiden circulaient dans les rues en vaquant à leurs occupations, en n'attachant délibérément aucune importance aux cicatrices des combats qui marquaient la plupart des immeubles. Un grand nombre des vieilles maisons arboraient sur leurs murs des inscriptions écaillées par les éclats de shrapnel et rappelant des temps plus impérieux, comme une douairière nostalgique arborant les belles toilettes fanées des jours meilleurs et envolés. Les swastikas omniprésents, les slogans de la propagande nazie SIEG ODER SIBIRIEN — « La Victoire ou la Sibérie » ; EIN VOLK EIN REICH EIN FUHRER — « Un peuple, une patrie, un chef » : HITLER BRINGT BROT, STALIN DEN TOD — « Hitler apporte le pain, Staline la mort. » WIR SIND IM KELLER — « Nous sommes dans la cave » ; peints sur le seul mur subsistant d'une maison bombardée, avec une grande flèche blanche, pointée vers le bas. Ou bien un sec ABGEREIST — « Parti », sur la coquille d'une boutique éventrée.

La prison elle-même, une solide construction de pierre, était presque intacte. Seuls le chambranle de la grande porte et une partie du mur autour avaient été vilainement fendus par les éclats d'un obus tombé dans la rue. Un civil allemand d'un certain âge, portant une casquette de cuir salie était en train de réparer les dégâts, en ôtant avec précaution une pancarte peinte à la main et fixée au mur pour masquer une partie du trou. La pancarte annonçait CHAMBRES AVEC SERVIETTES JOINTES.

L'Allemand porta la main à sa casquette lorsque Erik et Don passèrent devant lui, pour entrer dans le bâtiment. Ils ne lui rendirent pas son salut, pas plus qu'ils ne remarquèrent la lueur de haine qui passa dans les yeux de l'homme lorsqu'il les suivit du regard.

Le couloir était encombré de gens. Des civils et des soldats allemands ; des hommes et des femmes ; jeunes et vieux. Toutes sortes de gens — mais avec tous une chose en commun, la tension de la peur. Tout au bout du couloir un MP ennuyé montait la garde devant une porte. Sur le mur auprès de la porte était apposé l'insigne du moulin à vent bleu et orange avec les lettres C.I.C. En dessous on pouvait lire : FILTRAGE ET INTERROGATOIRES.

Erik et Don poussèrent la porte et entrèrent.

« ... et votre unité tout entière a été dissoute il y a plus d'une semaine ? »

Sur un ton sec et incrédule, la question s'adressait à un

soldat allemand au garde-à-vous devant un grand bureau jonché de papiers et de livres. Les deux agents du C.I.C. assis derrière le bureau regardaient le soldat sans aménité. Il avait l'air crispé et gris d'appréhension.

« *Ja !* Ou-oui, monsieur ! balbutia-t-il.

L'interrogateur le fixa d'un regard sinistre.

« Alors, comment expliquez-vous le fait que *personne d'autre* de votre unité ne soit passé par ici ? Il n'y a que vous ?

— Pourquoi vous ? lança l'autre homme.

— Qu'est-ce qu'il y a de si spécial chez *vous* ?

— Qu'est-ce que *vous* cherchez ? »

L'Allemand était ébranlé, déconcerté. Il adressait un regard suppliant d'un de ses interrogateurs à l'autre.

« Je... je ne sais pas. Je ne comprends pas. Il devrait y avoir... d'autres. Je vous en prie, Herr Hauptmann. C'est vrai ! Je dis la vérité. »

Erik était resté près de la porte avec Don, il connaissait la musique : c'était un des numéros favoris de l'agent Hacker. Le soldat était sans doute exactement ce qu'il disait être. Démobilisé. Sans doute un certain nombre de ses camarades avaient-ils déjà été filtrés par Hacker et son partenaire, Pierce, et renvoyés chez eux. L'étonnement de l'homme en s'entendant dire qu'il était le seul était sincère. Et croyable. S'il s'était présenté avec une explication habile et logique, alors ç'aurait été une raison de le soupçonner et cela aurait justifié un interrogatoire plus poussé.

Erik examina la pièce. Il songea avec lassitude aux nombreuses heures qu'il avait déjà passées ici, aux nombreuses heures qu'il allait encore y passer.

C'était une pièce sinistre, froide et hostile. Par un carreau cassé entraient les fils de deux téléphones de campagne posés sur le bureau. Une grande carte de la région était épinglée au mur derrière. Sans le moindre petit drapeau planté dessus. Un petit poêle ventru était installé dans un coin, son tuyau tout noir disparaissant par un trou maculé de suie dans le mur. Il n'y avait pas de feu. Sur le mur sale on distinguait une grande tache rectangulaire, plus claire. Erik était certain que récemment encore c'était un portrait du Führer qui était accroché là.

L'agent Hacker remit à l'Allemand un bout de papier. « Portez ceci au bureau du gouvernement militaire. Le sergent dehors vous montrera où c'est. On vous délivrera un permis de circuler. »

Le soldat claqua des talons.

« *Jawohl,* Herr Hauptmann ! Merci, merci beaucoup ! »

Il salua.

« Vous pouvez disposer », dit Hacker.

L'Allemand s'en alla. Don s'approcha du bureau.

« Allons, les gars, dit-il d'un ton jovial. Libérés. On va vous relever.

— Avec plaisir, grommela Pierce.

— Qu'est-ce qui se passe ? demanda Don en feignant la surprise. Je croyais que tu aimais les interrogatoires. »

Pierce prit un air exaspéré.

« Ne me fais pas rire. Ça tire sur mes points de suture. »

Erik feuilletait une liasse de documents dans une corbeille sur le bureau.

« Rien d'intéressant ? » demanda-t-il.

Hacker haussa les épaules.

« Pas grand-chose. Deux officiers SS et un garde de camp de concentration. Membres des Têtes de Mort.

— Pas brillant, commenta Don.

— Et un type qu'on a renvoyé au Centre d'interrogation de l'armée, fit Hacker sans s'occuper de Don. J'avais l'impression qu'il avait quelque chose à raconter. »

La porte s'ouvrit et le sergent Jim Murphy passa la tête dans la pièce.

« Mon capitaine, vous êtes prêt pour un autre ? fit-il avec un grand sourire. Je crois que c'est quelqu'un qui vous intéressera.

— Bon, Jim. Encore un. Faites-le entrer. »

Murphy disparut. Hacker se tourna vers Erik et Don. « Après celui-ci, les autres sont pour vous. »

Don s'approcha des classeurs métalliques.

« Je meurs d'impatience », marmonna-t-il.

Erik le suivit. Il sentit le brusque changement d'atmosphère dans la pièce, presque tangible. On passait de la jovialité sans cérémonie à la froide efficacité. Il regarda Hacker et Pierce. Ils arborent leurs têtes de salaud impitoyable comme on enfile un blouson, songea-t-il. Je pense qu'on fait tous ça. Il tourna les yeux vers la porte au moment où elle s'ouvrait.

La fille que Murphy fit entrer dans le bureau était ce que le jeune sergent aurait décrit avec révérence comme « une superbe pépée ». Grande, belle et blonde, c'était le genre de fille qui est merveilleuse sans aucun maquillage, et elle n'en avait pas. Elle était vêtue d'une jupe corolle de couleur vive, qui moulait sa taille mince et d'une blouse bavaroise à manches courtes et très décolletée, ornée de jolies broderies, qui mettait en valeur ses seins qui pointaient avec impertinence.

Pour les points de suture on en reparlera ! se dit Erik en jetant un coup d'œil à Pierce. Même son visage maussade s'adoucit lorsqu'il vit la fille — mais seulement un instant.

« Voici, mon capitaine ! » dit Murphy qui avait du mal à empêcher l'amusement qu'on lisait dans son regard de gagner son expression soigneusement étudiée de sévère efficacité. Il ressortit dans le couloir.

Hacker regarda froidement la fille.

« *Kennkarte, bitte !* »

La fille fouilla dans un petit sac à main dont elle tira une carte d'identité grise. Elle la tendit à Hacker. Elle avait l'air affolée et extrêmement séduisante. Elle jetait à chacun des deux hommes tour à tour des regards nerveux. Hacker examinait la carte d'identité.

« Anneliese Leubucher. Exact ?

— Oui, répondit-elle d'une petite voix douce.

— Age ?

— Vingt-deux ans. »

Avec une lenteur délibérée Hacker nota quelque chose sur un bout de papier. Il le montra à Pierce. Les deux hommes scrutèrent longuement la fille, puis Pierce, l'air sévère, se mit à feuilleter un gros volume de feuilles ronéotypées. L'appréhension d'Anneliese ne faisait que croître. Elle tremblait.

« Pourquoi êtes-vous dans une zone de combats ? fit Hacker d'une voix froide et dure.

— J'étais à Pilsen. En Tchécoslovaquie. » Elle se mordit la lèvre. « Je... je voulais rentrer avant que les Russes... »

Elle ne termina pas sa phrase et baissa la tête. Son silence était éloquent. Hacker l'examina un moment.

« Où voulez-vous aller ?

— A Regensburg. Je crois que mes parents sont encore là-bas. »

Pierce referma le volume qu'il avait consulté. Il secoua la tête d'un geste presque imperceptible en direction de Hacker.

« Que faisiez-vous à Pilsen ?

— Je travaillais dans un bureau. Comme sténotypiste.

— Quel bureau ? » demanda sèchement Pierce.

Anneliese parut surprise. « Au N.S.K.K., fit-elle d'une voix étouffée.

— Je vois, fit Pierce d'un ton menaçant. Le Service de transports automobiles nazi. Pourquoi le N.S.K.K. a-t-il un bureau à Pilsen ?

— Je ne sais pas. » Anneliese plissa le front. « Peut-être parce qu'il y avait tant de poids lourds partant de là. La bière, vous savez. »

Don fut soudain prit d'une petite quinte de toux. Hacker intervint aussitôt.

« Membre du Parti ?

— Comment ? fit Anneliese en sursautant.

— Vous étiez membre du Parti ?

— J'étais... j'étais dans les B.D.M..

— Qui n'y était pas ? » Hacker insista. « Vous êtes-vous inscrite au parti nazi ? »

Anneliese semblait prise au piège. Elle baissa les yeux et murmura :

« Oui.

— Quand ?

— Il y a deux ans. A Regensburg.

— Pourquoi ?

— Il le fallait. Si je voulais travailler. »

Soudain Pierce se leva. Il s'approcha de la fille. Elle parut vouloir se dérober, mais ne bougea pas. Pierce la regarda d'un air mauvais.

« Levez votre bras gauche ! » L'ordre avait été lancé d'un ton brusque. Anneliese parut stupéfaite. Elle obéit.

Pierce examina attentivement la face interne de son bras. Puis, sans un mot, il revint s'asseoir.

Hacker leva les yeux vers elle. Elle était plantée immobile, son bras toujours levé.

« Vous pouvez baisser le bras maintenant », dit-il.

D'un geste gauche mais qui ne manquait pas de séduction, Anneliese obéit. Elle paraissait humiliée, vulnérable — comme un faon prit dans le viseur d'un fusil de chasseur. Ses grands yeux parcouraient la pièce, affolés. Son regard rencontra celui d'Erik — et ne s'arrêta qu'un bref instant.

Il détourna les yeux.

« Si nous vous laissons partir, irez-vous directement à Regensburg ? fit Hacker d'une voix qui avait perdu un peu de sa sévérité.

— Oui ! Oh, oui, monsieur ! »

Hacker griffonna quelque chose sur un bout de papier et le tendit à la fille.

— Tenez, prenez ça. Le sergent vous dira ce qu'il faut faire. »

Anneliese prit le papier.

« Merci, dit-elle. Oh, merci beaucoup ! » On aurait dit qu'elle allait le serrer dans ses bras.

« C'est tout. Vous pouvez disposer. »

Une brève révérence et la fille sortit. Hacker se leva et s'étira.

« Eh bien, voilà. A vous de jouer. » Il se tourna vers Pierce. « Tu viens ?

— D'accord.

— A tout à l'heure. » Hacker se dirigea vers la porte, suivi de Pierce. Don leur cria :

« Hé ! Hacker !

— Oui ?

— Attention à ne pas fraterniser ! »

Hacker se tourna vers Don. Il dit en feignant l'inquiétude :

« Tu sais, ça fait si longtemps que je n'ai pas vu de fille, je ne saurais pas quoi faire.

— Ne t'inquiète pas, lui assura Don gravement. C'est comme la bicyclette : dès l'instant qu'on est en selle, ça vous revient. »

Le sergent Murphy passa la tête par la porte.

« On ne sait plus où les mettre », déclara-t-il d'un ton de reproche. Don se tourna vers lui.

« Bon, Jim. Envoyez le suivant. Et voyons si vous pouvez faire aussi bien pour nous.

— Compris. »

Don vint s'installer auprès d'Erik à la table. Il se laissa tomber lourdement dans le fauteuil.

« Allez, on remet ça. » Il soupira. « Ces interrogatoires de filtrage me tuent. C'est à peu près aussi excitant que de tricoter des cache-queues pour la Croix-Rouge.

— Je ne savais pas qu'ils en distribuaient », commenta sèchement Erik.

Murphy apparut. Impassible, il introduisit dans le bureau une femme ; une Hausfrau entre deux âges, qui commençait à s'empâter, avec un visage dur et hostile. Elle foudroya du regard les deux agents du C.I.C.

« C'est ce que j'ai trouvé de mieux dans le genre mon capitaine, dit Murphy d'un ton innocent.

— Merci, sergent. Merci... beaucoup », répondit Don. Comme Murphy s'en allait il se tourna vers la femme.

« *Kennkarte, bitte.* »

Et le temps s'écoulait lentement. Les mêmes éternelles questions qu'on posait à un individu après l'autre ; les mêmes éternelles réponses — comme si tous les hommes et toutes les femmes d'Allemagne avaient appris le même texte si peu plausible...

« Non. Je n'étais pas nazie. Je n'ai jamais appartenu au Parti, ni rien... »

« Oh, on entendait bien des rumeurs sur ces camps. Mais on n'y croyait pas... »

« Nous tous qui n'étions pas nés allemands, on nous versait dans les Waffen SS on n'avait pas le choix. Je n'ai fait que suivre les ordres... »

Le soldat fut introduit dans le bureau par Murphy. Il était le numéro treize ce matin-là. Il attendit, silencieux, au garde-à-vous devant la porte.

Erik l'examina. Il n'était remarquable en aucune façon, il était comme des centaines, comme des milliers d'autres. Environ trente-cinq ans, le teint rougeaud et de grands yeux bleus lavés et innocents. Il soutint le regard d'Erik avec une assurance sans hostilité. Erik tendit la main.

« *Soldbuch, bitte.* »

L'homme lui tendit son livret militaire. Erik se mit à le feuilleter.

« Et vous, demanda Don, où voulez-vous aller ?

— Sur le Rhin, Herr Hauptmann. » La réponse arriva, rapide et directe. « J'ai un vignoble là-bas, juste sur le fleuve. Ça fait longtemps que je ne suis pas allé chez moi. »

Erik leva les yeux du livret.

« Votre unité a été dissoute il y a une semaine ?

— C'est exact, Herr Hauptmann. Plutôt que de se rendre aux Russes.

— Et on vous a simplement dit de rentrer chez vous ?

— Oui, mon capitaine, fit-il en exhibant une feuille pliée. J'ai ici mes papiers de démobilisation. » Il les tendit à Erik en claquant des talons.

« Vous vous appelez Plewig ?

— *Jawohl,* Herr Hauptmann. Plewig. Joseph Plewig. »

Don se leva de son fauteuil et s'approcha de l'Allemand.

« Otez votre veste, aboya-t-il, et votre chemise. »

Plewig aussitôt commença à se déshabiller. Il n'était pas le moins du monde inquiet. Il savait exactement ce que l'Américain cherchait. Qu'il cherche ! songea-t-il. Il se sentait pleinement confiant. Il savait qu'il serait interrogé par la Gestapo américaine. Tout se passait exactement comme on le lui avait annoncé à Thürenberg. Il savait quoi faire. Il avait vécu exactement la même situation maintes et maintes fois à l'entraînement. Il connaissait toutes les réponses...

« Levez votre bras gauche. »

Plewig obéit aussitôt. Don jeta un coup d'œil à la partie supérieure de son bras.

« Vous savez ce que je cherche ?

— Oui, monsieur. Vous voulez voir si j'ai mon groupe sanguin tatoué sur le bras. Seuls les SS l'ont. Mais vous voyez que je ne l'ai pas. »

Il adressa à Don un sourire désarmant. Erik rendit au soldat son livret militaire.

« Vos papiers ont l'air en ordre, dit-il, comme s'il le regrettait vaguement. Prenez vos vêtements et allez là-bas vous rhabiller. » Il désigna l'autre côté de la pièce.

« *Jawohl,* Herr Hauptmann. »

Plewig s'éloigna. Don vint rejoindre Erik.

« Toi aussi ? fit-il à voix basse.

— Oui, fit Erik, songeur. Je n'arrive pas à mettre le doigt dessus, mais...

— Impression familière.

— Ça coule trop bien. Il a l'air trop confiant, pas inquiet du tout. Je ne sais pas. Je ne me fie pas à lui, voilà tout. » Il se tourna vers l'Allemand. Qu'était-ce donc ? se demanda-t-il. Une attitude ? Les papiers de l'homme étaient en règle — pas parfaits, ceux de personne ne l'étaient — mais suffisamment. Ses réponses tenaient debout. Son nom ne figurait sur aucune liste — et pourtant... Il jeta un coup d'œil à Don. Lui aussi contemplait le soldat. Don a la même impression, se dit Erik. Il s'étira. « Je prendrais bien une tasse de café. Si on faisait passer notre visiteur à l'essoreuse ?

— Tout à fait d'accord. »

Erik fit signe à l'Allemand. L'homme avait fini de se rhabiller. Il s'approcha de la table et se planta au garde-à-vous. Erik le regarda droit dans les yeux.

« Encore une chose, Plewig, dit lentement. Nous voulons

que vous couchiez sur le papier toute votre carrière militaire. Tout ce dont vous vous souviendrez. Unités auxquelles vous avez appartenu... les campagnes... les dates... les noms des officiers. Le grand jeu. C'est clair ? »

Plewig éprouva une pointe d'inquiétude. Qu'est-ce que c'était que ça ? Il maîtrisa toute manifestation de désarroi. Il n'y a pas de quoi s'affoler, se dit-il pour se rassurer. Il pouvait y avoir cent raisons pour lesquelles les Américains voulaient obtenir de lui des renseignements aussi détaillés. Son unité. Le fait que récemment il combattait les Russes. N'importe quoi. Ils voulaient sans doute recueillir le maximum de renseignements pour leur documentation. En tout cas, il était pleinement préparé. Il retrouva sa confiance.

Erik désigna une petite table.

« Vous trouverez là du papier et un crayon. »

Plewig claqua des talons. Il se dirigea vers la table, s'assit, choisit une feuille de papier, lécha la pointe du crayon et, avec infiniment d'application se mit à écrire...

Don était à la porte.

« Sergent Murphy !

— Mon capitaine ? »

Don désigna de la tête Plewig tout occupé à écrire.

« Gardez-le à l'œil. Il rédige l'histoire de sa vie. Prévenez-nous quand il aura fini. Nous serons au foyer. »

Betty Grable, tendre et mutine, souriait par-dessus son épaule. L'éclatante Lucille Ball avait l'air radieux et Ann Miller arborait un sourire étincelant et un costume de bain extrêmement sexy. Sous toutes les rangées de pin-up découpées dans *Yank,* le journal de l'armée, épinglées à un mur, un plaisantin avait crayonné en gros caractères : AIDE-MEMOIRE.

Le foyer comportait un conglomérat de meubles confortables glanés de toute évidence dans diverses maisons. Un poste de radio délabré était installé sur une table et un bon feu brûlait dans l'inévitable poêle ventru couronné d'une grosse bouilloire qui fumait doucement.

Don se dirigea droit vers le poste de radio.

« Ça devrait être l'heure de notre petite amie. Un peu de musique du pays. »

Il tripota les boutons. Erik versa du café noir dans deux timbales. Il en apporta une à Don. Au milieu du crépitement des parasites, on parvenait à distinguer une voix de femme au ton suave. Don se livra à un réglage minutieux.

« ... N'oubliez pas, pauvres G.I's esseulés, que vous leur manquez autant qu'elles vous manquent, même si elles sont braves et qu'elles ne vous le montrent pas trop dans leurs lettres. Au cas, bien sûr, où elles n'auraient pas encore trouvé quelqu'un d'autre ! Et maintenant un peu de musique douce du pays pour mes copains américains. »

Don s'installa dans un des fauteuils. « C'est ça, ma petite Sally, je ne t'en demande pas plus. »

Le poste de radio se mit à déverser les accents d'une ballade mélodieuse.

« Harry James », murmura Don. Il ferma les yeux pour mieux écouter...

Une fille chantait : « Tu m'as fait aimer. Je ne voulais pas... Je ne voulais pas... »

Erik tenait entre ses mains sa timbale tiède. Il avait besoin de se détendre. Il pensa tour à tour à chacun de ses muscles, commençant par ses jambes, leur ordonnant délibérément de ne plus être contractés. En moins d'une minute il se sentit complètement détendu. C'était un truc qu'il avait appris de Tante Birte, quand il habitait chez elle. Il se rappelait comme il avait été surpris quand, en rentrant à la maison un jour, il l'avait trouvée étendue sur le plancher. « Je me détends, avait-elle expliqué. Chaque muscle l'un après l'autre. Quelques minutes comme ça, ça vaut un sommeil de deux heures. » Et ça marchait. Il n'avait même plus besoin de s'allonger par terre.

Ses pensées revinrent à la fille qu'il avait vu interroger. Elle avait l'air si... si séduisante, si ravissante, plantée là avec un bras nu levé. Gauche et gracieuse en même temps. Comment s'appelait-elle, Anneliese ? Bien sûr. Il le savait pertinemment. Est-ce qu'il avait besoin de se raconter qu'il avait oublié ? Anneliese...

Non ! Non... Il ne voulait pas penser à elle. Il sentait la tension revenir. Ça ne lui valait rien. Rien du tout ! Il se força à penser à autre chose. Comme c'était difficile d'être planté dans un coin et de ne pas penser à un rhinocéros blanc...

Il fut soudain et violemment arraché à ses rêveries. Un hurlement à vous glacer le sang parvint jusqu'à sa conscience. Il retentit dans la pièce comme la sinistre clameur d'un monstre en proie à une douleur insoutenable.

Cela venait du poste de radio.

Erik et Don tournèrent les yeux vers le récepteur.

« Attention ! Attention ! Ici Radio Werewölf ! Mort à tous les Américains ! »

La voix masculine grinçante, avec son accent guttural céda la place aux premières mesures du « Horst Wessel Lied ». Don et Erik se détendirent. Ils s'étaient machinalement crispés en entendant ce hurlement. Don éclata de rire.

« Mon Dieu, ce qu'ils peuvent être mélo ! Mais ils me font sursauter à chaque fois. » Il se carra de nouveau dans son fauteuil. « Ecoutons. Leur numéro n'est généralement pas mauvais. »

La porte s'ouvrit brusquement et Hacker et Pierce se précipitèrent dans la salle. Hacker jeta un coup d'œil rapide autour de lui.

« Bon sang, qu'est-ce qui se passe ? Oh, l'émission Werewölf. Qu'est-ce qu'ils cherchent à faire ? A nous flanquer la trouille ?

— Ça a l'air d'être l'idée, commenta Don. Un coup de jus, militaire ? »

Hacker et Pierce se servirent. La musique à la radio s'arrêta.

« Ici Radio Werewölf. Américains, attention ! Vous ne serez jamais en sûreté sur notre sainte terre allemande. La mort sera votre constante compagne ! »

Hacker se laissa tomber dans un des fauteuils.

« Bah, fit-il. N'importe quoi plutôt que Pierce.

— Très drôle, fit Pierce l'air aussi sinistre que jamais.
— Comme les loups-garous redoutés du Moyen Age, qui sortaient la nuit pour aller répandre la terreur et le désastre, de même nous, les défenseurs immortels d'Adolf Hitler, jaillirons des ténèbres pour porter la destruction et la mort ! »
Hacker secoua la tête. « Oh, Seigneur !
— Erich von Stroheim dans un de ses plus beaux rôles de traîtres, hein ? suggéra Don.
— Von Stroheim au moins était un comédien, dit Erik. Ce type, c'est au niveau du mélo.
« Américains, attention ! Car c'est vous qui sentirez la mortelle étreinte de nos crocs ! *Sieg Heil ! Sieg Heil !*... Attention aux Werewölfe ! »
De nouveau le hurlement à vous glacer le sang déchira l'air. Don éteignit la radio.
« Qu'est-ce qu'ils s'imaginent ? demanda-t-il. Qui va croire à ces menaces ridicules ! »
Erik but une gorgée de café. « Ils essaient sans doute de se remonter le moral.
— Ils sifflent dans le noir pour se donner du courage, renchérit Hacker.
— Est-ce qu'il pourrait y avoir quelque chose là-dedans ? demanda calmement Pierce sans s'adresser à personne en particulier.
— Ça se pourrait, répondit Erik. Des fanatiques. Mais j'en doute.
— Personne n'est jamais tombé sur un de ces Werewölfs ?
— Pas que je sache. »
Le sergent Murphy passa sa tête par la porte et regarda Erik.
« Des visiteurs pour vous, mon capitaine. »
Erik se rembrunit. « Ne me dites pas...
— Hé si ! Les Maraudeurs.
— Merde ! » Erik avait l'air contrarié. Il se leva. « Allons, je pense que je ferais mieux de les voir. » Il se tourna vers Murphy. « Jim. Trouvez-moi l'édition la plus récente de l'*Ordre de Bataille*.

— Oh, je... fit Murphy, hésitant.

— Même si vous devez en libérer un sur un prisonnier de guerre ! »

Murphy sourit.

« D'accord. Je vous en trouverai un. »

Il sortit.

« Qu'est-ce qui se passe ? demanda Hacker.

— Oh, une intuition. On a ce type de Rhénanie. Il veut rentrer chez lui. Ses papiers sont en ordre, certificat de démobilisation et tout. Mais...

— Il n'a pas l'accent de la vérité ? C'est ça ?

— Voilà. Nous voudrions vérifier sa version de sa carrière militaire avec les faits dans le livre de l'*Ordre de Bataille.*

— Ça devrait suffire. »

Erik quitta la pièce. Hacker se tourna vers Don.

« Ça n'a pas pris longtemps à Erik de recruter les informateurs, hein ? fit-il, impressionné.

— Les Maraudeurs ? fit Don avec une grimace. Je te les laisse ! »

Un des verres épais et graisseux de ses lunettes avait une vilaine fente, mais le petit homme trapu ne semblait pas s'en apercevoir. Silencieux, l'air grave, il attendait avec son compagnon, un homme d'un âge impossible à déterminer, grand, cadavérique, presque chauve, et édenté. Les deux hommes offraient un spectacle à la fois grotesque et pathétique debout devant Erik dans la salle d'Interrogatoires, vêtus de leur tenue rayée usée jusqu'à la corde. *KZ'ler,* des détenus libérés d'un camp de concentration. L'air résolu, ils fixaient sur lui le regard de leurs yeux où brûlait une flamme un peu inquiétante, tout au fond de leurs orbites creuses.

Erik contemplait les papiers qu'il avait à la main. C'était comme ceux qu'ils lui apportaient tous les jours depuis une semaine. Deux feuilles couvertes d'une petite écriture griffonnée. Et tout ça, dans des caractères gothiques presque impossibles à lire. Il regarda les deux hommes devant lui.

« Merci de votre rapport, fit-il d'un ton aimable. Nous sommes toujours heureux de vos renseignements. »

Le petit homme s'inclina gravement ; le plus grand des deux continuait à regarder Erik.

« Vous mangerez bien quelque chose avec nous ? Le sergent Murphy va vous montrer... »

Le petit homme de nouveau s'inclina.

Erik fit un salut de la tête. « *Auf wiedersehen !* »

Les deux *KZ'ler* suivirent Murphy dans le couloir. Erik examina les papiers d'un air consterné. Il soupira. Cela lui prendrait des heures pour les déchiffrer. Il tourna une page et jeta un coup d'œil. Soudain il se tendit et leva rapidement les yeux. Les deux *KZ'ler* s'apprêtaient à franchir la porte sur les talons de Murphy.

« Une minute ! » cria Erik. L'excitation faisait vibrer sa voix. Les deux hommes s'arrêtèrent net, les épaules crispées. Tout d'un coup ils avaient l'air pris au piège et terrifiés.

Erik s'approcha d'eux. Ils restaient immobiles. Ils ne le regardaient pas. Erik leur montra les papiers.

« Qu'est-ce que ça veut dire ? fit-il en désignant certains mots. La Main Droite de Hitler ? »

Les deux hommes fixèrent le plancher, effrayés, crispés. Ils ne répondirent rien.

« C'est vous qui avez écrit ça, non ? » Erik commençait à être exaspéré. Du doigt il tapota les papiers. « Tenez : « A Katzbach, dans la dernière ferme sur la route de Regensburg, se cache la Main Droite de Hitler. » Il regarda les deux hommes. « Que voulez-vous dire par là ? Qui est « La Main Droite de Hitler » ? Il fit un geste dans leur direction. Sans bouger ils parurent se recroqueviller sur place. Ils tremblaient, silencieux.

Oh, Seigneur, songea Erik avec consternation. Ça y est. J'aurais dû le savoir. Les pauvres types. Après avoir vécu si longtemps dans cet enfer, ils se referment comme une huître, au moindre accent d'autorité. Ils se replient sur eux-mêmes et laissent passer. Que peut-on attendre quand un ordre, une voix rude pouvaient signifier la mort... ou pire encore ? Il reprit d'un ton calme et doux :

« N'ayez pas peur. Je veux simplement savoir ce que vous

voulez dire. Qui se cache là ? Qui vous a parlé de lui ? »

Pas de réponse. Erik se tourna vers le petit homme. Son ton était patient, apaisant.

« Dites-moi, je vous en prie. Comment le savez-vous ? »

Il détourna les yeux, se rendant compte tout à coup que son regard inquisiteur effrayait peut-être le petit homme, l'intimidait. C'est comme un chien habitué à être rossé qui est plein d'appréhension quand on le regarde droit dans les yeux, songea-t-il. Il reprit doucement :

« Bien sûr, vous n'êtes pas obligés de me le dire. Rien ne vous arrivera si vous ne le faites pas. Mais je vous serais très reconnaissant si vous vouliez m'aider. Qui est la Main Droite de Hitler ? Qui vous a parlé de lui ? »

Le petit homme fixait le sol. Il avait l'air de suer de peur. Ses yeux clignèrent rapidement derrière les verres épais de ses lunettes, tandis qu'il luttait pour trouver du courage quelque part dans son esprit torturé, démoli. Il finit par murmurer :

« Des gens...

— Quels gens ? Qui ? »

Le petit homme tressaillit, puis resta silencieux, replié sur lui-même, affolé de sa propre audace.

« Pas besoin d'avoir peur, lui assura Erik. Personne ne vous fera de mal. Croyez-moi, je vous en prie. Répondez-moi simplement... »

Mais il n'y avait pas de réponse. Les deux hommes restaient muets, frissonnants de peur — et inatteignables.

Erik les observait avec un mélange de compassion et de déception, mais il se rendit compte qu'il ne pouvait rien faire. Il soupira et se tourna vers Murphy.

« Trouvez-leur quelque chose à manger, dit-il d'un ton las. Puis retrouvez-moi dehors avec la jeep.

— D'accord. » Murphy fit signe aux deux *KZ'ler*. « Par ici, les gars ! »

Il y avait dans sa jeune voix un étonnant accent de compréhension.

Il la vit dès qu'il eut franchi la porte. Elle était plantée dans la rue auprès d'une petite charrette sur laquelle s'entassaient des planches et des outils, en grande conversation avec le réparateur allemand. La première réaction d'Erik fut de passer près d'elle le plus vite possible. Mais quand ils levèrent les yeux et l'aperçurent, l'ouvrier porta la main à sa casquette de cuir sale, prit un outil et se remit au travail sur l'immeuble endommagé par les bombes. Anneliese regarda Erik s'approcher d'elle. Elle sourit.

« *Grüss Gott !* »

Erik s'arrêta. Il regarda la fille. Il se força à ne pas penser. Ça n'était qu'une fille. Comme les autres. Il avait froid. Le pistolet porté dans son baudrier sous l'épaule lui parut soudain peser une tonne.

« Alors, demanda-t-il. Tout est arrangé ? fit-il d'une voix qui lui sembla tendue.

— Oui. Je vous remercie. » Elle avait un sourire ravissant, enfantin. Puis son visage s'assombrit. « Il faut que je retourne au gouvernement militaire. » Elle leva les yeux vers lui. « Demain matin.

— Demain. » Erik se sentit pris au piège. Il sentit la colère monter en lui. La colère contre lui-même. Bon sang, songea-t-il avec fureur. Est-ce qu'il ne serait pas temps que je domine ces foutaises ? C'est simplement quelqu'un qui a des ennuis. Rien à dire. Il la regarda avec un intérêt professionnel.

« Et pour cette nuit, demanda-t-il. Avez-vous un endroit où dormir ? »

La fille secoua gravement la tête.

« J'ai essayé de trouver une chambre. » Elle jeta un coup d'œil vers l'ouvrier. « Herr Krauss dit que ça va être très difficile. Il y a tellement de réfugiés ici. » Elle regarda Erik avec ses grands yeux. « Je vais trouver quelque chose. » Mais de toute évidence elle n'en pensait pas un mot.

Erik évita son regard.

« Oh, dit-il lentement, peut-être que... »

Il leva les yeux au moment où une jeep avec Murphy au volant s'approchait et freinait brusquement à sa hauteur. Murphy lui fit un grand sourire.

« Navré d'avoir été aussi long ! »

Erik monta rapidement auprès de lui. Il se retourna vers Anneliese.

« Je suis sûr que vous trouverez un endroit. Sinon, je verrai ce que je peux faire quand je reviendrai.

— Merci. »

Erik se tourna vers Murphy.

« Allons-y. »

Anneliese resta seule et immobile, à regarder la jeep disparaître au coin de la rue. Un petit sourire flottait sur ses lèvres. Elle jeta un coup d'œil vers l'ouvrier, Krauss.

Elle prit un air grave.

La jeep sortit en cahotant de Weiden et s'engagea sur la route de Regensburg en direction de Katzbach. Erik ne disait rien, Murphy conduisait, sa carabine sur ses genoux.

Il jeta un coup d'œil à Erik.

« Ces deux types, observa-t-il. Tous les jours, ils vous échangent leurs rapports contre un bon repas. Qu'est-ce qu'il y a dedans au fait ?

— Tout... Rien. » Erik semblait songeur. « Des rumeurs. Leurs propres observations. Des idées bizarres. Des ragots. Mais ils ne cherchent pas seulement un repas. Ils essaient vraiment de nous aider.

— Mais ça ne nous sert pas à grand-chose, hein ?

— Il faut vérifier tout ce qui a l'air intéressant.

— Alors qu'est-ce qu'on va chercher maintenant ?

— La Main Droite de Hitler. »

Murphy parut surpris. Erik sourit.

« Ou tout autre pièce de son anatomie que nous pourrions trouver.

— Un gros bonnet nazi, c'est ça ?

— Ça se pourrait, fit Erik en haussant les épaules. Ça pourrait être n'importe qui, depuis un fermier qui un jour les a chassés jusqu'à Martin Bormann lui-même ! »

La dernière ferme sur la route de Regensburg était une ferme bavaroise comme les autres. Un bâtiment principal communiquant avec les étables et une grange. Quelques hangars et un grand tas de fumier d'où le purin suintait sur les pavés de la cour.

Lorsque la jeep d'Erik et de Murphy pénétra dans la cour de ferme, une jeune fille assise sur un banc de bois devant la porte d'entrée sauta sur ses pieds d'un air affolé, répandant sur le sol le contenu d'un panier posé sur ses genoux. Elle se précipita dans la maison.

Murphy arrêta la jeep devant le bâtiment et les deux hommes descendirent. Ils se dirigeaient vers la porte quand celle-ci s'ouvrit soudain. Erik s'avança. Murphy, sa carabine sous le bras, resta un peu en arrière, le couvrant discrètement.

La femme plantée sur le seuil avec la jeune fille était une robuste créature, manifestement habituée aux rudes travaux. Dans le regard qu'elle lança à Erik flamboyait une hostilité muette. La fille, peut-être dix-sept ou dix-huit ans, était hâlée, plantureuse, avec des yeux bleus, et de longues nattes blondes tressées autour de sa tête. Elle aussi considérait les deux hommes avec une animosité mal dissimulée.

Erik s'arrêta devant les deux femmes.

« *Grüss Gott !* fit-il aimablement.

Pas de réponse.

Erik se tourna vers l'aînée des deux femmes. Il reprit d'un ton ferme et décidé.

« Comment vous appelez-vous ? »

La femme le regarda d'un air mauvais. Sa voix était morne.

« Hoffmann. Anna Hoffmann.

— A qui appartient cette ferme ?

— A mon mari.

— Où est-il ?

— En Russie, fit la femme en haussant les épaules. »

Erik désigna de la tête la jeune fille sans la regarder.

— Et elle ?

— C'est ma fille. Lise.

— Qui d'autre habite ici ?

— Il n'y a que nous. » La femme eut une hésitation à peine

perceptible. Ses yeux évitèrent un instant le regard d'Erik. « Et mon frère.

— Où est-il ? » Erik avait remarqué la réaction de la femme. Elle désigna de la tête les bois par-derrière la ferme.

« Par là. Dans les bois. C'est un forestier.

— Je vois. »

Erik revint vers Murphy et lui dit à voix basse :

« Jim. Je vais jeter un coup d'œil dans la maison. La femme m'accompagne. Vous, vous gardez la fille ici.

— Je pense bien ! fit Murphy avec un sourire. Le plus joli morceau que j'ai vu de toute la semaine ! J'aimerais bien être son moniteur pour un peu de gymnastique au lit ! »

Erik se retourna vers lui.

« Bon sang, taisez-vous », lança-t-il. Il avait lancé cet ordre avec une brusquerie inattendue. « Tâchez d'avoir l'esprit à ce que vous faites ! » Sa voix était dure, son regard inquiet. Il tourna les talons et revint rapidement vers la femme. Tous deux disparurent dans la maison.

Murphy suivit Erik des yeux. Il était abasourdi. Qu'est-ce qui lui a pris ? se demanda-t-il. Il est dingue. Puis il oublia l'incident et regarda la fille.

Elle ignora son regard. Elle ramassait les affaires de couture qu'elle avait fait tomber en se précipitant dans la maison et les rangeait dans le panier. Elle était accroupie, tournant le dos à Murphy, et sa robe était tendue sur son petit derrière arrondi.

Murphy la dévorait des yeux. Ça, on peut se dire que c'est un morceau, songea-t-il avec admiration. Il sentait une agréable tension monter en lui. Il laissa son esprit vagabonder. Il imaginait la fille au lit... et c'était rudement bien.

La fille se retourna et vit qu'il l'observait. Elle se redressa et s'assit sur le banc. Elle prit un foulard de couleur vive et le noua autour de ses cheveux.

Murphy savourait la situation. Il était ravi de constater que tout désir n'était pas éteint en lui. La machine est encore en ordre, songea-t-il avec satisfaction. C'est agréable de se sentir un homme !

Une bien jolie petite. Elle me rappelle quelqu'un, songea-t-il vaguement. Ça y est, le foulard...

La mémoire brusquement lui revint. Il se sentit glacé, baigné d'une sueur froide... et il sentit soudain son corps tout entier se crisper : il en avait mal au ventre. Sainte Mère de Dieu ! chuchota-t-il tout bas. Ça ne va pas recommencer !...

Il était revenu sept mois en arrière. A Baraville. Un petit village français sur la Moselle. Il revoyait la scène.

La fille était venue au bureau du C.I.C. C'était une Ukrainienne. Une personne déplacée. Travail obligatoire. Jolie, jeune, ses grands yeux pleins de souffrance — et un foulard noué autour de ses nattes blondes. Elle entra dans la salle d'interrogatoires. Elle marchait comme un canard, les pieds très écartés.

Elle semblait en état de choc. Elle murmurait doucement, elle gémissait dans un mélange d'ukrainien et de mauvais allemand :

« Je vous en prie... aidez-moi... les SS... SS... Je vous en prie — aidez-moi... »

Elle s'arrêta. Marmonnant toujours ses supplications pathétiques, elle souleva lentement sa jupe de couleur vive. Avec précaution elle ôta un grand pansement d'entre ses jambes — un pansement maculé de sang séché.

Et Jim vit.

Doux Jésus ! se dit-il, horrifié. Ils l'ont coupée !

Il contempla pendant ce qui lui parut une éternité la plaie béante comme une bouche criant du fond de l'enfer. Du sang ruisselait doucement sur les cuisses blanches de la fille. Il eut un hoquet et sentit qu'il allait vomir... puis soudain, il eut une sensation chaude et humide entre ses jambes. Avec stupeur il se rendit compte qu'il avait perdu le contrôle de sa vessie.

J'ai pissé dans mon froc, se dit-il, ahuri. Il détourna les yeux de l'horrible spectacle pour regarder Erik.

Erik était blanc comme un linge. Il empoigna le téléphone et convoqua d'urgence le Dr Sokol.

Jim avait toujours aimé les filles. Au lit et hors du lit.

Depuis qu'il avait quitté les Etats-Unis, il n'avait jamais eu aucun mal à trouver des partenaires : miss, mademoiselle — ou même fräulein. Mais pendant des mois après avoir vu la jeune Ukrainienne il avait perdu tout intérêt chaque fois que se présentait l'occasion de coucher avec une fille. Il revoyait sans cesse cette plaie à vif.

Il ne s'y était jamais habitué. Il sentait dans son bas-ventre une pression qui parfois était presque intolérable. Et même les rêves érotiques qu'il pouvait faire ne le soulageaient pas. Il en discuta avec un copain qui lui dit qu'il devait absolument se libérer. S'il n'y arrivait pas avec une fille, qu'il s'arrange tout seul.

Il essaya. Il eut l'impression de se retrouver à l'école de Beloit, dans le Wisconsin. Mais même ça ne marchait pas, car l'image de la jeune Ukrainienne mutilée venait envahir son esprit.

Il avait fini par avoir un horrible cauchemar sexuel qui le faisait encore frissonner quand il y pensait — mais après cela, il avait été soulagé.

Mais il lui avait fallu des mois avant de pouvoir de nouveau regarder une fille et se sentir ému sans revoir dans son esprit cette fille massacrée...

Et maintenant, songea-t-il horrifié, voilà que ça recommence. Ou bien est-ce que c'est ce fichu foulard qui me rappelle ça ? Une pensée lui vint soudain : est-ce qu'Erik s'en était souvenu aussi ? C'était donc ça ?

Frénétiquement, il se mit à penser aux femmes avec qui il avait couché. Il s'attarda sur des instants de plaisir, évoqua des moments excitants, s'efforçant de se protéger contre ce souvenir obsédant.

A son immense soulagement, cela réussit.

Il regarda la jeune fille sur le banc. Mais il n'en éprouvait plus aucun plaisir.

Dans le *Bauernstube,* la grande cuisine-salle à manger du bâtiment principal avec l'éternel poêle à bois, Erik était planté devant la femme assise, très raide, sur un banc derrière une lourde table.

« Votre frère, demanda-t-il. Où est-il ?

— Je vous ai dit, fit Anna Hoffmann, dissimulant à peine son animosité. Dans la forêt.

— Où ça ? »

Elle haussa les épaules.

« Quand doit-il rentrer ? »

Nouveau haussement d'épaules indifférent.

« Depuis combien de temps habite-t-il ici ?

— Depuis toujours.

— Dans quelle arme servait-il ?

— Il n'était pas dans l'armée. » On sentait le mépris dans la voix d'Anna Hoffmann. « Il était trop vieux. Il a cinquante-trois, non, cinquante-quatre ans.

— Et qu'est-ce qu'il fait ? »

La femme eut un soupir exaspéré.

« Je vous ai dit. Il travaille à la ferme. Dans la forêt.

— Et il est resté ici durant toute la guerre ?

— Oui. » Mais de nouveau Erik remarqua l'hésitation à peine perceptible, le regard qui fuyait un instant.

« Il n'est jamais parti ?

— Non. » Erik la dévisageait, l'air dur, sans dire un mot. La femme détourna les yeux. Elle s'humecta les lèvres. « Seulement...

— Oui ?

— Il... il est parti, pour deux mois. Dans le Volkssturm. Près de Cham. » Elle reprit soudain d'un ton de défi :

« Il était bien obligé !

— Quand est-il revenu ?

— Il y a environ... environ une semaine.

— Très bien. Restez ici ! »

Erik se dirigea vers la porte et appela Murphy.

« Surveillez-la, Jim, dit-il en désignant la femme. Rien dans la maison, poursuivit-il. Son frère a une chambre au fond. Il est sorti. Il travaille. » Il jeta un coup d'œil à Lise. « Je vais avoir une petite conversation avec la fille. »

Il se redressa comme s'il enfilait une cuirasse. Il faisait ça très consciemment. C'était une très jolie fille. Jeune. Séduisante. Comme... Tania. Elle n'est qu'un sujet à interroger, se dit-il avec fermeté. Il se passe quelque chose de drôle ici, qui sait quoi ? Il soupira. Qui sait ? Quelqu'un sait toujours. C'est mon problème de découvrir qui. Et c'est peut-être elle. Si c'est elle, qu'est-ce qu'elle sait ?

Un moment il la regarda. Je trouverai bien, se dit-il. Il n'y a pas vraiment de secret. De secret qui soit en sûreté. Simplement des choses que certaines personnes savent... et d'autres pas. Et il y a toujours un moyen de le découvrir...

Il s'approcha d'elle. Elle était assise très raide sur le banc, faisant délibérément semblant d'ignorer sa présence tandis qu'il approchait. Elle ne paraissait nullement inquiète, mais il savait qu'elle était tendue et pleine d'appréhension. Elle ne cessait d'enfoncer les orteils de ses pieds nus et hâlés dans la poussière. Erik se planta devant elle. Il essaya de prendre un ton amical et détendu.

« Quel âge avez-vous, Lise ?

— Dix-sept ans, fit-elle d'une voix sans timbre.

— Votre père n'est pas là ?

— Non.

— Depuis combien de temps est-il parti ?

— Presque trois ans.

— Il doit vous manquer. » La jeune fille ne répondit pas. Erik continua.

« Mais ça doit être agréable d'avoir votre oncle qui revient de temps en temps. »

Lise le dévisagea froidement. « Il *vit* ici, dit-elle. Tout le temps. » Il y avait dans sa jeune voix du mépris et un triomphe à peine voilé. Ce ne serait pas si facile de la prendre au piège !

« Il n'est jamais parti ? demanda Erik.

— Si, fit la fille d'un ton méprisant. Au Volkssturm. Pendant deux mois. Je suis sûre que ma mère vous l'a dit. »

Avec une impudence calculée, elle recommença à remettre de l'ordre dans son panier de couture.

Erik l'observait. Il eut l'air brusquement intéressé.

Il se pencha et prit une petite boîte blanche avec des caractères noirs sur le couvercle. Elle avait l'air toute neuve. Et ce qui se trouvait dedans faisait du bruit. Il se tourna vers la fille qui l'observait en fronçant les sourcils d'un air un peu étonnée. Il se fit plus sévère.

« Est-ce qu'il y a une arme dans la maison ? » demanda-t-il brusquement. Il avait tout d'un coup l'air désagréablement menaçant. La fille eut un sourire dédaigneux.

« Non ! » fit-elle vivement. Etait-ce trop vivement ?

Erik fronça les sourcils. « Qu'est-ce qu'il y a là-dedans ? fit-il en secouant de nouveau la boîte.

— Des boutons.

— Je vois. » Erik parut décontenancé. « Où l'avez-vous trouvée ?

— C'est mon oncle qui me l'a donnée. »

Il la regarda. Elle soutint son regard. D'un air de défi. Il ouvrit la boîte. Elle contenait une collection de boutons. De différentes tailles, de différentes couleurs. Il ne parvenait pas à masquer sa déception. Après tout, des boutons et des balles dans une boîte font le même bruit. Son air aimable disparut. Il devint froid, distant. Lise l'observait avec un sourire de dérision. A elle le premier round !

Il avait bien l'intention de lui laisser cette impression.

Erik se dirigea vers la porte et fit sortir Murphy et la femme dans la cour. Il rendit la petite boîte à Lise et s'adressa à Anna Hoffmann. Il se montra impersonnel, correct.

« Frau Hoffmann, nous aimerions parler à votre frère. Dites-lui de se présenter au Bureau du Counter Intelligence Corps de Weiden demain matin.

— A la Gestapo américaine, fit Anna Hoffmann d'un ton acide. Bien. Je lui dirai. »

Erik salua de la tête les deux femmes.

« *Grüss Gott* », dit-il. Il tourna les talons et, suivi de Murphy, remonta dans la jeep.

Les deux femmes suivirent des yeux la voiture jusqu'à ce qu'elle eût disparu sur la route.

Murphy était soucieux. Penché sur le volant, en roulant

vers Weiden, il fronçait les sourcils. Il jeta un coup d'œil à Erik.

« Vous savez, mon capitaine, fit-il d'un ton hésitant, j'ai l'impression qu'il y avait quelque chose... quelque chose de bizarre dans cet endroit. Vous êtes sûr qu'on ne devrait pas rester un peu ? »

Erik le regarda d'un air interrogateur. Il paraissait secrètement très content de lui.

« Pourquoi ? demanda-t-il d'un ton mordant. A cause de la fille ? »

Murphy lui jeta un bref coup d'œil. Quel changement, se dit-il. Qu'est-ce qu'il a à être si joyeux ? Il n'y a pas de quoi pavoiser : on rentre bredouille. Tout haut, il dit : « Non, non, mon capitaine. »

Il sourit et reprit :

« Et on a fichtrement tort de dire « non » quand il s'agit d'un morceau comme elle. » Il redevint sérieux. « Non, j'ai une drôle d'impression. Ce type qui n'était pas là, je ne sais pas. Tout ça n'était pas... n'était pas kasher.

— Kasher ! dit Erik en riant, je vous croyais irlandais.

— Mais oui. Mais les Irlandais n'ont pas le monopole d'une bonne formule.

— C'est tout un aveu, Jim. En tout cas, vous apprenez.

— J'apprends ? J'apprends quoi ? Si j'apprends quelque chose, vous feriez mieux de me dire ce que c'est. Comment voulez-vous que je voie la lumière si vous me laissez dans l'ombre ? »

Erik se retourna et regarda derrière lui. Il parut satisfait. Un peu devant eux, un petit chemin de terre quittait la route pour s'enfoncer dans les bois.

« Maintenant, on ne nous voit plus. Tournez là. » Il désigna le chemin.

Murphy engagea la jeep dans le sentier. C'était un chemin de terre sablonneux avec de profondes ornières. Il engagea le craboteur qui rendait les quatre roues motrices. Ils furent bientôt au milieu des bois, approchant du bord d'une crête.

Ils arrêtèrent la jeep et descendirent. Sur la banquette

arrière, Erik prit une paire de jumelles et les deux hommes se frayèrent rapidement un chemin au milieu des arbres jusqu'à la crête. La forêt s'arrêtait là. Sur l'autre versant des terres labourées et des prés s'étendaient jusqu'à la ferme Hoffmann en bas. Erik et Murphy se dissimulèrent sous des buissons à la lisière de la forêt et Erik se mit à observer la ferme à la jumelle. C'était un excellent poste d'observation. Tout en bas la ferme semblait déserte au soleil.

« Ça ne devrait pas être long maintenant », observa Erik à voix basse. Il éprouvait ce frisson d'excitation qui le parcourait toujours quand quelque chose allait se passer.

« Bon, bon », marmonna Murphy. Il lança à Erik un regard faussement exaspéré. « Très bien, ne me dites rien ! »

Erik se contenta de sourire. Il observait la ferme. Soudain il chuchota : « Les voici ! »

Ils virent Anna Hoffmann et sa fille sortir en hâte de la ferme en bas. Elles s'arrêtèrent un instant sur le pas de la porte, en regardant autour d'elles, l'oreille aux aguets. Puis Lise courut jusqu'à l'une des cabanes et disparut à l'intérieur. Elle en ressortit bientôt avec une bicyclette et aussitôt déboucha de la cour en pédalant et s'engagea sur la route qui menait vers les bois. Anna resta un bref instant à la suivre des yeux, puis rentra précipitamment dans la maison.

Erik abaissa ses jumelles et regarda Murphy. Il hocha la tête.

« Juste à l'heure.

— Je pense bien ! fit Murphy en suivant la silhouette de Lise qui disparaissait. Et maintenant, Mr. Sherlock Holmes ?

— Maintenant on attend.

— On peut dire que vous avez le goût de la mise en scène, hein ? Comment saviez-vous qu'elle allait filer comme ça ?

— Je n'en savais rien, fit Erik, redevenant sérieux. J'avais simplement l'intuition qu'elles allaient faire quelque chose. Il y avait trop de questions sans réponses.

— Quelles réponses ? Vous n'avez posé aucune question.

— Ça n'était pas la peine. »

Murphy le regarda d'un air interrogateur.

« Cette petite boîte que j'avais prise, poursuivit Erik. Vous l'avez vue ?

— Bien sûr. La petite boîte blanche. Et alors ?

— Je l'ai trouvée dans le panier à couture de Lise. C'est son oncle qui la lui a donnée. Pour mettre des boutons. » Il regarda gravement Murphy. « C'était une boîte venant d'un chemisier de Berlin. Une boîte pour mettre un nœud de cravate blanc !

— Ça alors, je veux bien être pendu !

— Ça pourrait vous arriver, dit sèchement Erik. Mais à votre place, je ne m'en vanterais pas. »

Il examina la route dans ses jumelles. Plus trace de Lise.

« Voyons, cette petite boîte était très neuve, fit-il d'un ton songeur. *Quand* son oncle était-il à Berlin ? *Pourquoi ?* Et qu'est-ce qu'un pauvre fermier faisait avec un nœud d'habit ? »

Une fois de plus il inspecta le secteur à la jumelle.

« Ou bien l'a-t-il eue de quelqu'un d'autre ? Et dans ce cas, de qui ?

— C'est vrai que ça fait bien des questions, fit Murphy, impressionné. Quelles réponses trouvez-vous ?

— J'espère les voir arriver très bientôt par cette route, fit Erik.

— Et moi qui croyais que vous aviez renoncé à vous intéresser à ces deux pépées ! »

Erik sourit.

« J'espère que c'est ce qu'elles ont pensé aussi. C'est ce que je voulais leur faire croire. »

Les deux hommes s'installèrent pour attendre, blottis aussi confortablement que possible à l'abri des buissons. Une odeur douce et humide montait de la terre. L'air était empli du bourdonnement d'une nuée d'insectes affairés, que traversait parfois la plainte insistante d'une bête curieuse.

Soudain Erik se crispa. Il reprit ses jumelles. Instinctivement il parla en chuchotant.

« Ils arrivent ! »

En bas sur la route, Lise revenait vers la ferme à bicyclette. Elle était accompagnée d'un homme entre deux âges vêtu d'une tenue de bûcheron bavarois : longues chaussettes de laine, pantalon s'arrêtant aux genoux et veste de laine grise. Les deux cyclistes entrèrent dans la cour de la ferme et se dirigèrent droit vers la cabane. Erik reposa ses jumelles et regarda sa montre.

« Vingt-trois minutes. Il n'était pas bien loin. »

Il se tourna vers Murphy, l'air soudain plein d'autorité.

« Bon, Jim. Nous allons leur laisser un quart d'heure. »

Murphy jeta un coup d'œil à sa montre. Erik poursuivit :

« Vous allez passer derrière la maison. J'entrerai par devant. Si vous entendez quoi que ce soit qui vous paraisse clocher, arrivez au trot ! »

La cour de la ferme Hoffmann était paisible et ensommeillée dans le soleil. Même les poules décharnées ne picoraient que paresseusement entre les pavés. Mais elles s'éloignèrent dans un battement d'ailes frénétique en protestant violemment quand la jeep d'Erik entra en trombe dans la cour, s'arrêtant en dérapant devant la porte de la maison. Erik sauta à terre et se précipita à l'intérieur.

Il n'y avait que Lise dans le *Bauernstube.* Debout près de la table, elle était pétrifiée, les yeux agrandis de peur. Sur la table était posé un grand sac à dos à demi plein et la jeune fille serrait dans ses mains un morceau de gros pain de campagne et une saucisse, en partie enveloppés dans du papier journal.

« Où est votre oncle ? » fit Erik d'une voix sèche et impérieuse.

La fille le dévisagea. Elle ne fit pas un geste. Elle ne répondit pas. Soudain la porte du fond s'ouvrit toute grande. Erik se retourna d'un seul geste. Il avait son pistolet à la main, solidement appuyé contre son ventre et braqué sur quoi que ce fût qui allait se présenter. Anna apparut sur le seuil. Son visage était dur, ses yeux flamboyaient de fureur.

« Votre frère, demanda sèchement Erik. Je veux le voir. Maintenant. » Du menton il désigna le sac. « Avant qu'il ne s'en aille. »

Anna emplissait l'encadrement de la porte. Elle semblait totalement indifférente au pistolet braqué sur elle.

« Il n'est pas ici », déclara-t-elle d'une voix sans timbre.

Sans un mot, Erik la repoussa pour passer dans le couloir. Un étroit escalier menait à la porte d'un grenier. Deux portes donnaient accès à des chambres ouvrant sur le couloir, une troisième au fond, donnait sur le dehors.

Erik alla droit vers une des portes et l'ouvrit d'un coup de pied. La petite chambre était vide. Sur le lit défait, des pièces de vêtements masculins étaient répandues. Une vieille valise à demi pleine était ouverte béante sur la table.

Erik se tourna vers les deux femmes blotties dans le couloir et qui l'observaient.

« *Où est-il ?*

— Il n'est pas ici ! » Anna foudroyait Erik du regard, le visage pâle et tendu.

Erik fit un pas vers elles. Lise le regardait, son visage d'une pâleur de cendre. Les yeux d'Erik ne quittaient pas les siens. Il vit son regard machinalement fuir le sien une fraction de seconde, pour se diriger vers la droite en montant...

La porte du grenier.

Erik aussitôt suivit son regard. La porte était entrebâillée, mais il n'y avait aucun mouvement, aucun bruit.

Soudain Lise cria :

« Il est armé ! »

Presque aussitôt un coup de feu claqua, venant de la porte du grenier. Puis un autre ! Les balles sifflèrent aux oreilles d'Erik, qui plongeait déjà pour se mettre à l'abri de la balustrade et vinrent s'enfoncer dans le mur derrière lui. Les deux femmes se mirent à hurler.

Erik tira deux balles dans la porte. Elles fracassèrent le bois tandis qu'elle se refermait en claquant.

Presque au même instant, Murphy déboucha dans le couloir par la porte du fond, sa carabine sur la hanche. Erik lui lança un coup d'œil.

« Couvrez-moi ! » ordonna-t-il.

Murphy aussitôt braqua son arme sur la porte du grenier,

tandis qu'Erik montait prudemment les marches. Il était presque en haut...

Tout d'un coup on entendit dans le grenier le bruit d'une détonation étouffée.

Erik grimpa d'un bond les dernières marches et ouvrit la porte du pied. Il se plaqua contre le mur. Rien ne se passa. Pas un son. Pas un mouvement.

Prudemment il inspecta le grenier. Il se retourna, fit signe à Murphy et franchit le seuil.

Le corps affalé sur le sol poussiéreux semblait grotesquement peu à sa place au milieu des vieux meubles délabrés et des coffres de bois qui encombraient le grenier.

Le frère d'Anna Hoffmann était mort. Lentement Erik s'approcha et l'examina. Les yeux fixes et sans vie du mort le regardaient au milieu d'un visage éclaboussé de sang. Les dents découvertes par un rictus dément maintenaient écartées ses lèvres déchirées. A la commissure des lèvres le sang coulait régulièrement, lentement, pour former sur le plancher une flaque qui s'étendait peu à peu dans la poussière.

Erik se sentit vidé de toute énergie. La mort était venue si vite ; si c'était si facile de supprimer une vie...

Presque trop facile, songea-t-il avec colère. Je ne comptais pas le tuer. Sans savoir pourquoi il se sentait scandalisé devant la mort. Cela lui paraissait obscène. La vie ne devrait pas être anéantie aussi vite. Ça ne devrait pas être si facile de la prendre. Il devrait falloir plus... plus de défi.

Murphy vint le rejoindre et contempla le corps.

« Bon sang, murmura-t-il, presque comme une prière. Il... il s'est fourré le canon dans la bouche et il a pressé la détente. » Il était tout secoué.

Erik s'agenouilla auprès du mort. Il lui ôta le fusil des mains. Puis brusquement il retourna la main inerte.

« Pas étonnant qu'il n'ait pas voulu se laisser voir », dit-il. Il toucha la paume du mort. Elle était douce, pleine d'ampoules, certaines toutes fraîches.

« Un drôle de fermier ! dit Murphy à son tour. Il devait avoir les mains aussi douces qu'un derrière de bébé ! »

Erik fronça les sourcils. Il savait qu'il avait fait une découverte, et il s'efforçait d'en saisir toute la signification. Mais elle lui échappait. Il examina l'arme. Il eut un sifflement étonné.

« Ça alors, dit-il, impressionné. *Ehrenwaffe.*

— *Ehrenwaffe ?* fit Murphy avec un regard interrogateur.

— Ça veut dire « Arme d'Honneur », expliqua Erik. Il se redressa et tendit le pistolet à Murphy. « C'est un Walther 7,65. Regardez les incrustations sur l'acier. Tout ça est fait à la main. C'est un cadeau personnel de Hitler à des amis très chers, des nazis de haut rang. »

Murphy inspectait le pistolet.

« Oui. Il a son nom dessus. » Il désigna une petite plaque sur la crosse de l'arme. « Qu'est-ce que ça dit ? dit-il en la montrant à Erik.

— Ça dit : « Au Reichsamtsleiter Manfred von Eckdorf. Fidèlement Adolf Hitler. »

Murphy regarda le nazi mort.

« Un cadeau très utile », observa-t-il d'un ton songeur. Son regard revint à Erik.

« Mais je ne comprends pas. Pourquoi se tuer ? Qu'est-ce qu'il fichait ici ? Ça n'est pas le frère de cette femme Hoffmann, sûrement pas. Simplement un gros bonnet nazi qui se planquait ? Qui n'osait pas affronter la musique ? Ou bien quoi ?

Il secouait gravement la tête. Il aurait voulu des réponses aux questions qu'il se posait. Et tout ce qu'il avait, c'était une liste de nouvelles questions plus déconcertantes que jamais. Il soupira. Sa tâche était toute tracée. Il ferait plus chaud qu'aujourd'hui, quand cette femme, Anna Hoffmann et sa fille lui donneraient des réponses.

« Je n'en sais rien du tout », dit-il.

Il considéra le corps. La main droite de Hitler ? songea-t-il. Ma foi, peut-être pas tout à fait...

Il se sentait inquiet, mal à l'aise. Comme s'il manquait quelque chose.

20 h 42

Il faisait nuit quand Erik et Murphy finirent par regagner la prison de Weiden. La rue était déserte. Le travail de réparation à demi terminé de Herr Krauss ressemblait à une plaie ouverte sur le bâtiment, attendant de cicatriser.

Erik n'avait rien laissé au hasard. Les femmes Hoffmann étaient sous bonne garde ; le corps du Reichsamtsleiter Manfred von Eckdorf avait été envoyé au Q.G. pour identification. Erik et Murphy avaient minutieusement fouillé la ferme Hoffmann — sans rien trouver. Anna Hoffmann avait fini par avouer que le mort était un étranger pour elle et pour sa fille. Il s'était présenté à la ferme une semaine auparavant, en demandant qu'on le laisse se cacher là comme un membre de la famille. Il les avait menacées des pires châtiments si elles le livraient, assuraient-elles. Erik n'en croyait pas un mot. Mais quelles que fussent les raisons de von Eckdorf pour se trouver à la ferme Hoffmann, il ne pouvait plus rien y faire, ni dans un sens ni dans l'autre.

Erik descendit lentement de la jeep. Il était épuisé.

« A demain », lança Murphy. Il embraya bruyamment et repartit vers le parc automobile. Pendant un moment Erik resta immobile et songeur, puis il se dirigea vers la porte de la prison. L'unique ampoule nue suspendue au-dessus du seuil ne jetait qu'une flaque de pâle lumière juste devant l'entrée.

Il faillit ne pas le remarquer... un grattement à peine perceptible venant des ombres noires sur sa droite.

Il pivota brusquement et se retrouva à demi accroupi, son pistolet coincé contre son abdomen.

« Sortez de là, ordonna-t-il. Doucement... très doucement. »

Une silhouette se dessina vaguement, pelotonnée au pied du mur, s'agita et se dressa.

« Dans la lumière ! Allons ! »

La silhouette se dirigea vers la flaque de lumière. Erik suivit lentement, son pistolet braqué sur cette forme vague. Tout d'un coup il vit de qui il s'agissait.

« Anneliese ! s'exclama-t-il. Qu'est-ce que vous faites là ? »

La fille se tenait silencieuse devant lui. Elle serrait devant elle une vieille valise entourée d'une courroie de cuir. Ses joues étaient sillonnées de traces de larmes. Dans sa jupe de paysanne froissée et son corsage de couleur vive, elle semblait tout à la fois vulnérable et séduisante. Erik rengaina son pistolet et s'approcha d'elle.

« Qu'est-ce que vous faites là ? répéta-t-il.

— J'attendais, fit-elle d'une petite voix. Je vous attendais. »

Il sentit ses entrailles se crisper. « Qu'est-ce qui se passe ?

— Je... je ne trouve aucun endroit où aller. Il n'y a de place pour moi nulle part. »

Elle luttait vaillamment pour chasser les larmes qui menaçaient d'emplir ses yeux. Elle baissa la tête. Une larme s'échappa et vint ruisseler sur sa joue.

Erik la regarda. Il se sentait attiré vers elle. Violemment. Et en même temps il éprouvait un frisson de culpabilité. Il souffrait du conflit qui se jouait en lui. Il avait pleinement conscience des souvenirs obsédants que la fille évoquait pour lui, des souvenirs qui menaçaient de le dévorer. Mais pour une fois, il refusa de les ensevelir et il maîtrisa son envie de s'enfuir et de se replier dans sa coquille. Il se força à regarder la fille bien en face. Elle lui rappelait tellement... l'autre.

Baraville, en France. Il y avait sept mois quand c'était arrivé. Elle aussi avait les larmes aux yeux, mais c'étaient des larmes de joie.

Erik et son équipe du C.I.C. étaient arrivés dans le petit village français sur les talons des troupes d'assaut qui s'étaient emparées de l'agglomération.

Tania avait juste vingt ans. C'était une Ukrainienne, déportée de son pays natal afin de venir travailler pour ses conquérants dans un endroit lointain, à l'étranger, quand elle n'avait que dix-sept ans. Son bonheur d'être libérée était sans bornes. Des années de malheur refoulé, d'humiliations et de désespoir se changeaient miraculeusement et instantanément en un jaillissement de joie, de délices, — et d'amour.

Erik fut charmé par la fille et par son inépuisable exubérance. Cela faisait longtemps que Tania avait hâte d'exprimer toute sa gratitude et son amour.

Ils étaient ensemble. La faim qu'ils avaient l'un de l'autre avait la ferveur du désespoir et d'un besoin profond. Pour lui, c'était se cramponner à la vie normale par la proximité de la tendresse, par l'abandon dans la passion. Pour elle, c'était se donner sans limites, sans penser au temps ni au lieu.

Durant toute cette unique nuit Erik l'aima. Il l'aima de toutes ses forces, de toutes ses pensées. Tania.

Le lendemain les Allemands contre-attaquaient.

C'était une bataille en dents de scie, les Allemands chassèrent les Américains de Baraville. Ils tinrent le village moins de vingt-quatre heures. Le front déferlait inexorablement vers le Rhin et Baraville retomba aux mains des troupes américaines.

Erik revint.

C'était une époque folle. Il n'avait guère le temps de penser à sa petite Ukrainienne.

Et puis elle était entrée dans son bureau.

Tania.

Affreusement mutilée. Punie par les SS assoiffés de vengeance lorsqu'ils avaient appris qu'elle s'était donnée à l'ennemi. Avec une brutalité abominable, ils avaient fait d'elle un être asexué, s'assurant qu'elle n'aimerait jamais plus, qu'on ne l'aimerait jamais plus. A cause de lui.

A cause de lui ! A cause de lui...

Depuis lors, il avait l'impression qu'il ne pourrait jamais plus serrer une femme dans ses bras. Raisonnablement il pouvait se dire qu'il n'avait rien à se reprocher. Cela, son esprit conscient le comprenait et l'acceptait. Mais pas son subconscient plus exigeant, plus sévère. Il n'avait pas le droit d'oublier Tania...

Erik regardait la jeune fille plantée devant lui. Anneliese. Sans comprendre pourquoi il se sentit plus calme. Il prit soudain conscience de son découragement.

« Ne vous en faites pas, Anneliese », dit-il. Sa voix avait perdu cet accent tendu. Il lui sourit. « Il doit bien y avoir quelqu'un qui peut vous loger. Nous allons voir.

— Je ne suis pas d'ici, fit-elle doucement. Ils ne veulent pas de moi. Je n'ai nulle part où aller. » Elle leva vers lui ses grands yeux brillant de larmes. « A moins... »

Elle s'arrêta.

Erik se décida.

« Vous ne pouvez pas rester dehors », dit-il résolument. Il se dirigea vers la porte. « J'espère que ça vous est égal de passer la nuit en prison. »

Anneliese lui fit un petit sourire.

« C'est là que vous êtes, oui ? Ça ne me gêne pas... »

Un rideau de black-out improvisé avait été accroché devant la fenêtre de la salle d'interrogatoires. Un bon feu dans le poêle ventru projetait des reflets dansant sur le plancher.

« Vous pouvez mettre vos affaires ici, dit Erik sans allumer la lumière. Nous allons vous trouver un endroit pour dormir. » Il la regarda. « Peut-être une des cellules... »

Anneliese tenait toujours sa valise délabrée. Elle rendit à Erik son regard.

« Je vous remercie, fit-elle d'une voix douce. Mais je ne crois pas que j'aimerais dormir... dans... dans une cellule. »

Erik se sentait déconcerté, peu sûr de lui. Il éprouvait une immense attirance pour cette fille. Il avait envie d'elle. Cette prise de conscience le stupéfia. Ses souvenirs de cauchemar semblaient s'être effacés. Ils étaient toujours là, mais il pouvait les regarder, les affronter sans en être obsédé. Il avait envie de prendre cette fille dans ses bras, de la serrer contre lui, de se perdre dans sa chaleur, dans sa douceur, dans son odeur de femme. Il avait envie d'aimer et d'oublier tout le reste. Mais pouvait-il oublier ? En était-il capable ?...

Il fit un pas vers elle. Le visage de la fille rayonnait de promesses, tandis que la lueur dansante du feu allumait des jeux d'ombres et de lumières sur ses traits. Elle paraissait infiniment ravissante et désirable. Erik sentait comme un poids sur sa poitrine.

« Anneliese, fit-il d'une voix rauque. Il n'y a pas d'autre endroit pour vous où vous puissiez dormir, à moins que... »

Soudain la porte s'ouvrit toute grande et Don entra en trombe. Il alluma l'unique ampoule pendue au plafond et d'un seul coup d'œil comprit la situation.

« Il est temps, grommela-t-il. Qu'est-ce que tu as fabriqué ? »

Erik s'éloigna de la fille.

« J'ai eu des ennuis.

— C'est ce que je vois, fit Don en jetant un coup d'œil à Anneliese.

— Il m'a fallu du temps pour régler tout ça.

— Elle en fait partie ?

— Non. » Erik éprouvait un vague agacement. « Elle n'a pas d'endroit où aller. Elle va dormir ici cette nuit. »

Le visage de Don s'éclaira.

« J'ai justement un endroit pour elle, annonça-t-il joyeusement. Ton lit ! »

Elle se tourna aussitôt vers Anneliese. Elle regardait le plancher. Il se tourna vers Don, l'air furieux. Don leva la main pour protester.

« Tu n'en auras pas besoin mon ami. Pas ce soir. » Il fit claquer sur le dossier d'une chaise la liasse de papiers qu'il tenait à la main. « Nous avons quelques petits ennuis ici même.

— Qu'est-ce qu'il y a de neuf ?

— Joe !

— Joe ?

— Oui. Il est au frais. Ce Boche à qui nous avons fait écrire l'histoire de sa vie. Joseph Plewig. » Il redevint sérieux. « Erik, ce type ment comme un arracheur de dents ! »

Erik aussitôt fut attentif. Il prit les papiers des mains de Don et les examina en fronçant les sourcils. Anneliese observait les hommes. Son visage était grave. Elle ne bougeait pas.

Elle restait immobile, comme si elle ne voulait pas attirer l'attention sur elle.

Murphy apparut sur le seuil.

« Rien d'autre ? demanda-t-il. Moi, je suis prêt à piquer un bon roupillon. » Il aperçut Anneliese. Son visage s'éclaira.

« *Gu-te a-bend, Fräulein* », prononça-t-il dans un allemand laborieux et à l'accent épouvantable.

Anneliese accepta son salut avec un petit sourire embarrassé. Erik leva les yeux des papiers qu'il était en train de lire.

« Il va falloir vérifier tout ce conte de fées avec le livre de l'Ordre de Bataille.

— Et comment ! renchérit Don.

Erik se tourna vers Anneliese.

« Vous pouvez rester ici ce soir, Anneliese. Dans ma chambre. » Il éprouvait un étrange mélange de regret et de soulagement.

« Je vous remercie. »

Erik se tourna vers Murphy.

« Montrez-lui où c'est, voulez-vous, Jim ?

— Avec plaisir ! » Murphy tendit la main pour prendre la valise de la fille. Elle la lui abandonna à regret. « Venez, ma petite. » Ils s'apprêtaient à partir. Don les arrêta.

« Dites-moi, Jim, fit-il en regardant le jeune sergent avec une feinte gravité. Vous avez en effet l'air d'avoir besoin de ce bon roupillon dont vous parliez. Vous feriez mieux de vous y mettre. » Il eut un petit sourire sardonique. « Faites de beaux rêves ! »

Murphy se mit au garde-à-vous. Il claqua deux fois les talons dans un style exagérément teutonique et fit un salut impeccable.

« Oui, mon capitaine ! A vos ordres, mon capitaine ! » Avec une grande dignité, il entraîna la jeune fille.

Erik s'approcha de la table. Il prit un lourd volume. Le livre de l'Ordre de Bataille.

« Viens, Don. On va s'attraper un espion ! »

QUARTIER GENERAL WEREWOLF

23 h 9

Le lieutenant de Waffen SS Willi Richter n'était plus en uniforme. Il se sentait vaguement mal à l'aise. Sa veste civile et sa chemise ouverte le gênaient.

De méchante humeur, il poussa plus près du mur une caisse marquée STIELHANDGRANATEN 24. Le cantonnement préparé pour le quartier général du général Krueger était bien moins spacieux que prévu. L'incompétence typique de l'armée, songea-t-il avec écœurement. Des cartons et des caisses s'entassaient le long des cloisons de bois, des armes et du matériel gisaient partout. On avait du mal à évoluer dans cette pagaille. Et ils avaient eu un mal fou avec les motocyclettes. Il se demandait si les unités en opération avaient le même problème. Tout ça manquait d'efficacité.

Il entra dans la petite salle radio. Un homme en civil était assis devant un poste à ondes courtes. Il avait des écouteurs aux oreilles et écrivait sur un bloc. Jetant un coup d'œil à Willi, il leva une main pour réclamer le silence.

Willi s'adossa au mur, observant l'opérateur. L'homme écoutait attentivement. Au bout d'un moment il envoya un bref signal pour annoncer qu'il avait bien reçu le message. Il déchira la page de son bloc et la tendit à Willi.

« Munich », fit-il d'un ton laconique.

Willi jeta un coup d'œil au message. Puis il le lut jusqu'au bout avec une excitation croissante. Enfin ! songea-t-il. *Jetzt geht's los !* Ça commence ! Il sortit en courant.

Le général Krueger occupait la plus grande pièce de l'installation. Là aussi, de l'équipement et des armes, des cartons et des caisses s'entassaient contre les murs. Le général était assis derrière une grande table couverte de cartes lorsque

Willi entra. Il portait sa tenue bavaroise. Willi n'était pas encore tout à fait habitué à voir son chef en civil. Il avait plutôt l'air d'un charmant vieux monsieur tout à fait inefficace, se dit Willi. Il devait se rappeler sans cesse que c'était loin d'être le cas. Il tendit le message au général.

« Un message, Herr General ! » Il avait du mal à ne pas laisser percer son excitation dans sa voix. « De Hans 32, transmis par Munich. »

Krueger prit le message et le lut. C'était bref et précis :

OFFICIER AMÉRICAIN COURRIER QUITTE QG ARMÉE AMÉRICAINE A SCHWARTZENFELD LE 29-4 A SIX HEURES. SANS DOUTE PORTEUR INFORMATION PREMIÈRE IMPORTANCE. HANS-32.

Krueger griffonna une note sur le message et le tendit à Willi.

« Faites envoyer cela aussitôt, ordonna-t-il. Unité B. Ils prendront les mesures nécessaires. »

Willi se mit au garde-à-vous.

« Herr General ! »

Krueger leva les yeux vers lui.

« Oui, Richter ?

— Herr General. Je désirerais avoir l'honneur de commander cette première action des Werewölfe ! »

Krueger l'examina.

« L'unité B est capable d'exécuter la mission, vous ne croyez pas ?

— Bien sûr, Herr General. » Willi réfléchissait rapidement. Il devait faire partie de ce coup-là. Son corps tout entier était tendu par le besoin d'action. « Puis-je soumettre la proposition suivante, Herr General ? s'empressa-t-il de dire. La zone d'action est située entre ici et l'emplacement de l'unité B. J'aurais besoin de deux hommes de là-bas. Nous pourrions nous retrouver près de l'endroit choisi pour l'embuscade. Le risque d'être découvert avant l'action serait dispersé et minimisé, mon général. » Il regarda Krueger droit dans les yeux. « Je parle couramment l'anglais et je pourrais apporter au général, un rapport de première main sur cette mission inaugurale. »

Krueger contempla l'ardent jeune homme planté devant lui. Le genre d'officier dont il avait besoin. Le genre d'officier dont l'Allemagne aurait besoin pour être victorieuse. Peut-être pour survivre. Jeune. Plein d'ardeur. Dévoué. Peut-être ce genre de dévouement devait-il être récompensé, se dit-il. Il sourit. Il était tellement comme ça à son âge.

« *Einverstanden,* lieutenant Richter, dit-il. Très bien... Je vous confie cette mission. »

Willi claqua des talons. Il sentait l'excitation monter en lui.

« Faites votre plan d'action. Et revenez au rapport dès que la mission aura été accomplie.

— *Jawohl,* Herr General ! »

Une fois de plus il claqua des talons. Il sortit rapidement. Il regarda avec émerveillement le papier qu'il tenait à la main. Il se sentait aux anges. C'était le premier, le tout premier ordre d'action donné par le Sonderkampfgrupp Karl — le quartier général Werewölf du Général Krueger — et c'était lui qui allait diriger cette mission !

C'était le début.

Demain l'ennemi allait apprendre que les Werewölfe étaient plus qu'un cri lancé dans les airs.

Demain !

TROISIÈME PARTIE

29 avril 1945

LA ROUTE DE SCHWARTZENFELD

6 h 37

Emmy Lou roulait sur la route de Schwartzenfeld à quatre-vingts kilomètres à l'heure. Emmy Lou était la jeune épouse du caporal Elbert Graham de Florida City, en Floride, et son nom était peint en grandes lettres blanches — parfois un peu inégales — sur l'avant vert olive de la jeep juste au-dessous du pare-brise. L'Emmy Lou qu'il avait laissée au pays était une bien jolie fille, et le caporal Graham, qui travaillait au parc automobile du corps d'armée, mettait tout son orgueil à maintenir en parfait état son homonyme. C'était lui qui avait peint le nom. Il se sentait très fier de « sa » jeep. Il éprouvait presque de l'affection pour elle. Emmy Lou. Il se sentait bien chaque fois qu'il s'installait au volant. Le connard de sergent du parc automobile lui disait en riant qu'il avait fait de sa jeep un symbole sexuel. Pauvre con ! Il aimait tout simplement conduire un véhicule soigné et en bon état. La vieille bagnole qu'il conduisait chez lui était si vieille qu'elle était défoncée de partout. Symbole sexuel, je t'en ficherai !

La route était déserte. Elle semblait calme et ensommeillée dans la lumière du petit matin. La guerre était arrivée — et était passée. Tout était tranquille. Le caporal Graham roulait bien.

C'est comme l'œil bleu de la tempête ici, se dit-il. L'ouragan fait rage tout autour de nous.

Il jeta un coup d'œil à l'officier assis auprès de lui. Un capitaine. Comment diable s'appelait-il déjà ? Lorrimer ? Lattimer ? C'était ça. Un courrier. Il avait une sacoche en bandoulière et il tenait sur ses genoux une mitraillette Thompson. Il fixait la route droit devant lui.

Le caporal Graham jeta un rapide coup d'œil au panneau indicateur d'une petite route transversale tandis qu'il passait devant à toute allure. Le panneau dirigé vers la grand-route annonçait : SCHWARTZENFELD 60 km. Bon ! Il serait là à temps pour un second petit déjeuner.

Devant eux, un petit bois montait au flanc d'une colline sur la droite et se continuait de l'autre côté de la route. Le caporal Graham ne ralentit pas. Il s'aperçut que l'officier auprès de lui avait remis le doigt sur la détente de sa mitraillette.

Ils pénétrèrent dans le petit bois.

Après le premier virage, le caporal Graham freina de toutes ses forces.

Une barrière rudimentaire de branchages avait été lancée en travers de la route, qu'elle bloquait à l'exception d'un étroit passage sur le côté. Une jeep de la Police Militaire était garée non loin de là et deux M.P. étaient plantés près de la barrière. L'un d'eux fit signe à Emmy Lou de stopper.

Les deux M.P. s'approchèrent de la jeep, chacun d'un côté.

« Désolés de vous arrêter, mon capitaine, dit l'un d'eux en s'adressant au courrier.

— Qu'y a-t-il ?

— Les gars du génie, mon capitaine, répondit l'homme. Ils sont en train de déminer le secteur. La route était truffée de ces saloperies. »

L'officier jeta un coup d'œil impatient à sa montre.

« Ça va nous retarder de combien de temps ?

— Oh, vous pouvez passer maintenant, mon capitaine. Un côté a été nettoyé. Serrez simplement bien votre gauche.

— Merci. » Le capitaine se tourna vers le caporal Graham. « Allons-y, caporal. Vous avez entendu ce qu'il a dit ?

— Je pense bien ! Je vais rouler avec deux roues dans le fossé gauche tout du long, mon capitaine ! »

Emmy Lou avait parcouru environ quatre cents mètres, en serrant soigneusement le côté gauche de la route.

Soudain le silence de la forêt fut fracassé par une formidable explosion. Machinalement le caporal Graham écrasa la pédale de frein. Emmy Lou s'immobilisa en dérapant. Les deux hommes se penchèrent tandis que l'onde de choc venait frapper la jeep comme un gigantesque coup de poing.

Pendant un instant aucun d'eux ne fit un mouvement. Puis le capitaine se redressa et regarda autour de lui. Il fit signe au caporal Graham de repartir et Emmy Lou s'avança avec prudence vers le virage suivant.

Un peu plus loin on apercevait une clairière assez vaste. Plusieurs G.I's étaient accroupis sur le bas-côté. Près du virage un sergent et un caporal étaient agenouillés auprès d'un détonateur. En entendant la jeep qui approchait lentement, le sergent leva les yeux. Il leur fit signe de s'arrêter et revint vers la clairière.

« Gare à la mine ! cria-t-il. Gare à la mine ! »

Les soldats se plaquèrent contre le sol. Le sergent tourna la poignée du détonateur et dans la clairière un geyser de poussière et de fumée jaillit dans les airs. Une fraction de seconde plus tard le bruit assourdissant de l'explosion retentit à leurs oreilles.

Le sergent s'approcha de la jeep.

« Bon, mon capitaine, vous pouvez passer maintenant », dit-il. Il désigna de la tête la clairière. « On fait sauter un tas de mines boches. La route est dégagée à partir d'ici.

— Bon. Merci. »

Le capitaine fit signe au caporal Graham.

« Allons-y. »

Emmy Lou repartit sur la route de Schwartzenfeld. Bien sûr, se dit le caporal Graham avec amertume. Allons-y !... On a déjà perdu un bon quart d'heure. Pour ce second petit déjeuner, c'est sans doute foutu. La barbe !

WEIDEN

6 h 59

Une porte claqua. Quelqu'un s'avançait dans le couloir. Don regarda sa montre. Il était plus tard qu'il n'aurait cru. Il s'étira. Il commençait à avoir faim.

Il repoussa sa chaise et se leva. Il se sentit tout d'un coup la vessie inconfortablement gonflée. Il en fut surpris. Tant qu'il était assis il n'avait éprouvé aucun besoin de se soulager. Il s'approcha de la fenêtre de la salle d'interrogatoires. Le rideau de black-out improvisé était toujours tiré, mais sur les bords le jour naissant commençait à filtrer dans la pièce.

Don tira les rideaux. Il se dirigea vers la porte et éteignit la grosse ampoule électrique du plafond. Il secoua la grille du poêle. Le feu était mort depuis longtemps. Ç'avait été une nuit fichtrement longue... Il regarda le bureau, jonché de papiers et de livres. Erik était toujours plongé dans le livre de l'Ordre de Bataille et dans la biographie militaire de Plewig.

Don s'étira de nouveau.

« C'est rudement bien foutu... fit-il en bâillant... mais c'est sur les petits détails que ça cloche.

— En voici un autre, fit Erik en hochant la tête. Regarde ça. »

Don s'avança jusqu'au bureau et se pencha juste au-dessus de l'épaule d'Erik.

« Servi dans le 173e bataillon de Génie rattaché à la 73e division d'infanterie du général Bünau, lut Erik dans la biographie de Plewig soigneusement calligraphiée au crayon. Participé aux campagnes des Balkans et également en Russie sur le front du Sud. Sous les ordres du commandant Horst von Wetterling. »

Il leva les yeux vers Don. « D'accord ? »

Il pointait un doigt accusateur sur une page du livre de l'Ordre de Bataille.

« *Ici* on lit : « 73ᵉ division d'infanterie. Commandant : lieutenant général Rudolf von Bünau (56). Cantonnement : Würzburg — personnel bavarois. Composition. » Voyons... »

Ses yeux parcourent le texte imprimé.

« Infanterie. Artillerie. Reconnaissance. Transmissions. *Génie*. Bon, maintenant... »

Il désigna les mots suivants :

« Officiers : 1. Commandant Horst von Wedderling. Campagnes : Pologne, Sarre, France. Tué en France. »

Il leva les yeux vers Don.

« Ce type était mort quand notre petit salaud ici présent prétend avoir servi sous ses ordres ! »

Et Don tapa de la main sur les notes biographiques de Plewig.

« Tout ça m'a l'air appris par cœur.

— Et comment, mon vieux.

— Je me demande ce que ce type a *vraiment* fait, ce qu'il est.

— Je pense qu'il est temps d'aller lui faire un nouveau brin de causette. D'accord ?

— D'accord, acquiesça Don. Tu veux qu'on lui fasse le numéro du « bon type et du mauvais type » ?

— Je ne pense pas, fit Erik se caressant le nez d'un air songeur. Il est assez évident que ce type est un imposteur. Il connaît probablement ce genre de petit jeu. Nous n'arriverions à rien qu'à perdre du temps.

— Bon. Alors on va le reprendre en duo ! »

Don se redressa. De nouveau il eut péniblement conscience de la pression dans sa vessie.

« Si on prenait une douche et qu'on mangeait un morceau avant de s'occuper de lui ? proposa-t-il.

— Tout à fait d'accord », fit Erik en se levant.

Ils sortirent de la pièce. Don hâta le pas. Maintenant que le soulagement était en vue, c'était à peine s'il pouvait attendre. Ce qu'il y avait de bien quand on réquisitionnait toujours le meilleur bâtiment de la ville pour y installer des bureaux, songea-t-il avec la reconnaissance d'un parfait hédoniste, c'était l'installation sanitaire.

« Je te rejoins dans une minute, lança-t-il par-dessus son épaule. Prends une ration, veux-tu ? Pierce a utilisé la dernière savonnette. »

7 h 33

« Deux contre un que c'est un SS.

— Pas de tatouage, fit Erik en désignant le haut de son bras gauche.

— Il n'a pas le tatouage SS. Et alors ? Il pourrait y avoir des tas de raisons à ça, rétorqua Don.

— A mon avis, il est de la Gestapo, dit Erik. Il vient d'une petite bourgade sur le point d'être envahie par les Russes.

— Ça se pourrait, acquiesça Don. Il nous préfère sans doute, nous « démocrates décadents » aux « Slaves sauvages » ! »

Erik sourit. Les deux agents du C.I.C. étaient de nouveau assis derrière le grand bureau dans la salle d'Interrogatoires. Mais le bureau était maintenant débarrassé : on n'y voyait ostensiblement que la biographie de Plewig et le gros livre de l'Ordre de Bataille. Les deux hommes avaient l'air frais et dispos et pleins d'entrain, prêts à « engager l'ennemi » à leur façon... Erik était tout à fait certain du résultat. Un bon interrogatoire ne pouvait mener qu'à une seule fin prévisible.

La porte s'ouvrit et le sergent Murphy fit entrer Plewig dans la pièce.

« Joseph Plewig, mon capitaine », annonça-t-il sèchement.

Plewig se figea au garde-à-vous.

Erik leva les yeux des papiers étalés devant lui.

« Vous pouvez disposer, sergent. »

Murphy salua impeccablement et sortit.

Erik considéra un moment Plewig.

« Repos, Plewig », dit-il. Il avait pris une attitude amicale, détendue. Son attention revint aux papiers sur le bureau. Don alluma une cigarette.

Plewig attendait, au repos. Extérieurement, il ne manifestait pas la moindre appréhension, mais il ne se permettait aucun relâchement. Il observait discrètement les deux Américains. Il aperçut ses notes biographiques sur le bureau et eut un petit frisson d'inquiétude. Avait-il commis une erreur ? Non. Non, sûrement pas. En tout cas, rien que les Américains puissent savoir. Il se demanda ce que venait faire ce gros livre ouvert sur le bureau, et il se dit que ce devait être une sorte de manuel de renseignements. La fumée de la cigarette montait vers lui en volutes tentantes. Il se sentit soudain plein de confiance. Qu'ils fument leurs cigarettes, qu'ils lisent leur gros livre, songea-t-il. Je suis prêt.

Erik le regarda.

« Voyons, commença-t-il d'un ton aimable. Votre biographie me semble tout à fait complète.

— *Jawohl,* Herr Hauptmann.

— Toutefois... fit-il en fronçant brusquement les sourcils. Toutefois, il y a quelques questions que nous aimerions vous poser. Ça ne vous ennuie pas d'y répondre, n'est-ce pas ?

— Pas du tout, Herr Hauptmann.

— Bon. Ça ne devrait pas être long... »

LA ROUTE DE SCHWARTZENFELD

7 h 41

Emmy Lou avançait toujours dans le ronronnement régulier de son moteur.

Le caporal Graham était ravi. Ça lui faisait vraiment plaisir de pousser Emmy Lou à fond sur cette route de campagne déserte. Il était littéralement grisé par la sensation de vitesse, par le rugissement de l'air qui contournait le pare-brise de la jeep décapotée.

Ça ne devrait pas être long maintenant, songea-t-il. Encore quinze ou vingt kilomètres. Après tout, peut-être que je pourrai me taper ce second petit déjeuner... Il jeta un coup d'œil à l'officier auprès de lui. Dès l'instant qu'il ne me fait pas le coup du attendez-dans-la-jeep-je-ne-serai-pas-long...

Il regarda devant lui en plissant les yeux. Le soleil était encore bas et juste devant eux. Un petit pont de pierre enjambant un ruisseau avec des arbres et des buissons semblait se précipiter à leur rencontre. En approchant, ils distinguèrent trois hommes marchant sur le bas-côté de la route dans la même direction qu'eux. En entendant la jeep approcher, les trois hommes s'arrêtèrent et se retournèrent. L'un d'eux agita le bras.

Le capitaine fit signe au caporal Graham de s'arrêter et il stoppa Emmy Lou à quelques mètres en avant des hommes.

Le caporal Graham les considéra avec curiosité. Qu'est-ce que c'est que ces paroissiens ? se dit-il.

Les trois hommes offraient un étrange spectacle. Deux d'entre eux étaient des Waffen SS. De superbes échantillons de la race des seigneurs. L'un avait les mains croisées derrière la nuque, l'autre avait la main gauche posée sur le haut de son casque, et le bras gauche pris dans un pansement en bandoulière ensanglanté. Le troisième était un G.I. Il couvrait les deux hommes avec une carabine. La jambe droite de son pantalon était déchirée et on avait attaché autour de son jarret un pansement sommaire, lui aussi ensanglanté.

Le capitaine descendit prudemment de la jeep. Il couvrit le petit groupe avec sa mitraillette. Le G.I. fit deux pas vers la jeep. Il boitait fort bas.

« Bon sang, que je suis content de vous voir, mon capitaine ! fit-il avec ferveur. Je croyais que j'allais finir les yeux sous une couverture.

— Qu'est-ce qui se passe, soldat ? fit le capitaine en désignant les deux Allemands. Qui sont ces hommes ?

— Des SS, mon capitaine. » Le G.I. changea de position pour soulager sa jambe blessée. « On les a débusqués dans une cave ce matin. Dans une ferme par là. Ils étaient trois. Mon copain et moi, on nous a dit de les emmener jusqu'à un camp de prisonniers plus loin sur la route.

— Où sont les autres ? »

Le G.I. se rembrunit.

« Ces salauds nous ont attaqués, fit-il en regardant d'un air mauvais les deux Allemands. Ils ont descendu tout de suite mon copain — et un des Boches s'est fait avoir aussi. » Il désigna l'homme avec le bras en écharpe. « Ce type a une main pétée — et moi, j'ai pris un coup de couteau dans la jambe. »

Il tourna un regard plein d'espoir vers Emmy Lou, puis ses yeux revinrent à l'officier.

« Peut-être que le capitaine pourrait nous donner un coup de main pour rapatrier ces lascars ? »

Il fit un grand sourire à l'officier. « Ça me ferait rudement plaisir, mon capitaine. »

Sans se retourner l'officier appela le caporal Graham.

Le caporal Graham descendit d'Emmy Lou et s'approcha des deux Allemands.

Merde ! se dit-il avec agacement. Au temps pour mon second petit déjeuner.

Il se mit à fouiller le premier prisonnier. Ces salauds de Boches. S'ils ne vous ont pas d'une façon, on peut être sûr que ce sera d'une autre ! Il se tourna vers le capitaine.

« Celui-ci n'a rien, mon capitaine. »

Il s'avança devant le soldat au bras en écharpe. L'homme lui sourit. Sa main blessée eut un petit geste vers la boucle de son ceinturon...

Aussitôt quatre coups de feu retentirent en rapide succession.

Le caporal Graham poussa un hurlement.

Ses deux mains se crispèrent sur son ventre. Il était stupéfait de sentir ce liquide tiède et poisseux qui suintait entre ses doigts. Ses yeux regardèrent le visage de l'Allemand devant lui tandis qu'il s'écroulait sur le sol. L'homme souriait toujours. Le caporal Graham s'effondra. Sa vue se brouilla. La dernière chose qu'il vit, ce fut Emmy Lou qui semblait tourner, tourner, tourner...

Le capitaine aussitôt braqua sa mitraillette vers l'Allemand, mais au même instant où les coups de feu claquaient, le G.I. enfonçait le canon de sa carabine dans le flanc de l'officier.

« Non ! fit-il sèchement et d'une voix totalement dépourvue d'émotion. Lâchez ça ! »

La mitraillette tomba sur le sol avec un bruit métallique.

Le lieutenant de Waffen SS Willi Richter jeta un coup d'œil au cadavre étalé devant lui. Mission accomplie. Il n'éprouvait rien. Il eut une vision fugitive des gardes SS massacrés dont les corps étaient répandus sur l'or des Juifs. Il crut entendre les cris de protestation des corbeaux scandalisés. Il se sentait étrangement déprimé maintenant que c'était fait. Mais au moins, cette fois, les corps n'étaient pas allemands.

Willi se tourna vers le soldat allemand « blessé ». Il désigna de la tête le courrier. « Il est à vous, Steiner », dit-il.

Steiner retira sa main du pansement et referma soigneusement la boucle de son ceinturon. Il eut un froid sourire en se souvenant de la dernière fois qu'il avait utilisé cette arme à Thürenberg. Pour impressionner ce pontifiant petit crétin envoyé de Berlin. Cette fois on ne lui demanderait pas de comptes des biens appartenant au Reich.

Il enjamba le corps du caporal Graham et s'approcha du courrier. Il sourit.

« Vos messages, je vous prie ! »

Il tendit la main.

WEIDEN

7 h 49

Jusqu'à maintenant ça va, songea Erik. Il avait les notes biographiques de Plewig, et il faisait semblant de les étudier. Jusqu'à maintenant ça n'avaient été que des questions de routine — ou des réponses de routine. Mais bonnes. Plausibles. Le type était fort — ou alors il était vraiment ce qu'il prétendait être — un soldat de la Wehrmacht démobilisé normalement qui essayait de rentrer chez lui. Erik regarda les papiers en fronçant les sourcils. Etait-ce possible qu'il eût simplement mauvaise mémoire ? Qu'il eût fait des erreurs ? Un doute agaçant commençait à effleurer l'esprit d'Erik. Il le chassa. Assez plaisanté se dit-il d'un ton résolu. C'était l'heure de la vérité. L'heure était venue du moment de vérité. Il avait conscience de ce sentiment de tension qu'il connaissait bien. Comme un limier avant la chasse...

« Voyons, vous dites ici que vous apparteniez au troisième peloton de la seconde compagnie du 173e bataillon de Génie. C'est exact ? »

Plewig claqua des talons.

« Exact, Herr Hauptmann. »

Il se sentait confiant. Il avait répondu à toutes les questions de l'officier américain. Sans hésitation. Sans bavure. Il avait certainement dû faire bonne impression.

Erik reposa les papiers d'un geste d'une lenteur délibérée. Il regarda Plewig droit dans les yeux.

« Je vois », dit-il. Il parut réfléchir un moment. « C'est une... une compagnie partiellement motorisée dont la principale fonction est la pose des mines. C'était là votre tâche principale ? »

Plewig soudain se tendit. Il réfléchit rapidement. Ce fichu

Américain en sait plus qu'il ne devrait. Est-ce qu'il a raison ? Oui. Oui, c'est bien là la principale tâche de la compagnie. Et s'il veut savoir où ? Pas de problème. Je peux toujours lui indiquer un secteur où il ne peut pas vérifier. Les yeux bleus innocents de Plewig se plissèrent imperceptiblement sous le regard inquisiteur d'Erik. On sentait chez lui un respect nouveau. Une méfiance nouvelle. Cet Américain pouvait être dangereux après tout, songea-t-il. Je ferais mieux de faire attention à ce que je dis. Ne rien affirmer spontanément. Tout haut il dit :

« Oui, mon capitaine. »

Erik ne le quittait pas des yeux.

« Quand la compagnie a été dissoute il y a une semaine, ses effectifs étaient-ils au complet ? »

Bon sang ! Il fallait se défiler. Et vite. Les pensées de Plewig se précipitèrent. C'est la fin des combats. Il ne serait pas logique de s'attendre à ce qu'une unité ait ses effectifs au complet. La moitié ? L'hésitation ne fut que fugitive. Il n'allait pas se laisser pincer aussi facilement !

« Environ la moitié des effectifs, Herr Hauptmann. »

Erik détourna les yeux.

« Je vois. » Il nota quelque chose sur une feuille de papier. « Disons... environ... cent quatre-vingts hommes, n'est-ce pas ?

— C'est exact, mon capitaine. »

Il se sentit un peu soulagé. C'est plus facile quand il répond lui-même aux questions qu'il pose, songea-t-il. Mais il a quand même l'air d'en savoir long sur l'organisation de notre armée. C'est pour m'en mettre plein la vue ?

Erik tourna de nouveau les yeux vers lui.

« Et la compagnie avait-elle son armement complet de douze mitrailleuses légères et de deux canons antichars ? » demanda-t-il.

Plewig sentit sa confiance revenir. Il allait se montrer plus fort qu'eux. Bien sûr. Il pouvait leur donner n'importe quelle réponse plausible. Ils ne pourraient jamais prouver qu'il avait tort.

« Un des canons antichars avait été détruit, répondit-il, nous avons perdu cinq ou six des mitrailleuses.

— Et vous apparteniez à cette compagnie il y a encore une semaine ?

— Oui, mon capitaine. »

Brusquement l'attitude détachée d'Erik changea. Son visage durcit. Ses yeux foudroyèrent l'Allemand. Sa voix claqua comme un coup de fouet.

« Alors comment expliquez-vous que vous ne sachiez pas que cent quatre-vingts hommes représentent la totalité des effectifs d'une compagnie, et non pas la moitié ? »

Plewig se crispa soudain. Un frisson le parcourut. Il regarda l'Américain : c'était tout à coup le vrai visage de l'ennemi. Il sentit le sang quitter son visage. Désespérément il chercha dans son esprit une solution. Une explication crédible. N'importe quoi...

« Je... je... »

Mais la poursuite avait commencé. Il n'y aurait pas de répit tant que la proie ne serait pas aux abois.

Erik lui lança :

« L'armement en mitrailleuses d'une compagnie est de neuf — pas de douze. »

Don à son tour se joignit à l'assaut. Abasourdi, Plewig se tourna vers ce nouvel attaquant.

« Le personnel de la 173e division est bavarois. Vous, vous êtes un Rhénan. Comment ça se fait ?

— Le commandant von Wetterling a été tué en France. Bien avant l'époque où vous avez dit avoir servi sous ses ordres. Expliquez-vous ! »

Les questions venaient comme une succession de coups de marteau.

« Comment aurait-il pu vous commander sur le front russe alors qu'il était déjà mort ?

— C'est ce que vous dites sur ces feuilles ! »

Erik abattit son poing sur les notes de Plewig. Plewig promenait de l'un à l'autre un regard frénétique. Machinalement, il se mit au garde-à-vous — un effort instinctif pour puiser des forces dans la réconfortante familiarité de la discipline. Il essaya de passer sur ses lèvres exsangues une langue soudain sèche. De petites gouttes de sueur commencèrent à se former sur son front et une petite artère sur sa tempe se mit à battre, à battre, à battre...

Les deux agents du C.I.C. s'acharnaient impitoyablement sur lui.

« Qui commandait vraiment le bataillon ?

— Vous n'en savez rien, n'est-ce pas ?

— Votre compagnie n'a qu'un seul canon antichar. Pourquoi avez-vous dit deux ?

— Parce que vous n'avez jamais été dans le Génie ! Parce que vous mentez ! »

Plewig était terrifié. Il sentait les deux poursuivants le traquer. Son monde s'effondrait. Il ne savait pas où s'enfuir. Il devait faire face à ses bourreaux. Il fallait résister...

« Non ! cria-t-il. Non ! »

Erik se leva brutalement. Il tendit les papiers vers Plewig.

« C'est ça la vérité ? » fit-il dans un cri effrayant.

Plewig était pétrifié.

« Non... Si !... C'est-à-dire... Je... » Il ne termina pas sa phrase.

Brusquement un silence total régnait dans la pièce. Plewig sentait son cœur battre violemment. Erik lança les papiers sur le bureau. Sans un mot il se rassit. Quand il reprit la parole, ce fut d'un ton las, désintéressé, et sans regarder Plewig.

« Inutile, Plewig. Nous savons que vous mentez. »

Don désigna les papiers répandus sur le bureau.

« Il y a trop de petites erreurs dans votre carrière militaire bidon, mon ami. »

Erik leva les yeux vers Plewig.

« On n'arrive pas à apprendre par cœur tous les petits détails, n'est-ce pas ? »

Il avait dit cela d'un ton presque bienveillant, avec une nuance de regret. Il éleva la voix.

« Sergent Murphy ! »

Murphy aussitôt apparut sur le seuil.

« Oui, mon capitaine ?

— Vous pouvez emmener le prisonnier, sergent. Section 97, article 4. »

Murphy dégaina son Colt 45. Il avait l'air en alerte, prêt à tout. Plewig sursauta. Il regarda les deux agents du C.I.C. derrière le bureau. Ils semblaient ne plus s'intéresser du tout à lui. Ils examinaient des papiers. Il s'éclaircit la voix. Il eut soudain le sentiment qu'il devait à tout prix attirer leur attention. Murphy avec son pistolet lui fit signe d'avancer.

« Allons-y », ordonna-t-il sèchement.

Plewig fit un pas vers la porte. Il s'arrêta. Au prix d'un effort visible il se maîtrisa. Il se tourna vers Erik.

« Excusez-moi, Herr Hauptmann. »

Erik leva les yeux l'air agacé.

« Eh bien ?

— Qu'est-ce que... Qu'est-ce que je deviens maintenant ? »

Erik parut légèrement surpris.

« Ce que vous devenez ? Je suis certain que vous connaissez les lois internationales de la guerre, Plewig. Nous sommes en guerre. » Il contempla un moment l'Allemand puis haussa les épaules.

« Vous n'êtes évidemment pas ce que vous prétendez être, alors vous devez être un saboteur. Ou un espion. Dans une zone de combats. Puisque vous n'êtes pas en uniforme, d'après les Conventions de Genève vous ne pouvez pas être considéré comme un prisonnier de guerre. »

C'était un congé. Erik revint à ses papiers. Plewig passa nerveusement sa langue sur ses lèvres. Le silence pesait comme un brouillard oppressant dans la pièce. Plus rien ne bougeait. Le temps s'écoulait infini en son esprit...

Il dit enfin.

« Alors je... ? »

Erik leva un instant les yeux.

« Vous serez fusillé. »

C'était une affirmation tout à fait catégorique.

Don dit : « C'est tout. Emmenez-le. »

Murphy de nouveau eut un geste de son pistolet.

« Venez ! »

Plewig ouvrit de grands yeux.

« Non ! Attendez ! Je vous en prie... »

Avec une certaine irritation, Erik repoussa les papiers sur le bureau.

« Qu'est-ce qu'il y a maintenant ? » fit-il.

Plewig les regarda tour à tour. De toute évidence il était en proie à un terrible conflit intérieur. Son visage aux traits tendus révélait ce par quoi il passait. Puis soudain les mots sortirent, précipitamment :

« Si je parle, Herr Hauptmann ? Si je parle ? »

L'expression d'Erik ne changea pas. Mais il sentit l'excitation monter en lui. *Ça a encore marché !* Calmement, il l'examina l'Allemand planté devant lui.

« Qu'est-ce que vous avez à dire ? demanda-t-il.

— Si je vous dis ce que je... si... je parle. Vous me laisserez partir ? »

Erik se rembrunit.

« Nous ne faisons pas de marché. Mais je verrai ce que je peux faire. »

Il était acculé. L'énormité de la chose soudain le frappa. Lui, Plewig ? Il resta muet.

« Alors ? »

« Un ami, ça n'existe pas ! » La devise retentissait soudain dans l'esprit de Plewig. « Si votre mission est en jeu, attaquez-le. Si besoin en est tuez-le ! » Ses pensées n'étaient plus qu'un noir tourbillon. La devise de Himmler. Il n'était pas question de sa propre vie, n'est-ce pas ? Non. S'il parlait, il pourrait sauver sa vie. S'il parlait, bon, certains de ses camarades seraient peut-être pris. Tués. Il ne dirait aux Américains que ce qu'il était forcé de leur dire pour sauver sa peau. Le moins possible. Pour se sauver. Sa propre mission. Au fond, n'était-ce pas ce qu'on lui avait dit ? Vos camarades sont remplaçables ? N'était-ce pas ça ?

Il regarda Erik droit dans les yeux.

« *Je suis un Werewölf* », dit-il.

L'effet sur les trois Américains fut instantané. Si Plewig n'avait pas été empli d'une telle angoisse sur son propre sort, il aurait pu le remarquer. Murphy resta bouche bée. Don s'étrangla soudain sur sa cigarette. Erik avait l'air abasourdi. C'était la première fois qu'un sujet qu'il interrogeait déclarait : « Je suis un Werewölf ! » Il eut brusquement envie de rire. Ça paraissait si ridicule dans la bouche d'un petit péquenot aux yeux bleus comme Plewig. Il se domina rapidement. Il réussit à prendre un air ennuyé.

« Alors vous êtes l'un d'eux, observa-t-il, nullement impressionné. Un Werewölf de plus. Vous n'aurez pas grand-chose à nous dire que nous ne sachions déjà. »

Plewig fut pris au dépourvu. Déconcerté. Il remarqua soudain qu'il avait les paumes moites. C'est drôle. Il n'avait jamais les mains moites. Il regarda Erik. Il ne savait que dire. Erik se leva lentement et s'approcha de lui.

« Vous pensiez que vous étiez quelque chose de spécial parce que vous vous appelez un Werewölf ? » il y avait du mépris dans sa voix et du dégoût. « Vous n'êtes qu'une variété campagnarde de terroristes. Un saboteur. Un espion. Choisissez. Tout ça revient au même. »

Plewig se sentit trahi. Son plan n'avait pas marché. Ils ne s'intéressaient même pas aux Werewölfe. Bon sang, ils ne savaient donc pas ? Il s'empressa d'ajouter :

« Peut-être que je peux vous dire, moi, des choses que vous ne savez pas. »

Erik le toisa d'un œil froid, sceptique. Il ne dit rien.

« J'étais avec eux depuis le début, poursuivit Plewig. Quand Heinrich Himmler en personne a ordonné de créer la première école de guérillas et de Werewölfe. En Pologne. En 1943... »

Don se leva à moitié sur sa chaise.

« 1943 ! Nous n'étions même pas sur le continent ! » Il avait l'air incrédule. Erik s'empressa d'intervenir :

« Quelle était votre affectation ?

— Tout d'abord, j'étais le chauffeur personnel du général », répondit aussitôt Plewig. Peut-être qu'il pourrait quand même les intéresser suffisamment pour sauver sa peau. Sans trop en révéler.

« Le général Krueger, continua-t-il avec empressement. Karl Krueger. Il n'était que colonel alors. »

Il s'arrêta. Il allait continuer au jugé. Choisir des renseignements sans importance. Doucement... doucement...

« Il commandait l'école, Herr Hauptmann. Et maintenant, il est à la tête de tous les Werewölfs. Sous les ordres du SS Obergruppenführer Prützmann lui-même. Et il travaille en étroite liaison avec Axman, le chef des Jeunesses hitlériennes. J'étais son ordonnance. Il aime bien vivre, le général. Il aime le meilleur armagnac français. Et les fleurs. Je m'occupais de ses fleurs pour lui aussi. Il aime beaucoup les roses... »

Erik l'interrompit sèchement. Il connaissait trop bien ce jeu-là. Beaucoup parler et ne rien dire.

« Cantonnez-vous à vos occupations militaires », ordonna-t-il. Il revint s'asseoir au bord du bureau. Il ne regarda pas Don. Il se demandait si celui-ci éprouvait la même excitation intérieure que lui. Il en était sûr. Mais ils ne pouvaient pas laisser supposer qu'ils apprenaient quoi que ce fût de nouveau. Ou d'important.

Plewig avait retrouvé un peu de son assurance. Il s'agissait en fait seulement de savoir jusqu'à quel point il pourrait les renseigner. Il décida d'aller aussi loin qu'il le faudrait.

Ça ne pourrait pas faire beaucoup de tort. Il était trop tard. On ne pouvait plus arrêter les Werewölfe maintenant. Il claqua des talons.

« *Jawohl,* Herr Hauptmann, dit-il. Quand l'école a été transférée de Cologne à Thürenberg en Tchécoslovaquie en septembre 1944, on m'a affecté comme instructeur. Pour entraîner les Werewölfe. Cela s'appelait *Unternehmung Werwölf :* Opération Werewölf.

— Et où sont ces Werewölfs ?

— Tous ceux qui ont quitté l'école à la fin de leurs études — environ dix-sept cents, je crois — je ne sais pas où ils sont.

— Jusqu'à maintenant vous ne nous avez exactement rien

dit, Plewig ! fit Erik d'un ton furieux. Qu'est-ce que vous savez, en fait ? »

Plewig se crispa. Attention ! Il ne pouvait pas se permettre de déclencher l'animosité de l'Américain. Pas maintenant.

« Je sais que le général a reçu l'ordre de faire mouvement de Thürenberg en Allemagne et d'installer son Q.G. En avril. Au début de ce mois.

— Objectif ?

— Ils sont censés déclencher les opérations après avoir été dépassés par les Américains.

— Après qu'ils se trouvent derrières nos lignes ? Sans être décelés ?

— Oui, mon capitaine.

— Quelle sorte d'opérations ? »

Plewig hésita. C'était le hic. Il n'avait rien voulu révéler. Du moins rien d'important. Mais il ne pouvait plus s'arrêter maintenant. Pas sans que les Américains sachent qu'il dissimulait quelque chose. Il ne pouvait pas prendre ce risque-là. Il avait vaguement conscience que son attitude maintenant ne visait qu'à lui faire sauver sa peau. Il ne savait pas comment ça s'était passé. Il repoussa cette idée.

« Des assassinats, expliqua-t-il lentement. D'officiers alliés de haut rang. Le sabotage de dépôts de munitions, de matériel et d'essence. Surtout les dépôts d'essence et d'huile. Des bombes sur les casernes. Des meurtres. Des choses comme ça. »

Erik et Don échangèrent un bref coup d'œil. Leur visage était sévère. Plewig poursuivit. Il avait hâte maintenant de leur montrer qu'il coopérait vraiment. De toute façon, songea-t-il, ils savent tout.

« Ils ont des agents partout. Qui parlent anglais. Certains d'entre eux sont des blessés de guerre. Ils repèrent les objectifs pour eux.

— Vous, par exemple ? »

Plewig acquiesça gravement.

« J'étais censé être un de ces agents, mais je n'ai pas voulu. Croyez-moi, Herr Hauptmann. J'ai préféré m'occuper simplement du général. » Il était suppliant maintenant. Il était convaincu qu'il luttait pour sa vie.

« La guerre est perdue, me suis-je dit, et je ne veux pas être un Werewölf. Même si Goebbels dit que c'est le devoir de tout homme et de toute femme. Je n'ai pas envie de tuer les Américains, Herr Hauptmann. Croyez-moi... »

Erik regarda l'homme en silence. Il y avait un moment où il fallait les laisser parler. Simplement parler. Ça leur était plus facile après de parler des choses vraiment importantes. Et parfois ils révélaient en passant des renseignements utiles.

« Je les ai écoutés, Herr Hauptmann. Il le fallait. Par exemple, cet important personnage venu de Berlin. Il est arrivé à Thürenberg. Il nous a fait un discours. Je me souviens de ce qu'il a dit. »

Il se mit à citer, concentré sur ce qu'il disait. Des mots pompeux, guindés.

« C'est le vainqueur de la dernière bataille qui est le vainqueur de la guerre, nous a-t-il dit. Nous sommes en train maintenant de perdre une bataille, nous a-t-il expliqué. Les troupes ennemies envahissent le territoire sacré de notre mère patrie aryenne. »

Plewig se hâtait. Il avait trouvé quelque chose dont il pouvait parler sans risques.

« Et il nous a dit, qu'il y a deux ans, après l'Afrique du Nord et Stalingrad, le Führer savait déjà que la première bataille serait perdue. Et il prévoyait la suivante. La bataille décisive. Celle qui nous donnerait la victoire finale. Et il nous a dit que ce seraient les Werewölfs qui allaient remporter cette victoire... Je vous en prie, Herr Hauptmann. Je vous ai dit beaucoup de choses sur eux. Ils sont importants, les Werewölfs ! Ils n'auraient pas envoyé quelqu'un d'important depuis le Quartier Général du Führer à Berlin s'ils ne comptaient pas... »

Un déclic se produisit soudain dans le cerveau d'Erik. *Un homme important de Berlin.* Il attendit, crispé par l'impatience.

« Qui était-ce ? demanda-t-il aussitôt.

Plewig le regarda avec ses yeux bleus candides.

« Qui ça, Herr Hauptmann ?

— Cet homme important de Berlin.

— Oh, lui. C'était un Reichsamtsleiter, Herr Hauptmann. Très important.

— Son nom ? »

Plewig réfléchit un moment.

« Von Eckdorf. Le Reichsamtsleiter Manfred von Eckdorf. Je me souviens. Il était très important ! »

Erik sentit son pouls s'accélérer. Il se rendit compte que Murphy dévisageait lui aussi Plewig. *Von Eckdorf !*

« Pourquoi était-il à Thürenberg ? »

Plewig parut soudain surpris.

« Je ne sais pas, Herr Hauptmann.

— Qu'avait-il à voir avec les Werewölfs ?

— Croyez-moi, je vous en prie, je ne sais pas. Il a parlé avec le général. Et il a tout inspecté. C'était un fonctionnaire très important ! »

Erik scruta longuement Plewig. L'homme disait la vérité. Sa frayeur à l'idée de déplaire à celui qui l'interrogeait n'était pas feinte. Il était allé trop loin maintenant. Il raconterait tout ce qu'il savait. Erik le croyait. Et il était convaincu tout d'un coup que toute l'histoire des Werewölfs était vraie aussi ! Si fantastique qu'elle fût. Si mélodramatique et incroyable. Von Eckdorf avait un lien quelconque avec les Werewölfs. Et von Eckdorf s'était donné la mort dans une ferme à moins de trente kilomètres de là. Plutôt que d'être contraint de parler !

Plewig disait la vérité !

L'Allemand était inquiet. Il ne savait pas comment interpréter l'air soudain songeur de celui qui l'interrogeait.

« Je vous en prie, Herr Hauptmann, implora-t-il, croyez-moi ! Je n'allais pas retourner auprès d'eux. Je rentrais chez moi. Vraiment ! En Rhénanie. Je vous ai dit tout ce que je sais ! Je... »

Erik l'interrompit.

« Quand avez-vous été pour la dernière fois en contact avec les Werewölfs ?

— Il y a cinq jours. Le 24.

— Et ils sont censés déclencher les opérations *après* que nous ayons dépassé leurs positions ?

— Oui.

— Quel est leur premier objectif ?

— Je ne sais pas mais... »

Le « mais » était sorti machinalement. Plewig s'arrêta soudain. Il avait l'air aux abois. Affolé. Erik se leva. Il se planta devant l'Allemand.

« Alors ? Je vous écoute ! »

Plewig avala sa salive. Ça n'avait pas l'air commode. Il dit :

« Je ne connais pas leur premier objectif, Herr Hauptmann. »

Erik le foudroya du regard.

« *Mais...* » répéta-t-il d'un ton lourd de sens.

Il n'avait pas le choix. Il se maudit. Il en avait trop dit. C'était si facile. Et voilà maintenant qu'il était *obligé* de leur donner le dernier renseignement important qu'il possédait.

« Mais le *Führungsstab,* le groupe du général Krueger — fit-il lentement — le Sonderkamfpgruppe Karl — a des ordres. Une mission prioritaire... »

Il hésita.

« Allons ! Qu'est-ce que cette « mission prioritaire » ? » fit Erik d'une voix sans douceur.

Plewig s'humecta les lèvres.

« C'est... de tuer... Un assassinat...

— Qui ça ?

— Votre... Commandant Suprême.

— *Eisenhower* », s'exclama Don. Il avait dit ça presque dans un souffle.

Pendant un moment, il y eut dans la pièce un silence stupéfait ; puis Erik s'approcha résolument de la grande carte murale derrière le bureau. Il se tourna vivement vers Plewig.

« Plewig ! Venez ici ! Montrez-moi la position du camp de Krueger. »

Plewig s'approcha de la carte. Il l'examina. Les symboles et les signes ne lui étaient pas familiers, mais il s'orienta sans trop de mal. Il se tourna vers Erik d'un air d'excuse.

« Je ne connais pas leur emplacement exact, Herr Hauptmann, mais c'est quelque part dans cette petite forêt... Ici. »

Il planta sur la carte un doigt carré.

Erik regarda. Du bureau Don s'exclama :

« Merde alors ! C'est... »

Il s'arrêta net. Erik se tourna vers lui l'air grave.

« Je crois que nous ferions mieux d'aller faire un petit tour. Tout de suite ! »

8 h 32

Ils partirent en entraînant Plewig. Ils avaient décidé d'emmener leur informateur jusqu'au P.C. avancé du Corps — comme atout de réserve, au cas où ils auraient du mal à convaincre les grosses légumes que son histoire était vraie, et puis en chemin on aurait le temps de lui tirer d'autres renseignements. Ils se rendaient compte que l'affaire était trop grosse pour qu'ils la suivent tout seuls. Il leur fallait une aide tactique. Beaucoup d'aide tactique !

Murphy avait arrêté la jeep devant la prison, et ils emmenèrent rapidement Plewig au milieu de la petite foule qui se rassemblait déjà.

Krauss, l'ouvrier qui réparait les dégâts causés à l'immeuble par les bombes, mélangeait du ciment sur une planche posée à même le trottoir. Il ôta sa casquette de cuir en voyant les deux agents du C.I.C. franchir la porte. Il était en train de la remettre, lorsqu'il aperçut Plewig. Pendant une fraction de seconde, il resta pétrifié ; puis il détourna le visage, un visage devenu soudain sombre et laid.

Don prit le volant et Plewig s'assit auprès de lui, sa main

droite enchaînée par ses menottes à la poignée du tableau de bord. Erik s'assit juste derrière lui.

La jeep démarra, et Krauss la suivit des yeux. Lentement il remit sur sa tête sa casquette de cuir maculée. D'un coup de pied il expédia sa planche et son ciment dans le ruisseau... et s'éloigna rapidement.

REIMS-FRANCE

Supreme Headquarters Allied Expeditonary Forces
(Grand Quartier Général des Forces Expéditionnaires Alliés)

8 h 35

La ville de Reims était beaucoup plus qu'un simple arrêt sur la « Red Ball Express ». C'était le siège du S.H.A.E.F. Le quartier général du général Dwight D. Eisenhower.

Dans une petite rue près de la gare de chemin de fer se dressait un immeuble de trois étages, le Collège moderne technique, une solide bâtisse de briques rouges, entouré sur ses quatre côtés d'une cour intérieure. Avec ses quinze cents élèves qui suivaient là l'enseignement technique, il grouillait en général d'activité. C'était encore le cas. Mais l'activité bourdonnante qui régnait dans le bâtiment, désigné par les officiers d'état-major comme « la petite école rouge » était d'un caractère bien plus urgent et avait des conséquences infiniment plus grandes que les rêves les plus fous des élèves n'auraient jamais pu l'imaginer.

Il était huit heures trente-cinq du matin, le 29 avril 1945. On était en train d'arriver à des conclusions vitales sur le plan politique, on prenait des décisions critiques qui allaient affecter de façon radicale la direction de l'effort de guerre.

La porte donnant sur une ancienne salle de classe au second étage s'ouvrit. Un commandant apparut, une feuille de papier à la main. Il allait refermer la porte quand un autre officier l'arrêta. A voix basse, ils engagèrent une discussion. Dans la pièce derrière eux une séance de briefing était en cours. La voix d'un officier arriva par la porte entrouverte :

« ... tous les rapports de renseignements le confirment encore, mon général. L'ultime résistance allemande est prévue dans l'*Alpenfestung* — le secteur du réduit national — ici. Si on laisse les Allemands consolider leurs forces autour d'une sorte de noyau nazi, une force regroupée là, ils pourraient tenir jusqu'à deux ans ! Au prix de lourdes pertes en vies américaines. J'aimerais souligner, mon général, que c'est ce genre de terrain montagneux infranchissable qui au long des siècles a maintenu la petite Suisse comme une puissante forteresse, à l'abri de toute attaque, si bien qu'aujourd'hui elle peut demeurer neutre... Munich pourrait fort bien être la clef du réduit. Je recommande vivement que nous poussions vers cette ville le plus vite et avec le plus de forces possibles ! »

Des problèmes d'une extrême importance. Des décisions gigantesques. La guerre était à sa onzième heure.

Mais la bataille finale n'était pas encore livrée.

Sur la route criblée de trous d'obus qui menait vers Iceberg Avant, à cinq cents kilomètres à vol d'oiseau, par-delà deux nations ravagées par la guerre, une jeep de l'armée américaine fonçait à toute allure.

A bord, menottes aux mains, se trouvait un rouage minuscule de la machine de guerre nazie.

SUR LA ROUTE DE ICEBERG AVANT

9 h 7

Le village avait été ravagé par les bombes incendiaires. Chaque maison, chaque bâtiment était éventré. Autant de coquilles béantes et brûlées qui projetaient leurs longues ombres aux yeux vides sur le pavé inégal de la rue. Du bétail mort gisait dans des poses grotesques près de granges qui fumaient encore. On apercevait le cratère noirci qui était tout ce qui restait d'un dépôt de munitions de la Wehrmacht... Un convoi militaire passait, le grincement des lourds camions éveillant des échos parmi les carcasses de briques vides.

Don se faufila avec sa jeep et s'arrêta devant un M.P. qui dirigeait le flot de véhicules.

« Dites donc, mon vieux, cria-t-il. Iceberg Avant est toujours à Schwartzenfeld ?

— Il a fait mouvement sur Viechtach... à cinq heures, répondit le M.P., en désignant la direction. Tout droit. A trois kilomètres à la sortie de la ville vous traversez un pont, puis vous prenez à gauche. Vous ne pouvez pas le manquer.

— Merci ! » Don se tourna vers Erik. « La barbe ! Ça fait encore quatre-vingts kilomètres ! »

C'était un petit pont de pierre au-dessus d'un ruisseau bordé d'arbres et de buissons. Il était bloqué par un petit camion Dodge de la Police Militaire et par une ambulance. Don arrêta la jeep. Un M.P. s'approcha.

« Désolé, mon capitaine, dit-il. Il va y en avoir pour quelques minutes seulement.

— Qu'est-ce qui se passe ? demanda Don.

— Deux types, fit-il en désignant la rivière. Dans l'eau. »

Erik sauta à bas de la jeep.

« Je vais jeter un coup d'œil », annonça-t-il.

Un petit groupe de G.I.'s silencieux étaient groupés sur la berge. Erik se joignit à eux. Deux M.P. pataugeaient dans l'eau. Ils transportaient le corps à demi submergé d'un homme vers la rive. Une épaule sortait de l'eau. Le soleil brilla un instant sur une paire de galons argentés.

Les M.P. tirèrent le corps sur la berge. Un sergent de la Police Militaire se pencha pour l'examiner. L'homme avait la gorge coupée. La plaie dans la chair pâle et sans vie était là, béante. Erik s'approcha du sergent. Le sous-officier leva vers lui des yeux flamboyants de rage.

« Egorgé, dit-il amèrement. Saigné comme un porc ! »

Il désigna du menton une forme sur le sol dissimulée sous une couverture.

« L'autre. Abattu. Une balle dans le ventre. »

Erik détourna les yeux. On n'aime pas regarder le visage de la mort. Le sergent de la Police Militaire se redressa. Erik se retourna vers lui et exhiba sa carte.

« Sergent, il faut que nous allions à Iceberg Avant. Et vite ! »

— Oui, mon capitaine ! » Le sergent interpella un M.P. sur le pont.

« Hé, Wilson ! Déplace le Dodge ! Laisse passer cette jeep ! »

Erik remonta dans la jeep. Il détourna les yeux de Plewig. Il ne pouvait pas le regarder. Pas maintenant.

« Des types à nous ? demanda Don.

— Deux, fit Erik d'une voix grave. Massacrés ! »

Il s'efforça de regarder Plewig. L'Allemand était assis, très raide. Le visage d'une pâleur de cendre, il regardait droit devant lui.

Il sait, songea Erik, furieux. Ce salaud sait que c'est le travail de ses petits camarades !

« Filons », dit-il sèchement.

Don embraya sans douceur. La petite voiture bondit en avant et franchit le pont dégagé...

VIECHTACH

10 h 29

Le chaos organisé entourant les deux bâtiments à trois étages à la sortie de la petite ville bavaroise de Viechtach était certainement une source de secret mépris pour les quelques civils allemands qui l'observaient, habitués qu'ils étaient à l'ordre et à l'enrégimentement du Troisième Reich. Le P.C.

avancé du XIIe Corps — Iceberg Avant — en était aux ultimes stades de l'emménagement et de l'installation. Le terrain vague entre les deux bâtiments était encombré de camions qu'on déchargeait, l'herbe aplatie par les énormes pneus. Des panneaux se dressaient pour identifier les unités ; on tendait des fils téléphoniques ; des G.I.'s grouillaient partout. Chose incroyable, tout se faisait en un temps record, et sans qu'on perdît un instant dans l'élan de l'avance.

Don amena la jeep jusqu'à un grand panneau dressé à peu de distance d'un des bâtiments. Au-dessus du moulin à vent qui était l'emblème du XIIe Corps on pouvait lire PIED A TERRE ; et au-dessous, ECHELON AVANCE. Il arrêta la jeep devant le plus proche des deux bâtiments. Erik sauta à terre et se dirigea vers l'entrée. Un M.P. l'intercepta.

« Mon capitaine. Vous ne pouvez pas vous arrêter... »

Erik l'interrompit.

« Il y a un officier de sécurité, un service du Deuxième Bureau, dans ce bâtiment ?

— Oui, mon capitaine. Mais...

— Bon. Nous avons un prisonnier de guerre dans la jeep. Important. » Il se tourna vers la jeep et cria : « Ça va, Don ! » Il se retourna vers le M.P. « Veillez à ce qu'il ne lui arrive rien, voulez-vous ?

— Mais...

— Et trouvez quelqu'un pour aller garer notre jeep. »

Don vint les rejoindre avec Plewig.

« Qu'est-ce qu'on fait de notre gaillard ? demanda-t-il.

— Mets-le au poste de garde », répondit Erik. Au MP il dit : « Vous allez vous occuper de ça ? »

Le M.P. n'avait pas l'air enchanté.

« Mon capitaine, dit-il. Est-ce que je peux voir votre carte d'identité militaire ?

— Bien sûr ! »

Erik et Don exhibèrent leurs cartes. Erik dit :

« C.I.C., détachement 212. Il faut que nous allions au Deuxième Bureau le plus vite possible. »

Le hall de l'immeuble grouillait d'officiers et de soldats. A un bureau portant la pancarte RENSEIGNEMENTS étaient assis un caporal et un soldat de première classe à l'air harassés. Derrière eux, sur le mur, on avait épinglé une grande affiche. Son thème : pas de fraternisation. Elle montrait une fille séduisante en jupe bavaroise et blouse décolletée que lorgnait d'un air concupiscent un G.I. en uniforme. « Vous Avez Gagné Une Guerre. Ne Préparez Pas Le Terrain Pour La Prochaine ! » proclamait l'affiche.

« L'officier de sécurité du Deuxième Bureau, le colonel Streeter au G-2 ? demanda Erik au caporal.

— Je crois qu'il est au second étage, mon capitaine, répondit le caporal d'un ton d'excuse. Nous sommes juste en train de nous installer. »

Le soldat parcourait du doigt une liste ronéotypée de noms. Il s'arrêta et la montra au caporal.

« Oui, mon capitaine. Second étage. A droite. Vous ne pouvez pas le manquer. »

Le colonel Richard H. Streeter avait la réputation d'être un homme raisonnable. Il n'avait jamais eu peur de prendre des décisions et d'assumer des responsabilités. Il en attendait autant de ses officiers. Ses collaborateurs travaillaient vingt-quatre heures sur vingt-quatre. On racontait que Streeter lui-même ne dormait jamais. C'était à peine une exagération. La vérité est qu'il avait maîtrisé l'art des siestes brèves. N'importe où, n'importe quand, dans n'importe quelles conditions il était capable de fermer les yeux, de se détendre complètement et de dormir quelques instants. Il le faisait aussi souvent qu'il le pouvait. A cause de cela, il était toujours disponible, à n'importe quelle heure du jour ou de la nuit, quand besoin en était. Ses officiers et sous-officiers avaient appris de lui ce truc. Dans le bureau, dominé par une grande carte couvrant tout un mur et tenue constamment à jour par un sous-officier de renseignement, deux hommes dormaient à poings fermés dans un coin, enroulés dans leurs sacs de couchage, nullement gênés par l'activité qui se déployait autour d'eux.

Streeter et un de ses officiers d'état-major, le commandant Henry Roberts, étaient plantés devant la carte de situation avec Erik et Don. Erik désignait sur la carte une petite zone boisée.

« C'est juste ici, mon colonel, dit-il. Au nord de Schönsee. P 48-12. Tout près de la frontière tchèque. »

Streeter plissa le front d'un air sceptique.

« A six kilomètres à l'intérieur de nos lignes ? » Il se tourna vers le commandant Roberts. « Nous n'avons aucun rapport signalant des unités allemandes dans ce secteur, n'est-ce pas, Henry ?

— Non. Aucun. »

Streeter regarda Erik d'un air songeur.

« Ça m'a l'air un peu fantastique, vous ne trouvez pas ? Que les nazis aient commencé à se préparer pour le jour où ils *perdraient* la guerre dès 43, bien avant le débarquement, au faîte de leur gloire ! »

Il regarda la carte.

« Combien de... de Werewölfe sont censés se trouver dans ce secteur ? »

Il avait l'air vaguement amusé. Le ton de sa voix disait clairement : « Convainquez-moi. »

« L'unité de Q.G. sous le commandement du général Krueger comprend entre quarante et soixante hommes, y compris l'état-major du général. Elle s'appelle le Kampfgruppe Karl d'après le prénom de Krueger. C'est l'unité située ici, à Schönsee.

— Et le reste ?

— Notre informateur connaît l'existence de trois autres unités dans le secteur bavarois. Des unités opérationnelles. Chacune comprenant cent cinquante hommes. Elles sont disposées en triangle autour de l'unité de Q.G. de Krueger. Toutes maintenant derrière nos lignes. Nous ne savons pas où.

— Et qui sont au juste ces gens ?

— Ils constituent le noyau de l'organisation Werewölf, mon colonel. » Erik avait pleinement conscience de l'importance de dire juste ce qu'il fallait, de donner à Streeter exactement le renseignement qui convenait. Assez — mais pas trop. Toute l'histoire pouvait si facilement paraître comme un projet de dingues. C'était un danger réel. Mais Erik était persuadé qu'il s'agissait d'un fait redoutable. C'était à lui d'en convaincre aussi Streeter.

« Ils comprennent les cadres d'entraînement de la dernière classe de l'école du général Krueger à Thürenberg, dit-il prudemment, en s'efforçant de paraître aussi précis et rationnel que possible. Au début de ce mois, ils ont reçu l'ordre du Grand Quartier Général Allemand de fermer l'école, de faire mouvement vers des positions préparées à Schönsee et de devenir opérationnels.

— En quoi consiste exactement leur mission — à part ces hurlements hystériques à la radio ?

— A rester en arrière, à éviter la capture, puis à détruire le personnel et le matériel américains, en insistant particulièrement sur l'essence et l'huile. » Erik regarda le colonel Streeter droit dans les yeux. « Mon colonel. Ils pourraient faire beaucoup de dégâts. »

Streeter considéra le jeune agent du C.I.C. devant lui. Il n'avait plus l'air amusé. Il hocha la tête d'un air songeur. « S'ils sont là », dit-il.

A un standard, un sous-officier cria :

« Colonel Streeter ! Le général Canine. Sur la 7. »

Streeter aussitôt s'approcha d'un téléphone de campagne posé sur son bureau. Le commandant Roberts se tourna vers Erik.

« Et ce plan d'assassinat d'Eisenhower ?

— C'est leur mission actuelle. Sans doute quelque chose comme les « parties de jeep » de Skorzeny pendant la bataille des Ardennes.

— A l'époque où nos gars se précipitaient pour chanter « Mairzy Doats » sur commande pour prouver qu'ils étaient des Américains cent pour cent et non pas des Boches en uniformes de G.I.'s », ajouta Don.

Roberts réfléchit. Puis il hocha la tête.

« Maintenant que tout est perdu, j'imagine qu'à ce stade

de la partie ils pourraient bien essayer d'avoir Ike... Le serpent sans tête...

— Mon commandant ? » Erik avait l'air surpris. Roberts parut légèrement gêné. Il sourit.

« C'est dans un vieux livre que j'ai lu autrefois. Au collège. *L'Ethique de l'Assassinat Politique.* C'est une phrase qui m'est restée en mémoire. « Un pays sans chef est comme un serpent dont on a coupé la tête. Il peut se débattre violemment mais il n'accomplit rien... » Seulement reprit-il gravement, ça ne marchera pas. Le serpent militaire a de trop nombreuses têtes.

— Je ne renoncerais pas à cette idée comme ça, dit Erik. Les Werewölfs sont censés être l'épine dorsale, le noyau de l'ultime résistance dans le réduit national...

— Et Goebbels a toujours à la bouche la forteresse alpine, intervint Don.

— S'ils avaient vraiment Ike, ça pourrait être le coup de fouet dont les Allemands ont besoin, s'il était soutenu par un violent tir de barrage de la propagande nazie. Ils sont assez fanatiques, vous savez. »

Roberts acquiesça d'un air songeur.

« Bien sûr, Eisenhower lui-même estime que le réduit est plus un objectif militaire que Berlin même. »

Le colonel Streeter vint les rejoindre. Il avait l'air grave et pressé.

« Il faut que j'aille chez le chef d'état-major. Réglons cette affaire. » Il se tourna vers Erik. « Comment sont équipés ces Werewölfs ? »

Erik répondit. Rapidement. Avec précision.

« Des armes légères. Des mitrailleuses, des mitraillettes et des mortiers. Ils ont également des explosifs, des munitions et des vivres pour tenir au moins six mois en opération. »

Streeter réfléchit un bref instant.

« Il a dû falloir pas mal de véhicules pour transporter tout ça. Que leur est-il arrivé ? demanda-t-il.

— Ils n'ont pas utilisé beaucoup d'engins à moteurs, mon colonel. Ils ont tout chargé sur des chariots. Ils ont utilisé quelque cent vingt chevaux et les ont distribués aux fermiers de la région. »

Streeter hocha la tête, impressionné.

Pas mal, se dit-il. « Quelles histoires, fit-il. Qu'est-ce que vous voulez qu'on fasse ?

— Je voudrais les avoir avant qu'ils puissent nous faire plus de mal qu'ils n'en ont déjà fait.

— Vous croyez vraiment cet informateur Werewölf que vous tenez ?

— Parfaitement ! »

Erik regarda Streeter droit dans les yeux. C'est le moment de jouer son atout.

« Mon colonel, je crois avoir un renseignement qui confirme fortement la véracité de son récit. J'ai établi un lien définitif entre les Werewölfs et un haut fonctionnaire nazi, un Reichsamtsleiter nommé von Eckdorf. L'homme s'est suicidé plutôt que de tomber entre nos mains. Dans une ferme. A moins de quinze kilomètres de Schönsee ! »

Streeter regarda le commandant Roberts.

« Henry ? »

Roberts acquiesça.

« D'accord, fit Streeter. C'est vous qui êtes sur cette affaire ! Restez-y. » Il se tourna vers la carte. « Voyons. C'est dans le secteur du 97ᵉ. De quoi avez-vous besoin comme aide tactique ?

— De deux compagnies, mon colonel. »

Streeter fronça les sourcils. « Je pense que vous avez bien besoin de ça. Il faudra les prendre sur le front. »

Il se tourna vers l'opérateur du standard. « Passez-moi le P.C. de division du 97ᵉ ! » Il se tourna de nouveau vers Erik. « Vous aurez vos deux compagnies. » A Roberts il dit : « Envoyez Evans là-bas avec eux. » Et à Erik : « Le commandant Evans sera avec vous strictement en qualité d'observateur. C'est *à vous* de jouer. Mais je veux connaître le score.

— Bien, mon colonel. » Maintenant qu'il avait ce qu'il voulait, Erik se sentait épuisé. Streeter les regarda, lui et Don, d'un air méditatif.

« J'espère que vous allez trouver vos Werewölfs, dit-il doucement. Vous vous mouillez rudement ! »

Il s'apprêtait à partir, puis se retourna.

« J'espère qu'il ne vous mène pas en bateau, votre informateur, comment s'appelle-t-il déjà ?

— Plewig, fit Erik. Joseph Plewig. »

WEIDEN

13 h 16

« Plewig ! fit-il. Joseph Plewig ! » Sa voix était pleine d'un mépris glacé.

C'était Krauss. Il était nonchalamment appuyé contre un mur de brique d'un peu plus d'un mètre surmonté d'un treillis de bois où couraient des vignes desséchées. Avec son pantalon de travail maculé de taches de ciment fraîchement séché, sa casquette de cuir sale tirée sur son front, il se confondait presque avec la grisaille de la petite rue. Elle était déserte. Elle l'était généralement.

Krauss prit dans une poche de sa veste usée jusqu'à la corde une vieille tabatière métallique toute bosselée. Il semblait préoccupé par sa tâche, et pourtant il avait vivement conscience de l'autre homme, invisible derrière le mur. Il savait que c'était Heinz. Il se l'imaginait ; le bandeau sur l'œil, la manche vide et épinglée de sa veste d'uniforme de la Wehrmacht. Un objet de pitié. Krauss fit semblant de ne pas savoir qu'il était là. Il était évidemment important qu'on ne les vît pas ensemble.

La voix de Heinz arriva doucement à travers les vignes. Elle vibrait d'une véhémence assourdie.

« *Verdammt nochmal !* Quand ? »

Krauss ouvrit sa petite tabatière. Il choisit avec soin un mégot parmi une demi-douzaine d'autres en partie fumés.

« Il y a quatre heures, dit-il, penché sur sa petite boîte.
— Direction !
— La route de Viechtach.
— Leur quartier général ! Pourquoi n'as-tu pas pris contact plus tôt ? »
Krauss plaça délibérément le mégot qu'il avait choisi derrière une oreille sous sa casquette de cuir cependant qu'il rangeait la tabatière et prenait dans sa poche une boîte d'allumettes.
« Il faut être prudent, dit-il lentement, sinon on est mort. » Il prit le mégot derrière son oreille et l'alluma.
« Il a parlé ? »
Krauss tira sur son mégot. Il contempla la fumée d'un air songeur.
« Ils ne l'auraient pas emmené à leur quartier général s'il ne l'avait pas fait, observa-t-il en contemplant la fumée de sa cigarette qui montait en spirale.
— Nous allons nous occuper de lui », fit Heinz. C'était une affirmation froide, sans émotion — et donc redoutable. « Et des deux Américains. Nous ne savons pas tout ce qu'ils ont découvert. Nous ne pouvons pas nous permettre de les laisser vivre.
— Et Krueger ? » Krauss d'une main abritait le mégot du vent. Il était presque trop petit pour être fumé.
« Il sera averti.
— C'est risqué.
— Il doit savoir. Il voudra prendre des mesures. Nous utiliserons le relais de Munich. Demande des instructions.
— La station de Munich n'a pas encore été prise ?
— Pas encore. On tiendra Munich aussi longtemps que possible. Les SS s'assurent que les gens résistent. Il n'y aura pas de draps de capitulation sur la route de Munich. Des Américains devront se battre et mourir pour chaque pas qu'ils feront ! Va maintenant. Il n'y a pas beaucoup de temps. Nous devons agir aujourd'hui. »
Il y eut un petit bruissement d'herbe derrière le mur. Krauss crut entendre le pas boitillant de Heinz qui s'éloignait. Peut-

être que non. Son mégot n'était qu'une braise rougissante. Il l'écrasa entre deux doigts calleux et épousseta les cendres sur son pantalon.

Pour la première fois il jeta un bref coup d'œil au mur tapissé de vigne. Puis il s'éloigna.

LA ROUTE DE MUNICH

16 h 8

Que diable suis-je censé faire ? se demanda-t-il avec l'âpre angoisse de l'indécision. Quoi, quoi, quoi ?...

Ce n'était pas la première fois qu'il se trouvait dans une situation difficile, bon sang.

Le capitaine Robert Slater, commandant de chars, en avait vu de l'action. Il avait eu sa part de situations emmerdantes. Mais pas comme celle-ci. Rien de comparable à ça...

Il revit comme dans un éclair la façon dont le bulletin du G-2 de la Septième Armée rapporterait la chose. Sous la rubrique « Opérations Contre l'Ennemi. » « Violente résistance ennemie rencontrée » dirait le bulletin, « aux environs d'Heidendorf (Q 87-14) ». Rien, du sang, des membres déchiquetés, de la mort. Rien, de la sueur de peur. Rien, de l'angoisse de la décision — quand n'importe quelle décision serait mauvaise. Il avala la bile qui ne cessait de lui remonter à la gorge, amère et brûlante. Il avait froid. Il sentait la sueur ruisseler sous ses bras.

Il était debout dans la tourelle ouverte. Son char Sherman était en position à la sortie d'une étroite route forestière, dissimulé par les arbres et les buissons. Cherchant désespérément une réponse dont il savait qu'elle n'était pas là, il repassa la situation dans son esprit...

Le petit bois de sapins bordait les deux côtés de la route à moins de quatre cents mètres du village. Heidendorf. Sur la route de Munich. Auprès des ruines d'une ferme à la lisière des bois la route faisait un virage puis continuait tout droit entre les champs découverts jusqu'au village. Les autres chars de son unité étaient dissimulés dans les bois. Et près de la ferme bombardée, tapis sous le couvert des arbres, se trouvaient les hommes de l'unité d'infanterie de soutien.

Il leva ses jumelles. D'un œil morne, il inspecta le terrain devant lui.

Les champs de part et d'autre de l'étroite route, seul accès au village, étaient parsemés de pancartes bizarrement de travers, des crânes et des tibias entrecroisés sur fond noir avec les mots ACHTUNG MINEN ! Les bas-côtés de la route avaient été broyés en une boue gonflée d'herbe par le passage des blindés et des camions. Tout près du village, on pouvait distinguer des pièges à chars placés aux endroits stratégiques, creusés dans la terre molle et détrempée. Le squelette d'un camion démoli de la Wehrmacht dont il ne restait plus que le châssis se dressait dans le champ non loin du village proprement dit. L'agglomération, comme tant de bourgs bavarois, avait l'air d'une forteresse. Les maisons et les granges faisant face aux champs qui l'entouraient étaient de massives constructions de pierre avec de petites fenêtres. Elles étaient reliées par de hauts murs de pierre, offrant un front ininterrompu vers les champs découverts. Une grosse barricade avait été lancée en travers de la route à l'entrée du village.

A mi-chemin de là, juste à côté de la route, un tank Sherman était arrêté. Eventré, encore fumant.

C'était son char de tête.

Moins d'une heure auparavant il avançait lourdement vers le village d'Heidendorf. Il y avait eu brusquement le fracas d'une explosion. Un obus d'un Panzer allemand, un char Tigre, dissimulé dans le village. L'obus avait atterri droit devant le Sherman, projetant en l'air un geyser de poussière. Dans le rugissement grinçant de ses chenilles, le char avait fait un violent virage pour se précipiter dans le champ boueux — et presque aussitôt une seconde volée du Tigre l'avait frappé de flanc. Le Sherman s'était immobilisé en frémissant et avait commencé à flamber. Deux hommes s'étaient faufilés par l'écoutille de la tourelle. Ils s'étaient laissé tomber par terre et, courant accroupis, abrités par le tank en feu, ils s'étaient précipités vers le bois. Ils avaient parcouru presque cent mètres lorsqu'ils étaient tombés sur les mines antipersonnel. Leurs corps tordus gisaient dans la boue là où ils avaient été projetés par le souffle de l'explosion. Bob Slater avait tout vu dans ses jumelles. Avec le grossissement, il avait vu la fugitive expression d'incrédulité sur leur visage avant qu'ils meurent...

Un soldat se précipita en courant vers le char du commandant de l'unité. Slater le regarda. C'était le sergent Parker.

« Pas la peine, dit Parker. On ne passera jamais. »

Slater de nouveau prit ses jumelles. Non pas parce qu'il pensait trouver une solution, mais parce qu'il avait vraiment besoin de faire quelque chose.

« Que diable est-ce que je suis censé faire ? » dit-il. Il parlait d'une voix basse et sourde. Sans s'adresser à personne.

Du village parvint le crépitement d'une rafale de mitraillette.

Slater entendit soudain le sourd grondement, le rugissement de moteurs qui peinaient sur la route derrière lui. Il se retourna. Un convoi de véhicules s'engageait sur la route étroite. Plusieurs G.I.'s leur faisaient signe de s'arrêter. La route était bloquée par des camions immobilisés.

Une jeep se dégagea du convoi arrêté et se dirigea en bringuebalant par le bas-côté vers le char de Slater. Elle portait une plaque avec une seule étoile. A l'instant même où elle stoppait auprès du char, dans un jaillissement de graviers, un officier, un général de brigade, sauta de la jeep et s'approcha à grands pas du char.

« Bon Dieu, demanda-t-il sèchement, qu'est-ce qui se passe ici ? Pourquoi est-on bloqué ? »

Il s'arrêta au pied du char et leva vers Slater un regard furieux.

« Ce secteur aurait dû être dégagé depuis longtemps, lança-t-il, furieux. J'ai toute une unité de Q.G. avec moi. Il faut que je passe ! »

Slater avait l'air épuisé.

« Mon général, dit-il, nous nous heurtons à une violente résistance. » Il fut soudain pris de l'envie incongrue de rire. Voilà qu'il se mettait à parler comme les rapports officiels ! « Le village devant nous est tenu par des troupes SS, poursuivit-il.

— Alors, faites-leur foutre le camp de là !

— Ils ont des blindés, mon général. Ils...

— Des chars ?

— Oui, mon général, ils...

— Avez-vous demandé un appui d'artillerie ? Une attaque aérienne ? »

Slater avait l'air hanté.

« Non, mon général. Je...

— Pourquoi non, Bon Dieu ? »

Slater avala sa salive. Une nuance de ressentiment perça dans sa voix.

« Mon général, dit-il, il y a un char Tigre...

— Combien ?

— Un.

— *Un !* explosa le général. Enfin, nom de Dieu, vous êtes en train de laisser toute votre unité bloquée par un char ! Foutez-le en l'air !

— Mon général...

— Vous pouvez l'atteindre d'ici, n'est-ce pas ?

— Oui, mon général. Mais...

— Mais, mon cul ! Faites-moi sauter ça ! »

Slater regarda le général. Il avait les dents si serrées qu'on voyait saillir les muscles de ses mâchoires. D'un geste raide il tendit ses jumelles.

— Mon général, dit-il d'un ton de défi résolu. Vous feriez peut-être mieux de jeter un coup d'œil. »

Foudroyant du regard le jeune officier, le général monta sur le char. Il s'empara des jumelles qu'on lui tendait et les porta à ses yeux d'un geste furieux. Un bref instant il engloba du regard le secteur. Puis il s'immobilisa. Il se crispa.

« Bonté divine ! » fit-il. Il avait la voix rauque.

Slater savait ce qu'il voyait... La brèche dans le mur massif ; le long vilain museau du char Tigre pointant à travers, balayant le secteur. Et les gens. Les vieillards, les femmes, les enfants — tant d'enfants — pelotonnés, terrorisés à la base des murs et des bâtiments ; par centaines. Tous délibérément parqués là et exposés au feu de l'ennemi. Un vivant bouclier humain protégeant les défenseurs SS derrière le mur. Les corps éparpillés vautrés dans la poussière...

« Le Tigre est derrière le mur, mon général, fit-il doucement. A la brèche. On peut tout juste le distinguer. » Il regarda le général qui observait toujours cet effrayant spectacle dans ses jumelles. Qu'il regarde, se dit Slater, qu'il regarde bien. Il veut faire de l'esbroufe ? Parfait ! Qu'il se serve de ses galons. Que lui prenne la décision ! Tout haut il dit :

« Toute la population de ce foutu village doit être là. Si l'un d'eux essaie de s'enfuir, les SS tirent dessus. » Il ne put maîtriser l'indignation dans sa voix. « Leurs compatriotes ! »

Le général abaissa les jumelles. Il était visiblement ébranlé. Il fronçait les sourcils.

« Nous ne pouvons pas contourner le village, mon général, expliqua Slater. Et nous sommes obligés d'utiliser la route. Les champs sont pleins de pièges à chars. Et minés. »

Le général hocha la tête. Il regarda le village, plongé dans ses réflexions.

« C'est une sale situation, mon général. Ou bien on reste bloqués ici, fit-il en désignant le village, ou bien on les massacre ! »

Le général rendit les jumelles à Slater. Il examina attentivement le jeune officier. Il dit doucement :

« Comment vous appelez-vous, mon garçon ? »

Slater fut surpris.

« Slater, mon général, répondit-il. Robert Slater. »

Le général soupira.

« Eh bien, Bob, dit-il. Quand on se trouve devant une situation à deux alternatives, cherchez la troisième solution...

— Mon général ?

— La troisième façon de s'en sortir, Bob. Il y a toujours une troisième voie. » Son ton était de nouveau redevenu vif.

« Vous parlez allemand, capitaine ? »

Slater secoua la tête.

— Non, mon général. » Il était déconcerté. Où veut-il en venir ? se demanda-t-il.

« Aucun de vos hommes ?

— J'ai bien peur que non, mon général.

— Ça ne m'étonne pas, observa le général d'un ton résigné. Eh bien, moi je parle allemand. » Il regarda le village. Je m'en vais là-bas. »

Slater lui lança un bref regard ahuri.

« Vous ne pouvez pas ! s'exclama-t-il. Pas vous, mon général. » Il hésita. « Je vais y aller, mon général. Si vous me dites ce que vous voulez que je fasse... »

Le général secoua la tête.

« Ça ne marchera pas, Bob. Les héros, c'est du gaspillage. Il faut toujours utiliser le meilleur homme disponible pour le travail à faire. C'est moi. » Il donnait un ordre. « Je veux deux hommes. Pour me couvrir de leur feu. » Il désigna le champ. « Ce char là-bas. Assez près pour un tir précis. Trouvez-les-moi ! »

Slater appela aussitôt le sergent Parker.

« Sergent ! Je veux deux hommes. Avec des mitraillettes et que ça saute !

— Bien, mon capitaine. » Parker se tourna vers un groupe de G.I.'s assis par terre non loin de là.

« Kowalski ! aboya-t-il. Davis ! Debout ! »

Les deux hommes le regardèrent.

« Oui, sergent, firent-ils en chœur.

— Maniez-vous ! »

Ils se levèrent. Le général se tourna vers Slater. Il le toisa longuement.

« Gardez l'œil sur ce Tigre, Bob, dit-il. Je ne sais pas ce qui va se passer. Il va falloir que j'improvise. Mais vous saurez quand l'occasion se présentera. Sautez dessus !

— Oui, mon général. J'essaierai.

— Bon Dieu, soldat ! Vous ferez mieux que ça ! »

Il regarda le virage et eut un sourire mélancolique.

« Il paraît que mon travail est censé faire bouger les choses. » Il jeta un coup d'œil à Slater. « Je vais voir ce que je peux faire pour vous. »

Il sauta à bas du char et fit signe à Kowalski et à Davis.

« Suivez la route. Utilisez le fossé. Tout ce que vous trouverez comme abri. Faites vite. Tâchez de ne pas sauter dans les champs. Quand vous arriverez au char, ouvrez le feu. Donnez-moi toute la couverture que vous pourrez. Qu'ils baissent la tête, compris ? »

Les hommes acquiescèrent.

— C'est compris, mon général »

Ils partirent. Slater utilisa sa radio de bord.

« Armadillo Trois. Ici Armadillo Un... Joe, vous avez ce Tigre dans votre mire, n'est-ce pas ? »

La radio crépita.

« Bien sûr, mais... »

Slater l'interrompit.

« Pas de mais. Restez pointé comme ça. Quand je ferai feu moi, vous faites feu aussi. N'hésitez pas une seconde. Terminé.

— Compris. Terminé. »

Brusquement, il y eut une rafale d'armes automatiques provenant du champ. Slater sursauta. Il saisit les jumelles et regarda.

Le général et les deux G.I.'s avaient atteint le char qui fumait encore. Les hommes faisaient feu sur le haut des murs du village et sur les fenêtres des bâtiments au-dessus des têtes des civils blottis par terre, couvrant le général qui, lui, se dirigeait vers le camion allemand démantelé. Leur tir était précis. Slater apercevait les bouffées de plâtre qui volaient en l'air là où leurs balles touchaient la maçonnerie.

Le sergent Parker s'approcha de la jeep du général. Il regarda le village puis se tourna vers le chauffeur.

« Qu'est-ce que c'est que ce gars ? fit-il en désignant le village. Ça n'est pas un officier de ligne. » Sa voix exprimait malgré lui le respect. Le chauffeur semblait gonflé de sa propre importance.

« C'est le général Thurston. Howard Thurston. De l'Intendance. »

Il marqua un temps pour mieux accentuer son effet. « C'est Thurston « troisième solution » en personne.

— Qui ça ? fit Parker abasourdi.

— Thurston « troisième solution ». C'est comme ça qu'on l'appelle. S'il est coincé, mon vieux, il a toujours une troisième solution pour s'en sortir ! »

Au feu des armes de Kowalski et de Davis, répondirent soudain d'autres détonations. Les deux hommes tournèrent les yeux dans cette direction.

« C'est une drôle de troisième solution qu'il s'est choisie, cette fois-ci », observa sèchement Parker.

Slater suivait la scène avec ses jumelles. Le général Thurston avait atteint l'abri du camion allemand. Tout d'un coup il se lança à découvert pour se précipiter vers l'abri que lui offrait un piège à chars. Le feu des Allemands le cherchait avec insistance.

« Armadillo Trois ! ordonna Slater la voix tendue. Préparez-vous à tirer ! Mike ! lancez-leur une volée ! Par-dessus leurs têtes ! Que les salauds se baissent ! »

Presque aussitôt le canon d'un char fit feu — et aussitôt une volée lui répondit du char Tigre, cherchant le Sherman caché, et l'obus vint s'écraser dans les arbres à peu de distance du char. Slater gardait l'œil collé à ses jumelles.

« Restez tranquilles ! » ordonna-t-il.

Thurston avait profité de ce duel d'artillerie. Il était au pied du mur, pressé avec les autres, à l'abri de la ligne de feu des SS. Kowalski et Davis continuaient leur tir de couverture. Slater suivait toujours le général dans ses jumelles. Il l'apercevait qui gesticulait avec animation devant un homme d'un certain âge et quelques autres civils.

Soudain une formidable explosion retentit sur la route derrière eux.

Parker aussitôt se plaqua contre le sol.

« Des mortiers ! cria-t-il. Planquez-vous ! »

Slater se retourna vers l'explosion ; l'un des derniers camions du convoi immobilisé avait été touché. Il flambait au milieu de torrents de fumée noire. Les G.I.'s se précipitaient pour se mettre à l'abri tandis que deux autres obus de mortier venaient s'enfoncer dans le sol de part et d'autre de la route. Il entendit le grondement rauque d'un de ces chars qui démarrait. Trois autres obus de mortier tombèrent, cette fois devant lui. Slater sentit la crainte monter en lui. Ils nous encadrent ! se dit-il affolé. Ils ont déjà mis dans le mille sur la route ! Ils vont nous faire sauter !

Un autre char démarra. Slater cria dans son micro : « Bon Dieu, restez tranquille ! Gardez l'œil sur ce Tigre ! Joe ! Restez en position ! »

Il regarda dans ses jumelles. Allons, mon général, se dit-il. Je ne sais ce que vous mijotez... mais bon Dieu, faites-le !

Le sergent Barker arriva en courant.

« Il faut foutre le camp d'ici, cria-t-il. Ils sont en train de nous arroser !

La radio crépita. « Bob ! On y va ?

— Attendez ! » lança-t-il.

Deux autres obus de mortier tombèrent sur la ferme en ruine. Des décombres parvenaient des cris de : « Infirmier !... Infirmier ! »

D'autres obus éclataient derrière. Barker cria :

« Ce convoi là-bas, c'est comme du tir aux pigeons ! La route est bloquée derrière eux ! »

Slater se retourna pour regarder en arrière. La route était envahie de fumée. Un camion, touché par le feu des mortiers, brûlait dans un nuage de fumée en travers de la route ; un autre, en essayant de faire demi-tour sur l'étroite chaussée, s'était enlisé dans le fossé. La route était bel et bien bloquée.

Slater se sentit désemparé. Trahi. Au diable le sentiment de soulagement qu'il avait éprouvé quand le général Thurston était arrivé et avait pris le commandement des opérations. Maintenant l'ultime décision, c'était toujours à lui de la prendre, seulement elle était encore plus impossible, plus désespérée que jamais. Il pestait contre l'injustice de tout cela. Il entendit vaguement Barker qui criait :

« Il faut foutre le camp ! Maintenant ! »

Il n'y avait qu'une chose à faire. Il fallait descendre ce char Tigre, sinon ils n'auraient aucune chance d'atteindre le village pour faire cesser le feu de mortiers. Tout le convoi allait être anéanti. Il fallait ouvrir le feu. Tuer des civils. Des femmes, des gosses. Et maintenant... Le général...

Pâle comme un linge, il regarda le petit village qui était devenu pour lui son enfer personnel. La tension était comme un masque qui tirait les traits de son visage. D'autres obus explosèrent. Il sentit comme le froid d'un poignard lui traverser le corps. Il savait ce qu'il avait à faire. Tuer. Il savait que sa décision le tuerait lui aussi. La blessure qu'il s'infligerait à lui-même ne saignerait pas, elle ne guérirait pas non plus... Il examina l'objectif dans ses jumelles. Le redoutable canon du Tigre pointait par la brèche du mur. Juste en-dessous les villageois étaient blottis, terrorisés, le général au milieu d'eux.

Slater étreignait ses jumelles.

« Préparez-vous à tirer ! » ordonna-t-il d'une voix qui à ses oreilles lui parut être un croassement.

La scène au pied du mur là-bas se détachait inexorablement dans les lentilles de ses jumelles. Il combattit l'irrésistible envie de les lancer par terre et de se débarrasser en même temps du spectacle infernal qu'il savait que son ordre allait déclencher. Il ouvrit la bouche pour le donner.

Soudain il vit le général se lever d'un bond. Sa haute silhouette dominait les Allemands blottis contre le sol. Il agita rapidement le bras, le poing fermé, au-dessus de sa tête. Aussitôt les villageois se levèrent comme un seul homme. Se séparant en deux groupes juste sous le char Tigre, profitant encore de la protection du mur, ils partirent en courant dans des directions opposées, laissant le secteur autour du Tigre vide et dégagé, privé de son bouclier humain.

« Il y est arrivé ! cria Slater, d'une voix vibrante d'exultation. Il les a fait bouger ! Feu ! Feu ! Bousillez-moi ces salauds ! »

Ses derniers mots furent noyés par le grondement des Sherman qui ouvraient le feu. L'un après l'autre les obus antichars percèrent le blindage du Tigre, privé de sa redoutable protection. Une fraction de seconde, puis le Tigre explosa dans une boule de feu...

Les Sherman quittèrent le couvert des bois. Dans un fracas métallique, grondants et triomphants, ils foncèrent vers le village barricadé. Les G.I's suivaient juste derrière. Les obus des chars s'enfonçaient dans les parties exposées du mur et des bâtiments, les faisant s'écrouler.

Des deux côtés, les civils allemands étaient tapis contre le sol, indemnes.

HEIDENDORF

17 h 12

Sur la route à la sortie de Heidendorf le poteau indicateur rayé noir et blanc annonçait : MUNCHEN 37 km.

La bataille pour le village était terminée. Les troupes SS avaient résisté farouchement et avec ténacité mais avaient été mises en déroute par les chars et par l'infanterie.

L'unité de blindés de Slater se regroupait au bord de la route de l'autre côté du village. Dans un champ en face les hommes de Parker affalés sur le sol se reposaient. La route vers Munich était encombrée de troupes américaines en marche et de véhicules qui déferlaient vers la capitale bavaroise.

Déjà les villageois avaient commencé à déblayer après le

combat. Quelques-uns des fermiers étaient occupés à rassembler leur bétail dans les champs, certains même vaquaient à des tâches urgentes interrompues par la bataille. La guerre avait touché leur vie, d'une façon brève et terrifiante, puis elle était passée, mais il fallait continuer à s'occuper de ce qui les faisait vivre.

Un petit groupe d'hommes d'un certain âge avançant avec précautions sur le bas-côté, s'approchèrent du char de Slater. Il émanait d'eux un air d'autorité digne. Ils s'arrêtèrent devant le char et levèrent les yeux vers Slater, debout dans la tourelle. L'un d'eux, chapeau à la main, fit un pas en avant.

« *Ich bin Ortsbauernführer Tiemann, Herr Offizier* », dit-il d'une voix tremblante d'émotion. Ses yeux, profondément enfoncés dans un visage ridé et boucané, brillaient de larmes. « *Ich-ich möchte...* Je... je voudrais. »

La jeep du général Thurston passa sur la route. Le général cria à Slater :

« Bien joué, Bob ! Et n'oubliez pas... Cherchez la troisième solution ! »

Slater salua le général qui lui rendit son salut.

« Oui, mon général », lança-t-il, un grand sourire illuminant son visage juvénile.

La jeep s'éloigna. Slater se tourna vers les Allemands. Le vieil homme reprit :

« *Wir danken Ihnen.* Nous vous remercions. *Herr Offizier. Sie haben uns das Leben gerettet !* Vous nous avez sauvé la vie ! *Bitte, wir...* »

Slater secoua la tête.

« *No Sprechen Sie* allemand, dit-il. Je ne sais pas ce que vous voulez. » Il désigna le village. « Rentrez. Rentrez chez vous ! »

Le vieil Allemand s'inclina. Les autres l'imitèrent.

« *Vielen dank.* Merci beaucoup. *Herr Offizier ! Sehr vielen Dank !* »

Avec une grande dignité les hommes tournèrent les talons et repartirent vers le village.

Slater cria à travers la route.

« Barker ! Nous faisons mouvement dans quinze minutes ! »
Le sergent Barker acquiesça. Il examina ses hommes. Ils étaient en bonne forme. Il regarda autour de lui. Dans le champ derrière lui un chariot à l'air bizarre, tiré par deux chevaux de labour s'avançait lentement. C'était un chariot de fumier, un grand réservoir en bois, comme un énorme baril de bière sur de grosses roues. Un vieux fermier tout seul était assis à la place du conducteur. D'un geste paresseux il caressait de son long fouet l'échine des vieux chevaux, tandis que les bêtes tiraient le lourd wagon, laissant une mince couche d'engrais sur le sol fraîchement labouré.

Le fermier impassible regardait l'activité militaire se déployer sur la route. Son attitude semblait dire qu'elle ne comptait pas pour lui. Ce qui comptait, c'était de préparer la terre. Et on l'avait interrompu. D'abord les SS. Puis les Américains venus les combattre. Maintenant il pouvait reprendre ce qui comptait. Il avait encore une heure de jour. On n'allait pas l'empêcher de l'utiliser. Même une guerre ne l'en empêcherait pas.

Barker regarda le chariot. Il était vaguement agacé par le manque total d'intérêt que le fermier manifestait pour lui et pour ses hommes. Est-ce qu'ils ne venaient pas de battre à plate couture ces « surhommes » ? Il se tourna vers deux de ses hommes allongés sur le dos au bord du fossé.

« Hé ! Kowalski ! Davis ! cria-t-il. Allez me vérifier cette charrette là-bas. »

Les hommes semblaient scandalisés.

« Oh, voyons, sergent ! protestèrent-ils à l'unisson.

— Remuez-vous, bon Dieu ! » lança Barker. Il n'était pas d'humeur à discuter. Les hommes se levèrent. Kowalski regarda le sergent. Ses traits exprimaient le plus total dégoût. Barker le foudroya du regard.

— Et tâchez de faire une autre tête ou je viens vous secouer. Maintenant maniez-vous !

— Bon, on y va, grommela Kowalski. Vous frappez pas comme ça. »

Les hommes se dirigèrent vers le chariot.

Barker les observait. Il but une gorgée de sa gourde. Les hommes arrivaient à la hauteur de la charrette qui s'était arrêtée.

Barker les suivait des yeux. A tout hasard. Ils semblaient s'efforcer de ne pas se trouver sous le vent du chariot. Kowalski fit le tour de l'attelage pendant que Davis inspectait le conducteur. Puis ils battirent précipitamment en retraite.

Lorsqu'ils revinrent auprès de Barker, ils se laissèrent tomber sur le sol auprès de lui.

« Je regrette d'avoir jeté mon masque à gaz, déplora Kowalski. Cette foutue charrette est pleine de merde !

— Ça n'est pas ça, pauvre con, corrigea Davis. On appelle ça « engrais naturel ».

— Ah oui ? Eh bien, je me fous pas mal de savoir comment ça s'appelle : ça pue ! »

Barker regarda les hommes d'un air morose.

« Bon, dit-il. vous l'avez bien examiné ?

— Bien sûr. Rien du tout. » Kowalski contempla le sergent. « Qu'est-ce que vous pensiez qu'on allait trouver ? L'arme secrète de Hitler ? » Il tourna les yeux vers le chariot. « Pouah ! » fit-il avec conviction. Je savais que ces Boches étaient pleins de merde, mais je ne savais pas qu'ils en mettaient partout. »

Barker allait répliquer quand Slater cria depuis la route : « En route, sergent ! »

Barker se leva.

« Allons, les gars. On part ! »

Le conducteur du chariot de fumier suivit d'un œil désintéressé le départ des G.I.'s. Il se gratta le bras gauche. Il en avait envie depuis que les deux Américains s'étaient approchés et tout d'un coup cela s'était mis à le démanger. Plus il attendait, plus ça le démangeait, mais il s'empêchait délibérément de se gratter tant que les soldats l'observaient.

Il se demandait pourquoi. Il savait que ça n'aurait pas eu d'importance. Il savait qu'ils avaient fait un travail parfait à Thürenberg. Pas de cicatrice, pas de trace de tatouage. Aucune raison de s'inquiéter.

Il vérifia l'heure en consultant une grosse montre de gousset.

Verflucht ! se dit-il avec agacement. Ils l'avaient mis en retard.

Il fit claquer son long fouet. « *Kür kür* » cria-t-il aux bêtes qui tiraient sur le harnais ; les roues du lourd chariot s'arrachèrent aux ornières et avancèrent lentement. Le fermier prit avec précaution un petit objet dans la poche de son gousset. Il le tenait au creux de sa paume. Il le regarda.

C'était une boussole.

Il tira sur les rênes, modifiant légèrement sa direction. Il vérifia encore la boussole avant de la remettre dans sa poche et arrêta le chariot.

Avec de grandes précautions il posa solidement son fouet entre deux crampons métalliques sur le côté du siège du cocher.

Il mit pied à terre, se dirigea vers l'arrière du chariot et arrêta le robinet de purin. Il prit dans un râtelier deux sacs de picotin et s'approcha des chevaux qui l'observaient d'un air impatient.

En passant le long du cylindre qui constituait le corps du chariot, il donna deux petits coups brefs sur le bois.

Pitterman entendit les coups.

Il sentit le soulagement l'envahir. Il ne s'était pas rendu compte à quel point tout son corps était tendu. Quand les premiers coups d'avertissement lui étaient parvenus quelques minutes plus tôt, il avait aussitôt éteint la lumière...

Il était assis dans le noir total, dans un silence total. Il savait que quelque chose n'allait pas, quelque chose se passait dehors et il tendait l'oreille pour entendre. Mais le seul bruit qu'il pouvait percevoir, c'était le battement rapide et rythmé de son sang qui lui martelait les oreilles.

Il restait assis à attendre. Tendu. Crispé. Seul.

La puanteur dans le minuscule réduit où il était enfermé l'étouffa soudain. Il avait la nausée. Il éprouvait une irrésistible envie de sortir. Avaient-ils été découverts ? Une rafale de mitraillette avait-elle tout d'un coup percé le réservoir ?

Quelle façon de mourir : pelotonné à l'intérieur d'un chariot de fumier !

La colère le prit tout d'un coup. C'était une idée fantastique d'installer un émetteur-récepteur radio portatif dans une moitié de chariot à fumier. On ne penserait jamais à regarder là-dedans. C'était *prima* comme idée, à condition qu'on ne fût pas celui qui était enfermé là-dedans pendant des heures de suite à attendre...

Qu'est-ce qui se passait donc dehors ? Il tendit l'oreille. Rien...

Le chariot se remit lentement en marche. Il entendit le purin qui clapotait dans l'arrière du réservoir. Une nausée le prit. Puis il s'efforça de deviner ce qui se passait dehors.

La voiture roulait. Est-ce qu'on l'alignait pour une émission directionnelle ? Ou bien est-ce qu'on l'emmenait quelque part pour l'examiner ?

Le chariot s'arrêta. Il entendit le fouet qu'on plaçait dans les crampons. Il savait que l'armature métallique du fouet faisait partie de l'antenne directionnelle qui courait de chaque côté du réservoir, fixée aux parois intérieures par des isolateurs. Il savait que les crampons complétaient le contact. Le système était prêt. Mais le conducteur préparait-il vraiment l'émission ? Ou bien suivait-il les ordres d'un ennemi qui l'avait capturé ?

Il entendit le conducteur mettre pied à terre et arrêter le robinet de purin, puis vinrent les deux coups : « Paré pour émettre. »

Pitterman alluma l'unique ampoule. Elle éclaira la feuille de métal qui protégeait sa cabine radio bien peu orthodoxe.

Il regarda sa montre. Ils avaient deux minutes de retard ; dans une minute, on ne pourrait plus établir le contact. Il parcourut rapidement sa check-list. Batteries branchées. Lecture de l'azimut à la boussole : correcte. Table de temps-emplacement ; fréquence ; signal de reconnaissance. Il coiffa les écouteurs, vérifia le cadran et se mit à émettre son indicatif. Presque aussitôt il entendit dans son casque les beeps faibles d'un message qu'on lui transmettait.

Pitterman écouta avec attention. Il griffonna un moment sur un bloc à la lumière de l'unique ampoule. Puis il signala qu'il avait bien reçu le message et entreprit aussitôt de le relayer...

WEIDEN

17 h 39

Un crépuscule un peu frais tombait déjà sur la petite ville de Weiden quand Erik et Don rentrèrent du Q.G. du Corps.

Ils entrèrent dans la prison et se dirigèrent d'un pas vif vers la salle d'interrogatoires. Erik se sentait remonté à bloc. Don et lui avaient fait leurs plans au Corps et maintenant la machine était en mouvement. Tout s'était bien passé. Ils s'étaient enlisés dans moins de paperasseries que d'habitude. Sur le seuil, il se tourna vers Don.

« On ferait mieux de prendre deux boîtes de rations K aussi. Dieu sait pour combien de temps nous allons être partis.

— D'accord. »

Il poussa la porte...

La fille avait pleuré. Ce fut la première chose qu'il remarqua. Il sentit monter en lui une vague de pitié. Elle avair l'air si vulnérable. Il détourna les yeux avec le sentiment désagréable d'en avoir parfaitement conscience. Le sergent Murphy était assis derrière le bureau. Erik tourna vers lui un regard sévère.

Murphy était affalé sur son siège dans une posture nonchalante, en train de fumer une cigarette et de jouer avec un crayon tout en s'efforçant de prendre un air important.

« Oh, bonjour mon capitaine ! » Son air surpris se changea en un air embarrassé. « Je... euh... Je... »

Il cherchait désespérément un moyen de sauver la face. Il le trouva. Il désigna Anneliese.

« Vous avez de la visite, annonça-t-il avec entrain. Je suis sûr que vous vous souvenez d'elle, mon capitaine. Mais il y a un problème », conclut-il lamentablement.

Erik demeura silencieux. Il contempla d'un œil sévère la scène. Murphy battait en retraite vers la porte.

« Eh bien... hé... si vous n'avez plus besoin de moi, mon capitaine, je vais... euh... »

Son regard alla de l'un à l'autre des officiers.

« Je pensais que peut-être je pourrais... rendre service. »

Il était à la porte.

« Merci, sergent Murphy », fit Don cérémonieusement. Murphy disparut.

Don le regarda partir en souriant. Erik s'approcha d'Anneliese. Ça allait bien maintenant. Il la regarda.

« Alors, qu'est-ce qui se passe ? demanda-t-il doucement. Je croyais que vous seriez en route pour rentrer chez vous. »

La fille leva vers lui de grands yeux tout humides et éplorés.

« Oui, mais... C'est seulement que je... Je ne peux pas... » Sa voix se brisa. Elle baissa la tête et se mit à pleurer doucement. Don qui était presque à la porte appela :

« Erik ! »

Erik vint le rejoindre. Don désigna la fille de la tête.

« Ne te lance pas dans une histoire maintenant. Nous n'avons pas beaucoup de temps.

— Je sais ! » fit Erik d'un ton plus vif qu'il n'aurait voulu. Cela le déconcerta. « Nous devons être à la ferme dans »... — il jeta un coup d'œil à sa montre — « dans deux heures. Nous y arriverons.

— Pas si tu te mets à jouer les sires Galahad, sûrement pas. Elle pourrait t'attirer des ennuis. »

Erik sentit une bouffée de rage monter en lui.

« Oh, bon Dieu ! lança-t-il. Il faut que tu trouves une sorcière sur chaque balai ? »

Don le regarda avec surprise. Il haussa les épaules.

« Bon, mon vieux, dit-il d'un ton bonhomme. Ce sont tes oignons. »

Il tourna les talons pour s'en aller. Erik l'arrêta.

« Ecoute, Don », commença-t-il. Il jeta un coup d'œil à la fille. Elle ne pleurait plus et séchait ses larmes. Mais qu'est-ce que j'ai ? se dit-il. C'est mon problème. Ça ne sert à rien de le faire partager à Don. C'est bel et bien mon problème et je ne peux pas l'éviter. « La petite a des ennuis.

— Qui n'en a pas ?

— Elle a peur. Je peux peut-être arranger les choses en quelques minutes.

— Oh, sûrement !

— Pourquoi ne commences-tu pas à rassembler le matériel ? Je te rejoins tout de suite.

— Je n'en doute pas ! » Don regarda Erik. Il secoua la tête avec une exaspération feinte. « Bon. Va sauver ta damoiselle en détresse. Mais ne bousille pas la mission ! »

Il quitta la pièce. Erik revint vers Anneliese et la regarda.

« Bon, Anneliese, fit-il. Maintenant, dites-moi ce qui ne va pas.

— Ils ne veulent pas me donner de laissez-passer à votre gouvernement militaire, balbutia la fille. Pour voyager. Pour rentrer chez moi à Regensburg ! » Elle égrenait le chapelet de ses malheurs. « Il paraît que la route est fermée aux civils. Pour bien des jours. Mais je ne peux pas rester ici. Je ne connais personne. Et l'autre officier, il a dit que je pouvais rentrer. Vous l'avez entendu dire que je pouvais rentrer chez moi ! Et vous, vous avez dit... »

Erik l'interrompit.

« Du calme, fit-il. Ne vous en faites pas. Nous allons arranger ça. »

Elle leva vers lui un regard brillant d'espoir. Il se dirigea vers la porte.

« Venez, je vais vous conduire moi-même au gouvernement militaire. Nous allons voir ce qui se passe. »

Il éprouvait un étrange sentiment de satisfaction.

Seuls quelques civils se trouvaient dans la rue devant la prison, se hâtant de rentrer chez eux avant la tombée de la nuit et le couvre-feu.

Erik vit bien la petite lueur de l'allumette qu'on craquait de l'autre côté de la rue. Cela fit un petit point lumineux sur sa vision périphérique, mais cela n'atteignit pas son esprit conscient qui se débattait avec la présence d'Anneliese.

L'homme, caché dans l'ombre plus épaisse d'un seuil fermé par des planches donnant sur une maison vide, alluma un mégot de cigarette. Il avait craqué l'allumette et allumé son mégot d'un geste souple et fluide, bien qu'il n'eût qu'un bras. Pendant un bref instant, la flamme illumina son visage. Un œil était couvert d'un bandeau noir. C'était Heinz.

Dans la petite rue au coin de la prison, un autre homme était agenouillé devant une bicyclette délabrée dont il arrangeait la chaîne. La bicyclette, appuyée au mur du bâtiment, était chargée d'un paquet d'articles ménagers et de cartons fermés par des ficelles. Un sac à dos déchiré était fixé au guidon rouillé.

Quand l'allumette craqua de l'autre côté de la rue, l'homme se redressa. Il tira sur sa casquette de cuir sale et prit la bicyclette. La poussant auprès de lui, il tourna le coin de l'immeuble et s'engagea dans la rue à quelques pas derrière Erik et Anneliese. Le vieux vélo n'avait pas de pneus. Les jantes nues faisaient un bruit métallique sur les plaques de ciment du trottoir. L'homme avançait toujours. Il ne quittait pas des yeux les deux silhouettes devant lui. C'était Krauss.

A quelques maisons plus bas, un bâtiment avait été touché de plein fouet. Des décombres et des débris de maçonnerie s'étaient répandus à travers le trottoir jusque sur la chaussée. Deux hommes avaient ouvert un étroit passage parmi les débris. Ils étaient en train de charger leurs outils et quelques morceaux de poutres récupérées sur une charrette en bois quand Erik et Anneliese approchèrent. La bicyclette bringuebalante derrière eux faisait beaucoup de bruit dans le silence. Les deux travailleurs levèrent les yeux.

Erik laissa la fille passer la première, il s'engagea derrière elle. Il était à peu près au milieu...

Soudain l'homme qui chargeait la charrette parut glisser

sur une brique. Il tomba et s'affala contre les jambes d'Erik en le plaquant.

Erik s'écroula.

Il heurta le sol aux pieds du second homme. Il leva les yeux.

Pendant une fraction de seconde le temps s'arrêta pour lui, ses yeux fixés sur l'Allemand planté juste au-dessus de lui. Une haine fanatique tordait le visage de l'homme ; ses deux mains crispées tenaient bien haut au-dessus de sa tête une pioche.

L'homme l'abattit de toutes ses forces, droit vers le visage levé d'Erik.

Erik tourna violemment la tête de côté. L'espace d'un instant il crut que ce n'était pas suffisant. Puis la pioche vint s'enfoncer dans les débris à quelques centimètres, répandant sur son visage une pluie cinglante de mortier et d'éclats de brique.

Il se retourna, saisissant son pistolet dans son baudrier. Il avait nettement conscience de la présence de ses deux assaillants. L'homme qui l'avait plaqué au sol s'efforçait de se relever ; l'homme à la pioche essayait de retrouver son équilibre.

Les doigts d'Erik trouvèrent la solidité froide et rassurante de son pistolet.

Soudain Anneliese cria :

« *Pass auf !* Attention ! »

Erik aussitôt se retourna. Il lâcha le pistolet. Krauss était juste derrière lui. De son brodequin clouté il s'apprêtait à décocher un terrible coup de pied à la tempe d'Erik.

L'avertissement de la fille était arrivé juste à temps. Les mains d'Erik se levèrent et saisirent le pied de Krauss au moment où il allait le frapper. Il n'avait pas la force ni l'équilibre suffisants pour bloquer la violence du coup de pied, mais il réussit à détourner le lourd brodequin. Le talon renforcé d'acier vint le frapper sur le cou, mais il ne le sentit pas. Il se cramponna à la chaussure de toute son énergie et Krauss vint s'effondrer lourdement au milieu des débris.

Erik avait l'impression irréelle d'être deux personnes à la fois. L'une était strictement un observateur. C'est ridicule, songeait-il. Ça ne peut pas arriver. Pas à moi ! L'autre avait la conscience en alerte et les réflexes vifs comme l'éclair.

Il roula vers la rue et se redressa sur un genou, pistolet au poing.

Un de ses assaillants se précipitait dans la rue en s'abritant derrière les quelques personnes qui avaient commencé à se rassembler. L'autre était également debout, il plongea vers Anneliese, la bouscula avec une violence qui l'envoya s'affaler au milieu des décombres et partit en courant. Erik machinalement braqua son pistolet vers lui, mais la fille était dans sa ligne de tir lorsqu'elle se releva.

Erik pivota vers Krauss. L'homme disparaissait tout juste derrière ce qui restait d'un mur effondré. Erik tira une balle sachant qu'elle serait perdue.

Il se rendit compte tout d'un coup qu'il était seul avec la fille. Les passants s'éloignaient, se fondant rapidement dans l'obscurité, tandis que deux G.I.'s arrivaient en courant.

Anneliese restait immobile au milieu des ruines. Elle regardait Erik d'un air affolé. Elle frissonnait sans s'en rendre compte.

Erik remit son pistolet dans son baudrier. Il s'approcha de la fille. Il posa les mains sur ses épaules tremblantes et scruta son visage.

« Merci, fit-il d'une voix sourde. Merci... Anneliese. »

La fille soutint un long moment son regard. Puis elle ferma très fort ses grands yeux. Elle s'effondra dans les bras d'Erik, la tête sur l'épaule de celui-ci. Le petit sanglot qui lui échappa était un mélange de peur dissipée et de soulagement...

Erik passa les bras autour des épaules tremblantes de la fille. Il la serra contre lui. Il avait vivement conscience de la douceur de son corps. De sa chaleur. Son univers était plein du parfum frais de ses cheveux, qui se mêlait à l'odeur un peu âcre de sa peur. C'était terriblement excitant. Et il ne pensait à rien d'autre qu'à elle... A rien...

L'attaque avait duré exactement vingt-trois secondes.

Une éternité.

Don et Murphy arrivaient en courant. Murphy avait une carabine à la main.

« Qu'est-ce qui se passe ? interrogea Don. Qu'est-ce que ça veut dire, cette fusillade ? »

Erik lâcha la fille.

— C'est fini maintenant », dit-il doucement. Il s'adressait à eux deux.

« Qu'est-ce qui s'est passé ?.

— Un imbécile a essayé de m'enfoncer une pioche dans la tête. » Maintenant que c'était bel et bien fini Erik était la proie d'une brusque colère. « Le connard ! »

Le regard de Don alla d'Erik à Anneliese. Il était soulagé de constater que rien n'était arrivé à son partenaire, mais il était furieux contre lui de s'être laissé entraîner dans une situation où il pouvait se faire attaquer.

« Ça n'aurait pas été facile, répliqua-t-il d'un ton fautif, avec un crâne épais comme le tien. »

Erik lui jeta un coup d'œil. Don avait parlé avec une crispation qu'il ne maîtrisait pas. Il reprit :

« Tu aurais dû t'en douter. Sortir seul à cette heure de la journée avec une Fräulein en remorque ! Où est-ce que tu te crois ? A Brooklyn ? »

Il se sentait mieux. Il avait dit ce qu'il avait sur le cœur. Murphy s'approcha.

« Je peux faire quelque chose ? » demanda-t-il.

Erik le regarda. Extérieurement, il était calme. Mais intérieurement, il sentait une vague d'émotions déferler en lui. Anneliese attendait silencieuse, mais il la sentait encore dans ses bras. Il avait encore son parfum dans les narines.

« Oui, Jim, dit-il. Occupez-vous de la fille. »

Il se tourna vers elle.

« Ne vous en faites pas, dit-il avec douceur. On vous fera arriver à Regensburg.

— S'il vous plaît », dit-elle d'une petite voix. Erik se retourna vers Murphy.

« Dites au lieutenant Howard de la laisser prendre le camion de ravitaillement pour Regensburg. Demain matin. Compris ? Demain, j'en assume la responsabilité.

— Bien, mon capitaine. »

Murphy s'approcha de la fille, un grand sourire sur son visage.

« Tu vois, bébé, dit-il d'un ton assuré, je t'avais dit que j'arrangerais tout. »

Erik les observait.

« Je suis désolé d'interrompre cette scène touchante, fit Don, mais... »

Erik sursauta.

— Oui. Nous ferions mieux d'y aller. »

Ils se dirigèrent vers la prison, suivis de Murphy et de la fille. Pendant un moment les deux hommes marchèrent en silence. Don inspectait Erik du coin de l'œil. Il y a quelque chose qui le ronge, se dit-il. Et depuis un moment. Il était soucieux. Il ferait mieux de tirer ça au clair. Et vite. Tout haut il dit :

« Erik, mon vieux. un de ces jours tu te fourreras dans un vrai guêpier. »

Erik avait le front soucieux.

« Je ne comprends pas, dit-il. Pourquoi me sauter dessus brusquement ? Est-ce que nous avons laissé passer quelque chose ? » Il regarda Don. « Tu crois que...

— Ça n'est pas difficile à comprendre, joli cœur. Les Boches n'aiment pas voir un Amerloque promener une de leurs jolies Fräulein. Surtout quand il fait partie de la « Gestapo américaine ». Tu leur as simplement tapé sur le système, voilà tout.

— Tu as peut-être raison. » Erik écarta l'incident de ses pensées. Il y avait des questions plus importantes à régler. « Tu as tout ? demanda-t-il.

— Oui. Mais il faut que je reste ici. A attendre l'accord de la Division. Ils n'ont pas encore réussi à bouger leur gros cul collectif.

— Bon. Je vais partir pour la ferme maintenant. Mets tout ça en marche.

— Bon. Jim et moi nous allons tout terminer ici. » Il jeta un coup d'œil à Erik. « Y compris obtenir un laissez-passer pour ta petite amie ! »

Ils étaient presque à la prison. La rue était vide de civils, sauf un homme seul, qui se hâtait vers eux sur le trottoir. C'était presque l'heure du couvre-feu. L'homme boitait. Une manche d'une veste d'uniforme de la Wehrmacht était épinglée vide. Un bandeau rudimentaire couvrait un œil.

Il descendit dans le ruisseau pour laisser passer la fille et les Américains...

SCHONSEE

La ferme Zollner

19 h 13

Erik et Don avaient choisi la ferme Zollner comme poste de commandement de l'opération pour deux très bonnes raisons. Située juste au nord de Schönsee sur la route d'Eslarn, le terrain nord de la ferme bordait la forêt où Plewig avait dit que se trouvait le quartier général des Werewölfs ; et puis elle était inhabitée. Zollner était l'Ortsbauernführer local et avait jugé préférable de ne pas rester pour accueillir les Américains.

La ferme proprement dite était invisible de la forêt à cause d'une rangée d'arbres. Elle comprenait un bâtiment principal, une grange, une étable et un poulailler disposés autour d'une cour de ferme anormalement spacieuse. Même le tas de fumier dégoulinant au centre laissait largement la place à l'enclos de fils de fer barbelés qu'on était en train de dresser dans une moitié de la cour. Huit à dix G.I's étaient occupés à transformer la cour de ferme en un dépôt provisoire de prisonniers de guerre et ils déchargeaient d'un petit Dodge des rouleaux de fils pliés en accordéon, aménageaient des emplacements de mitrailleuses dans les coins et dressaient des poteaux pour y fixer des projecteurs.

La soirée était fraîche et claire et les hommes n'avaient pas allumé de lumières, ils travaillaient aussi rapidement et silencieusement que possible. Aux écussons de leurs épaules et de leur col, on apprenait qu'ils appartenaient à la police militaire de la 97e Division.

Erik était satisfait. Les préparatifs se déroulaient bien. Et on ne pouvait pas observer cette activité de la forêt au loin. Il s'approcha d'un sergent de la police militaire en train de monter un projecteur.

« Alors, sergent, comment ça se présente ? dit-il.

— Bien, ça devrait être fini d'ici deux heures.

— Parfait. Quand vous aurez fini, vous feriez bien de faire rentrer vos hommes. Demain devrait être une journée bien remplie. » Il désigna la grange. « Cette grange est pleine de foin. Vous pouvez installer votre cantonnement là.

— Très bien. »

Le sergent Sammy Klein jeta un coup d'œil à l'agent du C.I.C. Il était curieux. Comme d'habitude les ordres qu'ils avaient reçus étaient à moitié déconnants. Un dépôt de prisonniers de guerre pour des Werewölfs ? Il savait que ces types du C.I.C. étaient un peu zinzins, mais des Werewölfs ? Dirigés sans doute par Frankenstein et Dracula ! Mais il était responsable des onze gars de son unité. Ce serait aussi bien s'il en savait le plus possible sur cette opération démente. Le moment ne lui paraissait pas mal choisi. Il tendit vers Erik les fils du projecteur.

« Vous voudriez me tenir ça ? demanda-t-il. En les écartant ? Il faut que j'assure ce poteau. »

Erik prit les fils.

« Bien sûr.

— Dites donc, ces... euh... ces Werewölfs que vous devez trouver ?

— C'est une organisation de fanatiques.

— Ah oui ?

— Ils ont juré de continuer à faire régner la terreur, même après la fin de la guerre.

— Ce sont eux qui sont responsables de ces types qu'on a retrouvés dans la rivière ?

— Très probablement », acquiesça Erik.

Klein cracha sur le pavé.

« Drôle de façon de faire une guerre », dit-il avec dégoût.

Il avait terminé de fixer le poteau à une vieille pompe à main. Il reprit les fils à Erik.

« Merci. »

Il commença à les enrouler autour du poteau.

« Pourquoi ce nom de Werewölfs ?

— Ça vient d'une superstition médiévale d'après laquelle certaines personnes peuvent à volonté se transformer en loups déchaînés. »

Klein eut un petit rire.

« Ça n'est pas une superstition. Ça arrive à tous les types qui ont une perm de trois jours ! »

Erik sourit.

« Ça n'est pas le même genre de loups, Klein. » Il reprit d'un ton plus grave :

« En tout cas, ces créatures s'appelaient des Werewölfs, des loups-garous. Ils terrorisaient le pays en pratiquant des « actes abominables de meurtres et de destruction ». Et c'est exactement ce que les Werewölfs nazis projettent de faire. »

Klein désigna de la tête la forêt au loin.

« Ils sont censés être là quelque part ?

— Ils y sont. Nous ne savons pas exactement où. Ça pourrait être juste de l'autre côté des champs. »

Klein leva vers lui un regard un peu inquiet.

« Eh bien, merci ! Je pense que je ferais mieux de doubler la garde ce soir. Je n'en ai jamais été pour les actes abominables de meurtres et de destruction. »

Il avait terminé son travail. Il recula pour l'admirer.

« Bon, ça devrait aller. »

Erik consulta sa montre.

« Il va falloir que je retourne à Weiden, dit-il. Pour prendre mon partenaire. Trouvez-moi une jeep et un chauffeur, voulez-vous ?

— Je vais vous conduire moi-même. D'accord ?

— Vous pouvez partir d'ici ?

— Bien sûr. On a presque fini. Je vais charger Simmons de me remplacer. De toute façon il faut que je contacte la Division.

— Bon. Nous serons de retour d'ici deux heures.

— Très bien. »

Klein s'éloigna.

Erik se dirigeait vers la ferme quand le bruit d'un véhicule qui s'approchait le fit s'arrêter. Une jeep, dont on ne voyait que les lanternes masquées pour le black-out, arriva en trombe dans la cour et s'arrêta dans un grand crissement à quelques mètres. Un commandant sauta de la place à côté du chauffeur et s'approcha de lui.

« Je suis le commandant Evans, annonça-t-il. Où est-ce que je trouve l'agent du C.I.C. qui dirige les opérations ?

— Ici même, mon commandant. Je m'appelle Larsen. Erik Larsen. Bienvenue dans notre petit foyer.

— Merci. » Le commandant inspecta Erik.

Erik l'examina à son tour. Les premiers mots qui lui vinrent à l'esprit furent « autoritaire » et « ramenard ». Les galons et les écussons du commandant lui parurent trop grands. Erik éprouvait une certaine antipathie, mais il se reprit. Il devrait travailler avec cet homme. Pas de jugement hâtif.

Evans avait terminé son inspection.

« Désolé de n'avoir pas pu arriver plus vite... Heu... Larsen, dit-il. J'avais deux ou trois... heu... affaires importantes à régler avant de pouvoir partir. »

Erik sourit. Un sourire qui ne lui aurait peut-être pas valu un prix de cordialité, mais un sourire quand même.

« Nous sommes heureux que vous ayez pu venir.

— Le commandant Roberts du G-2 du Corps m'a déjà expliqué. Cette... heu... escapade que vous projetez. »

Erik fit un effort pour ne pas réagir à l'hostilité trop évidente qu'on sentait derrière le choix des mots du commandant.

« Parfait, réussit-il à dire. Alors, vous savez de quoi il s'agit. »

Evans exprima une douloureuse hésitation.

« Ou-u-u-ui, fit-il avec un soupir de martyr. Toutefois, je regrette de vous le dire, je ne crois pas beaucoup à toute cette affaire... »

Je pense bien, mon salaud, se dit Erik, ses bonnes intentions fondant comme neige au soleil.

« ... mais le colonel Streeter voulait un officier... euh... compétent sur les lieux, poursuivit Evans. Pour jouer le rôle d'observateur objectif.

— Je sais. »

Evans tira de sa poche un paquet de Lucky.

« Cigarettes ?

— Non, merci. »

Evans s'en alluma une.

« Je ferais aussi bien de vous dire maintenant... euh... »

Evans chercha en vain les galons qui lui indiqueraient le grade d'Erik. Il éprouva une bouffée d'agacement. C'était exaspérant qu'on autorise ces types du C.I.C. à ne porter qu'un insigne d'officier sans précision de grade. Qu'est-ce que ce type était donc ? Comment diable fallait-il le traiter ? C'était extrêmement irritant.

« Je ne crois pas que vos soi-disant Werewölfs existent, continua-t-il. Sans parler de leur ridicule numéro à la radio. »

Il tira une profonde bouffée de sa cigarette. Il exhala la fumée avec une évidente satisfaction. Ces prime donne du C.I.C. avaient vraiment besoin qu'on leur rabatte un peu le caquet.

« La police militaire n'a jamais eu le moindre ennui avec eux, déclara-t-il.

— Je suis heureux de l'entendre, dit sèchement Erik. Vous avez de la chance.

— Oh, nous avons eu quelques incidents isolés, reconnut

Evans, des incidents mineurs. Mais il n'y a pas d'activité terroriste organisée.

— Je vois », fit Erik. Il ne se sentait pas d'humeur à engager une discussion avec Evans. Il se proposait d'être aussi bref que possible. Evans poursuivit :

« Tout de même, j'imagine qu'il va falloir que nous examinions un peu votre conte de fées, hein ? fit-il avec un petit rire sec. Si lointaine que soit la possibilité de rien trouver de concret.

— Demain nous le dira.

— En effet », acquiesça Evans. Il secoua la braise de sa cigarette. Méticuleusement, il déchira le papier autour du mégot et répandit sur le sol le tabac qui restait. Puis il roula le papier en une petite boule qu'il lança au loin. « En effet... A quelle heure prévoyez-vous de faire démarrer votre... euh... expédition ?

— Les compagnies d'infanterie seront prêtes à faire mouvement à cinq heures trente.

— Très bien. »

Evans se redressa comme pour congédier Erik.

« Bien, bonsoir... euh... »

Une fois de plus, il chercha visiblement les galons d'Erik. Son air désapprobateur était évident. Evans était agacé. Après tout, il pourrait aussi bien être en train de parler à un simple soldat ! C'était exaspérant.

Le sergent Klein arriva au volant de la jeep d'Erik. Erik regarda Evans.

« Bonne nuit, mon commandant », dit-il. Il tourna les talons et se dirigea vers la jeep.

Evans le suivit d'un regard soucieux. Il était si agacé qu'il en avait un goût âcre dans la bouche. Il estimait cette situation intolérable : être obligé de jouer les nurses pour deux policiers amateurs et leur plan d'écervelés. Et ce n'était pas lui qui dirigeait l'opération. Il en ressentait une grande amertume. Une profonde amertume. D'autant qu'il ne savait même pas si l'agent du C.I.C. était son supérieur en grade ! Il soupçonnait fortement qu'il n'en était rien.

Evans — Harold Jr. Evans — était un ancien sergent de la police de Chicago. Il avait été un bon flic. Sérieux. Incorruptible. Mais également plein de préjugés et obstiné. La vie militaire ne l'avait pas changé.

Il tourna brusquement les talons et repartit vers sa jeep qui l'attendait...

LA ROUTE DE SCHONSEE A WEIDEN

20 h 34

Krauss changea prudemment de position. Les feuilles sèches sous son corps firent un doux bruissement.

Il avait choisi l'endroit avec soin. Les bois descendaient jusqu'au fond du profond fossé qui bordait la route ; les broussailles étaient touffues. Selon ses estimations, il se trouvait à moins de quinze mètres de la route proprement dite. Il savait qu'on ne pouvait pas le voir.

Il bougea de nouveau. Il devenait de plus en plus difficile de rester dans des conditions confortables à attendre sous les broussailles. Il allait rester encore une demi-heure. Si rien ne se passait d'ici là, il n'aurait qu'à repartir pour Weiden. Ça faisait six bons kilomètres. Ils seraient peut-être obligés de faire d'autres plans. Ce serait à Heinz de décider. Ou bien à cet officier du quartier général de Krueger, qui était censé venir le rejoindre avec deux hommes.

Le son était à peine audible lorsqu'il le remarqua pour la première fois. L'oreille tendue, il retint son souffle. Le son se fit lentement plus fort. Un véhicule. Un seul véhicule qui descendait la route en venant de Schönsee. Il se plaqua encore plus près du sol. Par pur instinct. Il n'en avait pas besoin.

Le véhicule approchait rapidement.

Il scruta la route. La nuit était claire. Il n'aurait aucun mal à voir. Il était certainement là depuis assez longtemps pour avoir les yeux habitués à la lumière diffuse. Son regard fouillait la route. Un minuscule point lumineux au loin grandit et peu à peu se divisa en deux. Le véhicule roulait avec seulement ses lanternes masquées à cause du black-out.

Krauss gardait les yeux fixés sur la voiture qui approchait. C'était une jeep. Une seconde il la distingua ; la seconde d'après elle passait devant lui et disparaissait sur la route sombre. Mais ç'avait été suffisant. Krauss se sentait immensément satisfait.

Il y avait deux hommes dans la jeep. Un sergent qui conduisait. Un autre homme à côté de lui. L'agent du C.I.C. américain. Celui qu'il avait manqué une fois. L'objectif.

C'était donc bien la route. C'était là que les agents amerloques allaient passer. Tous les deux. Il ne s'était pas trompé.

Il se redressa et revint rapidement vers sa bicyclette. Il épousseta les feuilles qui la dissimulaient et se mit aussitôt à pédaler sur le sentier forestier plongé dans l'ombre qui l'emmènerait jusqu'aux abords de Weiden... Jusqu'à Heinz.

Il allait falloir agir vite....

Maintenant.

WEIDEN

20 h 47

Il était près de neuf heures quand Erik et le sergent Klein s'arrêtèrent devant la prison de Weiden. Klein avait ses ordres. Ils repartiraient tous les quatre pour la ferme Zollner à vingt-trois heures trente.

Erik entra dans le bâtiment. Il se dirigea droit vers sa chambre, il aurait deux heures et demie pour prendre un peu de repos. Il en avait besoin. Maintenant qu'il avait la possibilité de s'allonger, il se sentit soudain épuisé jusqu'à l'os.

Il allait voir Don et s'effondrer deux heures. Ce serait peut-être sa seule occasion d'ici un moment.

La porte portait en grosses lettres noires la mention UNTERSUCHUNG UND HAFT — FRAUEN : « Fouilles et détentions — Femmes. » En dessous Murphy avait écrit à la craie : C.I.C. 212 — PRIVÉ.

Erik poussa la porte et entra.

Il fut un peu surpris de trouver la lumière allumée. Son regard alla aussitôt aux fenêtres. Les rideaux de black-out étaient tirés. Il se dirigea vers son lit. Chaque fois qu'il le regardait il se demandait où Murphy l'avait déniché. Le grand châlit en cuivre tarabiscoté n'avait vraiment pas l'air à sa place dans le cadre sinistre et nu d'un poste de police. Le lit de camp de Don dans l'autre coin semblait bien moins incongru. Mais l'énorme monstre de cuivre était confortable, même si les ressorts rouillés grinçaient un peu et si le vieux matelas était bosselé de façon éhontée. Erik éprouvait dedans une impression luxueuse d'être « chez lui ». C'est extraordinaire ce à quoi on pouvait s'habituer. Y a-t-il un concept plus relatif que celui du confort-?

Il remarqua tout d'un coup des bruits d'eau venant de la petite alcôve derrière le rideau tout déchiré qui dissimulait le lavabo avec sa cuvette craquelée et son pot à eau sans poignée.

« Hé, Don, cria-t-il. Tout est réglé de ton côté ? »

Les bruits d'eau cessèrent brusquement. Mais il n'y eut pas de réponse.

« Don ? » Erik fronça les sourcils et s'approcha du rideau. « Nous partons pour la ferme dans deux heures. Je vais roupiller un peu. Secoue-toi. veux-tu ? » Il écarta le rideau.

Il resta bouche bée.

« Anneliese ! »

La fille demeura immobile. Elle le regardait avec de grands yeux affolés, serrant une serviette kaki devant elle, dans un effort pour dissimuler sa nudité. Sa blouse de paysanne était accrochée à un clou sur le mur derrière elle.

Erik la contempla.

Elle était belle. Ses cheveux blonds étaient relevés sur sa tête, la peau lisse de son cou était encore humide là où elle s'était lavée. Elle était parfaitement belle et vulnérable. Ses grands yeux pleins d'appréhension ne le quittaient pas.

« Anneliese », répéta-t-il. Son ton était doux.

Le petit bout d'une langue nerveuse jaillit d'entre ses lèvres.

« Le sergent », dit-elle d'une voix que la crainte rendait mal assurée. « Il a dit... Il a dit que vous seriez tous les deux absents cette nuit. Il a dit que je pourrais rester encore ici. Jusqu'à demain. Je suis désolée. *Bitte,* je... »

Erik lui sourit.

« Ne vous affolez pas. Ça ne fait rien. lui assura-t-il. Nous allons en effet partir. Dans peu de temps. Vous pouvez rester si vous voulez. »

La fille se détendit un peu. Un petit sourire apparut dans son regard en même temps que sur ses lèvres.

« Merci », murmura-t-elle.

Elle baissa les yeux. De toute évidence elle se rendait compte qu'elle n'avait que la serviette devant elle. La maintenant d'une main, elle tendit le bras pour décrocher son corsage.

« S'il vous plaît ? » fit-elle en regardant Erik.

Il sourit. Il tourna les talons pour s'en aller quand soudain la serviette glissa un peu de l'épaule de la jeune fille. Une vilaine meurtrissure marquait la peau veloutée. Erik l'examina en fronçant les sourcils.

« Qu'est-ce qui vous est arrivé ? »

Anneliese s'arrêta dans son mouvement. Elle se crispa.

« C'est... Ça n'est qu'un bleu.

— Il est carabiné. » Il regarda de plus près. « La peau est entaillée. Vous feriez bien de vous méfier d'une infection. »

La fille leva les yeux vers lui.

« Ça ira.

— Attendez une minute. Nous allons arranger ça. »

Erik ouvrit une petite sacoche fixée à sa ceinture et en tira une trousse de premiers soins.

« Comment est-ce arrivé ?

— Je... Je suis tombée. »

Il prit le paquet de poudre de sulfamide dans sa trousse. « Vous devriez regarder où vous marchez. Vous... »

Il s'arrêta soudain. Il regarda brusquement la fille devant lui. Il rencontra son regard.

« C'était ce soir, dit-il doucement. Là-bas. N'est-ce pas ? »

Elle hocha la tête.

Il ouvrit le paquet. Doucement il se mit à répandre la poudre sur la meurtrissure qu'avait Anneliese à l'épaule. Elle restait parfaitement immobile, comme si elle avait peur de bouger, de le regarder.

« Des sulfamides », expliqua-t-il. Ça suffira. »

Il se rendit compte soudain du martèlement de son sang à ses oreilles. Il sentit le désir qui montait en lui, la tendresse. Anneliese.

Cette fine poudre jaune répandue sur sa peau d'un brun doré lui donnait une extraordinaire impression d'infinité. Il laissa le flot montant d'excitation déferler sur lui.

Il la regarda. Il vit son ravissant visage, sérieux, interrogateur...

Et puis elle fut dans ses bras. Une étreinte soudaine, sauvage. Un baiser avide qui lui broyait la bouche...

La serviette glissa par terre. Les mains empressées d'Erik cherchèrent et trouvèrent les seins pointés de la fille. Il les enveloppa, il les caressa avec une nostalgie douloureuse. Il posa sa bouche sur un bouton gonflé et tira vers lui autant qu'il put de cette chair ferme tiède et douce. Sa langue jouait avec le bouton gonflé. Il mordilla avec juste assez de force pour arracher à la fille un gémissement de plaisir.

Il la prit dans ses bras. Il la porta jusqu'à l'énorme lit de cuivre. Il ne sut même pas comment il s'était débarrassé de ses vêtements.

Il contempla le jeune corps nu. Il savait qu'il n'avait jamais rien vu de plus parfait, de plus désirable, dans toute sa vie. Et qu'il ne reverrait jamais rien de pareil...

Il baissa les yeux, parcourant toutes les courbes de ce long corps offert.

Il enfouit son visage contre cette chair chaude et frémissante...

Il se sentait tout à la fois totalement serein et violemment excité.

Il s'approcha d'elle. Près. Tout près. Jamais assez près...

Tous ses sens étaient pleins d'elle. L'odeur de son excitation et de son désir, qui les enveloppait tous les deux dans une aura de sexualité déchaînée, emplissait ses narines ; les petits gémissements qui s'échappaient de ses lèvres l'excitaient follement ; le goût doucement salé de ses jeunes seins fermes le faisait frémir ; chaque centimètre carré de son corps brûlant de désir semblait flamber au contact de cette peau d'une douceur de soie ; ses yeux s'abreuvaient à l'intolérable beauté de son visage, avec les lèvres humides et écartées, les yeux fermés dans l'extase, la tête renversée dans une attente impatiente, les cheveux blonds répandus dans l'abandon... Belle. Belle. Belle.

Il n'arrivait pas à se rassasier d'elle. Il recherchait chaque courbe, chaque pli caché de ce corps qui réagissait si passionnément. Il se grisait de la sentir et de la toucher.

Il frissonna de plaisir lorsque ses mains douces se mirent à l'explorer dans une suite ininterrompue de découvertes et de caresses.

Anneliese. Anneliese...

Il se déplaça pour la pénétrer.

Elle se tendit pour le recevoir, un sanglot profond s'arrachant à sa gorge. Elle se cramponna farouchement à lui.

Et il se jeta en elle. Chaque cellule de son corps, comme animée d'une vie indépendante, lui semblait gonflée de l'angoisse de la passion. Il était déchiré entre la sauvagerie et la tendresse, entre le désir irrésistible de ravager, de broyer et le besoin insurmontable de caresser et d'aimer.

Il se sentit s'envoler jusqu'à des hauteurs insoupçonnées. Puis monter encore plus haut...

Il remuait frénétiquement suivi dans chacun de ses gestes par la fille qui sanglotait.

Le temps n'existait plus. Le monde non plus. Il n'y avait

pas d'autre vie. Et elle, elle existait. Totalement, absolument...

Il se sentit exploser soudain en elle. En un seul instant gigantesque et éternel, il se sentit vidé de toute substance. Et en même temps il se sentait empli d'un sentiment de total accomplissement.

Anneliese...

De quelque part, à des millénaires dans le passé, pendant une fraction de seconde un affreux souvenir avait percé son esprit de sa lance glacée ; mais cela s'était aussitôt consumé dans le feu de l'extase.

Il ne savait même plus que c'était arrivé. Il n'était plus que dans le présent. Maintenant...

Ils étaient allongés côte à côte, baignant dans le rayonnement d'après l'amour. Anneliese bougeait voluptueusement contre lui.

« Erik, chuchota-t-elle. Jamais ça n'a été si bon pour moi. »

Il resserra son bras autour d'elle.

Mon Dieu, songea-t-il. Si elle savait comme c'était bon pour moi...

Cela avait été plus pour lui que le simple plaisir physique, plus que le seul soulagement sexuel. Beaucoup plus. Au fond de sa mémoire il savait pourquoi. Il savait qu'enfin il avait vaincu le cauchemar qui l'avait hanté si longtemps. Il savait, mais il ne voulait pas laisser sa conscience s'attarder là-dessus. Ce n'était pas la peine. Plus maintenant...

Il sentit une vague d'infinie tendresse envers cette fille. C'était à cause d'elle. Il ne l'oublierait jamais. Jamais.

Elle s'agita auprès de lui.

« Erik, fit-elle. Tu as... Tu as déjà connu d'autres filles allemandes ? Comme ça ? »

Sa mémoire fit un saut en arrière. C'était à Berlin. Il était là pour les Jeux Olympiques de 1936. Il l'avait vue dans une boutique du Kurfürstendamm et aussitôt elle lui avait plu. Il l'avait suivie de boutique en boutique avant de rassembler enfin assez de courage pour lui parler. Il n'avait encore jamais rien fait de pareil. Et pas depuis. Il lui avait d'abord adressé la parole en français. Il avait l'impression que cela lui donnerait un air cosmopolite. Et il avait désespérément envie de l'impressionner. Il avait porté ses paquets et avait insisté pour obtenir un numéro de téléphone où il pourrait l'appeler. Il avait été ravi quand elle le lui avait donné, ne s'imaginant pas une seconde que ce pouvait être un faux. Mais c'était le vrai numéro. Il l'avait invitée au Café du Tiergarten et il était si nerveux qu'il avait renversé toute une tasse de chocolat sur sa robe blanche. Mais ils avaient eu une liaison. Une magnifique liaison dont il se souviendrait toujours. C'était sa première aventure. Il avait dix-huit ans...

Il soupira.

« Non, répondit-il.

— Je suis heureuse », murmura-t-elle.

Il caressa son corps nu. Elle se blottit plus près de lui. Il la sentit réagir. Il s'assit. Non. Pas maintenant. D'un instant à l'autre, Don allait venir le chercher. Il sauta au bas de l'énorme lit de cuivre. C'était vraiment un beau lit !

« Allons, ma fille, dit-il avec entrain. Hors de mon lit ! Tu y as paressé assez longtemps. » Il se mit à enfiler son pantalon.

Anneliese se mit à rire.

« Non, dit-elle en se blottissant sous la couverture. C'est ma place ici. C'est mon lit, cette grande horrible chose. Pour cette nuit.

— Très bien », dit-il d'un ton résolu. Il prit sa jupe accrochée à une chaise. « Alors je vais simplement emporter ça. Pour être sûr que tu seras ici quand je reviendrai.

— Non ! »

Anneliese s'assit dans le lit. « Donne-la-moi, Erik, *Bitte.* »

Erik secoua la tête avec une exaspération feinte. « Tu es bien une femme, observa-t-il. Toujours à changer d'avis... Bon... la voilà ! »

Il lui lança la jupe. Elle heurta un des montants de cuivre. Il y eut un bruit bref et étouffé et un petit objet jaillit d'une petite poche de la ceinture pour tomber par terre. Il roula un moment et s'immobilisa.

Anneliese était assise dans le lit, pétrifiée. Tendue. Crispée. Le visage pâle, ses yeux ne quittant pas Erik.

Il se pencha pour ramasser l'objet. Il se raidit. Il le prit dans sa main. Il le contempla longuement. Il avait l'impression tout d'un coup qu'il n'avait plus une once de force. Il se sentait totalement, terriblement vide. Quand il lui parla, ce fut d'un ton sans douceur.

« Où as-tu trouvé ça ? »

Elle ne répondit pas, elle ne bougea pas. Elle ne détourna pas de lui le regard de ses grands yeux pétrifiés. Elle restait immobile, serrant sa jupe contre elle comme si soudain elle avait honte de sa nudité.

« Réponds-moi ! »

C'était un cri de colère, de rage. D'angoisse. D'homme trahi... La fille était immobile. Le visage blanc comme un linge, elle le regardait. Lui l'observait, l'œil sévère. Sa voix était tendue, mais calme — d'un calme inquiétant — lorsqu'il dit :

« C'est une bague de SS Tête de Mort ! Maintenant dis-moi bon Dieu ! *Où l'as-tu trouvée* ? »

Anneliese ne répondit pas. Elle paraissait terrifiée. Elle parut se recroqueviller en secouant imperceptiblement la tête.

Erik se força à regarder de plus près la bague. A l'intérieur il découvrit une inscription. A haute voix il lut :

« Standartenführer Kurt Leubuscher. »

Il leva les yeux vers la fille tremblante devant lui, le regard toujours sévère.

« Qui est ce colonel SS qui porte ton nom, Anneliese ? Ton mari ? »

Il parlait d'un ton froid, mordant. Entre ses lèvres exsangues Anneliese murmura :

« Non ! Je t'en prie Erik... Non ! »

Il s'approcha d'elle soudain. Il lui saisit le bras. Il était froid. Il la secoua.

« Réponds-moi ! *Qui ?* »

Elle cria :

« Mon père ! »

Il la lâcha. Elle enfouit son visage dans ses mains et éclata en sanglots désespérés. Erik la regardait. Il resta un moment silencieux. Son visage peu à peu perdait son expression de colère, d'orgueil blessé. Il se rendit compte que sa fureur avait un caractère personnel. Il se sentait la victime d'une monstrueuse duperie. Le dégoût lui montait à la gorge, mais il comprenait aussi la terreur que cette fille devait éprouver. Il réagissait trop fort. Il le savait. Mais, bon Dieu, comment pouvait-on s'attendre à le voir réagir, après... Nom de Dieu !

Il lança à la fille un regard sombre, déchiré entre le sentiment qu'il éprouvait pour elle et le devoir inévitable qu'il savait être le sien.

« Bon, Anneliese, fit-il doucement. Du calme. Raconte-moi. »

Elle leva les yeux vers lui. Avec ses grands yeux pleins de larmes, elle était extrêmement séduisante. Il s'arma de courage.

« C'est un homme bon, mon père. » La voix de la fille était mal assurée, mais on sentait une force inattendue. « Il ne mérite pas de... de... » Elle porta la main à sa bouche pour étouffer un sanglot.

« Où est-il, Anneliese ? demanda Erik. Où est-il maintenant ? »

Elle leva aussitôt les yeux vers lui et ne répondit pas.

« Allons, Anneliese. Tu sais qu'il faudra que tu me le dises, tôt ou tard. »

La fille le regarda bien en face. Il y avait dans ses yeux un mélange de peur et de défi. Soudain les mots sortirent, précipitamment.

« Je sais que tu essaieras de me le faire dire ! Je sais que tu me tortureras et que tu essaieras de me faire trahir mon père. Mais je te le dis tout de suite... je ne le ferai pas ! » Ses yeux flamboyaient. « Quoi que tu me fasses, je ne parlerai pas ! »

Erik la regarda, abasourdi.

« Te torturer ? s'exclama-t-il, l'air incrédule.

— On nous a dit que c'est ce que vous feriez, les Américains, à tous les officiers SS que vous prendriez. Et à sa famille. A moi. On a... On a montré des photos. » Ses yeux s'emplissaient de crainte au souvenir de cette épreuve. Elle foudroyait Erik du regard. « Tu ne lui feras pas ça ! Je ne te laisserai pas ! »

Erik était ébranlé. La véhémence de la fille, les notions fausses qu'elle avait, tout cela était manifestement sincère. Mais ce que ces paroles impliquaient ne lui échappa pas. Ça y est, se dit-il. Il est ici !

Il se contraignit à reprendre son rôle familier.

« Ton père est ici, à Weiden. N'est-ce pas, Anneliese ? » demanda-t-il. Sa voix était dure, implacable.

La fille sursauta. Elle le regarda avec des yeux agrandis par la peur. Il soutint son regard.

« Bien sûr, dit-il d'un ton glacial. C'est pour ça que tu n'avais pas l'air de trouver le moyen de partir pour Regensburg. Tu attendais de pouvoir t'arranger pour l'emmener aussi. »

Il la regarda droit dans les yeux.

« C'est pour ça que tu t'es jetée dans mes bras. »

Il avait du mal à maîtriser sa colère, sa révulsion.

« C'est pour ça que tu m'as collé tes seins sous le nez ! C'est pour ça que tu étais si pressée de te retrouver au lit avec moi ce soir ! »

Anneliese baissa la tête.

« Non, Erik, murmura-t-elle. Non. Pas ce soir...

— Pas ce soir ! » répéta-t-il. Un monde s'effondrait. Il se sentait accablé, écrasé. *La guerre !* se dit-il avec amertume. Ça aussi n'était rien d'autre que la guerre. Intelligence contre intelligence. Sexe contre sexe. Et, bon Dieu, le sexe est une arme puissante !

Anneliese pleurait doucement. Il la regarda un moment et ne fit aucun geste pour s'approcher d'elle. Il prit sa chemise et se mit à l'enfiler.

« Bon. Finissons-en ! » dit-il d'un ton neutre. Impersonnel. « Où est-il ? »

Anneliese demeura silencieuse. Erik se tourna vers elle, soudain furieux.

« Qu'est-ce qu'ils t'ont raconté, bon Dieu ? »

Elle prit une profonde inspiration et ne leva pas les yeux.

« Que... que mon père serait abattu s'il était pris. Parce que c'est un SS, fit-elle d'une voix à peine audible. Ou bien mis dans un camp de concentration où il mourrait — lentement. Qu'on me ferait n'importe quoi pour me faire dire où il est. »

Erik la dévisagea.

« Des conneries ! fit-il avec rage. De pures conneries de la Gestapo ! »

Elle tressaillit. Il la regarda sans douceur. Bon Dieu, se dit-il. Ils n'ont rien négligé, ces salauds. Ils l'ont bourrée d'histoires d'horreur pour la mettre au pas. Quelle chance avait-elle jamais de s'en tirer ? Il éprouva brusquement pour elle de la pitié.

« Personne ne va te faire de mal, Anneliese », fit-il doucement.

Elle leva les yeux vers lui.

« Alors tu vas me laisser partir ? » Elle ne le croyait pas elle-même.

Il se détourna.

« Non, fit-il, l'air sombre. Je ne peux pas faire ça. Pas maintenant... »

Anneliese parut s'effondrer, se recroqueviller sur elle-même. Son visage était soudain gris et tendu, vide de toute émotion. C'était bien ce qu'elle avait prévu.

« Je ne parlerai pas, murmura-t-elle, d'une voix que le désespoir rendait rauque. Quoi qu'on me fasse, je ne parlerai pas.

— Assez ! »

Il était fatigué. Epuisé.

« Je t'ai dit que personne n'allait te toucher. »

Anneliese leva lentement la tête, jusqu'au moment où son regard rencontra celui d'Erik.

« Et mon père ? demanda-t-elle. Qu'est-ce que vous allez lui faire ?

— Il va falloir que je l'arrête, Anneliese. Il va être interné. Pendant quelque temps... »

Elle ne dit rien. Son silence était assez éloquent. Serrant sa jupe devant elle, elle se leva.

« J'aimerais bien m'habiller maintenant. »

Il s'écarta. Il ne savait pas quoi faire d'autre.

Anneliese se dirigea vers l'alcôve et disparut derrière le rideau. Erik s'assit sur le grand lit de cuivre. Il le contempla. Et dire, songea-t-il, qu'il y a quelques instants... Il avait un sentiment terrible d'impuissance, d'être totalement incapable de contrôler le cours des événements. Il avait horreur de ça. Il se détestait ; il détestait son travail ; toute cette foutue guerre...

Mais il fallait essayer.

« Anneliese, dit-il. Essaie de comprendre. Je sais que ça a l'air banal, mais c'est vraiment pour ton bien, et pour le bien de ton père. Tu ne comprends pas ? Si je le ramène maintenant, s'il se rend à moi, ce sera pour vous deux plus facile, je te promets que je vous défendrai. »

Il se tourna vers le rideau. Aucun bruit ne venait de la petite alcôve. Il fronça les sourcils. « Je ne peux pas le laisser partir, Anneliese, bon Dieu, c'est mon boulot ! Puisque c'est un colonel SS, il faut que ton père soit arrêté. Il doit être interrogé... »

Il s'arrêta. Il tendit l'oreille. Anneliese ne faisait aucun bruit.

« Je te le promets, s'il est okay, on le laissera partir. Personne ne le maltraitera. Mais il lui faut des papiers. Tu le sais. Et pour toi aussi. Et c'est la seule façon d'en obtenir. »

Il se leva et fit un pas vers l'alcôve. Puis il s'arrêta.

« Ecoute, dit-il. Si je te laisse partir maintenant, si je n'arrête pas ton père, quelqu'un d'autre le fera. Et sans connaître toute l'histoire. Tu ne comprends pas ? Il ne peut pas continuer à être perpétuellement en fuite. Essaie de comprendre, Anneliese. Essaie de m'aider. Tout va s'arranger... »

Il s'arrêta, l'oreille aux aguets.

Il n'y avait que le silence... Brusquement brisé par un soudain fracas !

Des éclats de porcelaine bleue se répandaient dessous le rideau délabré.

En deux pas, Erik était à l'alcôve. Il écarta violemment le rideau...

Sur le sol, Anneliese gisait au milieu des fragments de la cuvette de porcelaine fracassée. Silencieuse, blanche, immobile.

Autour de sa gorge, profondément enfoncé dans la chair, le cordon de son corsage était noué fermement, l'étranglant...

Erik aussitôt se précipita sur le nœud. Frénétiquement il essaya de le défaire. Il était trop serré. Il n'arrivait pas à avoir de prise. Désespérément il essaya de glisser les doigts sous le cordon pour le déchirer. Impossible.

Fébrilement il regarda autour de lui, l'œil fou. Sur la table de toilette il repéra un rasoir et en arracha la lame. Il se mit à scier le cordon qui mordait dans la chair de la fille, se forçant à ne pas faire attention au sang qui jaillissait des coupures qu'il était obligé de lui infliger.

Le cordon lâcha...

Il lui souleva la tête. Il l'appela par son nom. Encore. Et encore. Elle ne réagit pas. Son visage sans vie le contemplait sans le voir.

Il pressa ses lèvres contre celles de la fille dans un effort désespéré pour lui insuffler sa vie...

Mais elle était morte.

Il s'assit par terre, prenant entre ses bras la tête de la jeune fille. Il était fou de rage. Contre le monde entier. « Anneliese, murmura-t-il avec angoisse. Anneliese... tu n'avais pas besoin de faire ça... Tu n'avais pas besoin de faire ça... »

La porte s'ouvrit toute grande. Don et Pierce se précipitèrent dans la pièce. Ils s'arrêtèrent net sur le seuil.

« Qu'est-ce qui s'est passé ? » dit Don d'une voix étouffée.

Lentement Erik laissa la fille retomber parmi les éclats de porcelaine brisée. Il se redressa.

« Elle ne m'a pas cru », dit-il d'une voix sans timbre. Il ne s'adressait à personne en particulier. « Elle a cru cette foutue propagande de la Gestapo. »

Il s'approcha du lit. Il prit l'anneau de SS à Tête de Mort. Pendant un moment il le contempla. Puis il regarda le grand lit de cuivre. C'est affreux, songea-t-il avec un brusque frisson. Affreux !

Don s'approcha de lui.

« Erik... je...

— Laisse ! fit Erik, l'interrompant. Il n'y a rien que tu puisses dire... Il n'y a rien que personne puisse dire. »

Il se tourna vers Pierce.

« Voici un tuyau pour toi, Pierce, fit-il d'une voix sans douceur. Le résultat de mon dernier interrogatoire. » Il lui lança la bague.

« Arrestation automatique. Il se cache. Ici même à Weiden. »

Il se tourna vers le corps inerte d'Anneliese. Rien n'est absolument aussi immobile que la mort, songea-t-il. Même les choses sans vie peuvent bouger. Mais pas la mort...

Il se retourna vers Pierce. Son regard était terrible à soutenir.

« Colonel SS Kurt Leubuscher, dit-il. Il est à toi ! »

LA ROUTE DE SCHONSEE A WEIDEN

23 h 43

Willi approuva l'emplacement choisi par Krauss pour l'embuscade. Ça leur laissait une bonne ligne de feu et les arbres jetaient sous le clair de lune de longues ombres sur la route, ce qui était un parfait camouflage pour leurs préparatifs. Ils n'avaient plus maintenant qu'à attendre...

Il avait beau être en alerte depuis près de vingt heures

d'affilée, Willi se sentait encore très excité. La mission contre l'officier courrier de bonne heure ce matin avait été parfaitement exécutée. Il savait que le général était content et il se demandait ce qui se trouvait dans la sacoche du courrier. Il espérait que c'était quelque chose de vraiment important. Peut-être même des renseignements conduisant à l'élimination d'Eisenhower ! Cette pensée l'excita.

Quand on signala à Krueger le problème critique de Plewig et des agents américains, Willi n'eut aucun mal à persuader le général de le laisser se charger de l'opération prévue. Il n'avait pris que deux hommes, l'un d'eux étant Steiner, qui était revenu avec lui au Sonderkampfgruppe Karl avec les documents capturés après s'être débarrassé du courrier et de son chauffeur. Ils étaient maintenant tous armés de mitraillettes Schmeisser. Ils avaient besoin d'une bonne puissance de feu.

Il jeta un coup d'œil aux autres hommes allongés dans l'obscurité des buissons. Krauss et Leib du quartier général Werewölf *Sicherungsstaffel,* Steiner et lui, lui-même en arrière-garde. Ils étaient prêts.

Soudain il se crispa. Au loin on entendait vaguement les véhicules qui approchaient sur la route. Au moins deux. Venant de Weiden...

Il engagea une balle dans le canon de son arme.

Les deux jeeps roulaient vite. Elles n'avaient que leurs lanternes camouflées, mais la nuit était assez claire pour qu'on distinguât parfaitement la route.

Don et le sergent Murphy étaient dans la jeep de tête, Murphy au volant. Erik et le sergent Klein suivaient, Klein conduisait. Les deux véhicules étaient en état de combat, la capote repliée, les pare-brise reposant sur les capots pour éliminer tout obstacle au cas il faudrait faire feu rapidement.

Erik était assis crispé auprès de Klein dans un silence obstiné. Le sergent avait essayé d'engager la conversation, mais Erik avait coupé court. Il n'était pas d'humeur à bavarder. Pas encore. Il était navré. Klein était un brave type. Il s'excuserait plus tard.

Il se rendit compte soudain que ses mains lui faisaient mal. Il regarda et s'aperçut avec un certain étonnement qu'il serrait si fort la mitraillette posée sur ses genoux qu'il commençait à avoir des crampes dans les doigts. Au prix d'un effort délibéré, il les détendit. Il se força à penser à l'action qui l'attendait. Il gardait les yeux fixés sur la route sombre. Ils suivaient de près la jeep de Don...

Soudain et sans le moindre avertissement, il vit : un reflet métallique dans l'air au-dessus de la route.

Un frisson glacé lui parcourut l'échine. Il ouvrit la bouche pour hurler un avertissement, et à cet instant même la jeep de tête arriva droit dessus : un mince fil tendu en travers de la route entre deux arbres, exactement de la hauteur de la gorge d'un homme et suivant un angle légèrement incliné pour assurer le maximum de puissance de coupe.

Erik n'avait pas eu le temps d'émettre le moindre son quand le fil frappa Murphy et Don...

Ce fut un instant de pure horreur.

Dans la lumière fantomatique on aurait dit que la tête de Murphy avait été instantanément et totalement coupée... ou bien était-ce son casque qui s'envolait ? Don fut violemment projeté à bas de la jeep. Erik ne le vit pas retomber. Dans une vision de cauchemar, il aperçut le corps recroquevillé et apparemment décapité de Murphy penché sur le volant, tandis que la jeep folle allait s'écraser dans le fossé.

Instinctivement il se baissa.

Ç'avait été trop tard, mais l'impact des deux hommes devant lui avait fait claquer le fil tendu avec un *ping* vibrant. Il se sépara en deux extrémités qui vinrent fouetter la nuit avec un *whooosh* à vous glacer le sang.

Klein avait écrasé la pédale de frein et ils s'immobilisèrent avec une brusquerie qui précipita Erik contre le tableau de bord.

Au même instant plusieurs armes automatiques ouvrirent le feu sur eux de l'autre côté de la route.

Erik sauta à bas de la jeep. Une grêle de balles fit jaillir la poussière à quelques centimètres de lui. Il se laissa rouler derrière la voiture. Il fut surpris de constater qu'il étreignait toujours sa mitraillette. Il se mit à arroser les bois en face de la route par courtes rafales. Il se rendit vaguement compte que Klein lui aussi tirait de l'abri du fossé.

Il y eut une brusque explosion qui ébranla le sol et il tourna la tête vers l'autre jeep. Le feu de l'ennemi avait atteint le réservoir ; la jeep n'était qu'une boule de feu. Il se représenta brièvement Murphy affalé sur le volant.

Il continuait à tirer...

Il cherchait la flamme jaillissant des canons des armes de ses adversaires et quand il en repéra une, il tira une rafale dans l'ombre du buisson. Il crut voir une ombre plus sombre s'agiter un instant et il fit feu de nouveau.

Soudain tout s'arrêta.

Le fracas des armes automatiques avait été si intense qu'il ne parut pas mourir tout d'un coup mais s'éloigner dans un grondement comme le tonnerre.

Puis il n'y eut plus que le silence et le craquement de la jeep qui brûlait.

Prudemment, Erik sortit de son abri. Il se rendit compte que Klein émergeait du fossé. Son attention tout entière se concentrait sur les bois de l'autre côté de la route.

Mais leurs assaillants avaient disparu.

Il se précipita vers la jeep en feu. Murphy avait été projeté dehors. Il gisait dans les herbes folles non loin de là. Erik se pencha vers lui. Et regarda.

Le fil métallique avait bien fait son travail.

Le sang tiède coulait encore doucement du cou décapité du sergent Murphy...

Il entendit Klein qui vomissait derrière lui. Il lutta contre la nausée qu'il sentait monter. Il se détourna.

Don ? Où était Don ?

Il le vit. Il gisait immobile sur le sol non loin de là, sa tête et ses épaules dissimulées par une souche.

Dissimulées ?

Il s'approcha d'un pas hésitant. Il ne pouvait pas en supporter davantage... Pas davantage.

Il s'affala à genoux sur le sol.

Don gémit et s'agita.

Erik sentit ses jambes se dérober sous lui dans son soulagement. Doucement, il souleva Don. Il avait une vilaine meurtrissure rouge en travers du front.

Klein arriva.

Carabine au point, il ne cessait de surveiller les buissons.

Don reprenait ses esprits. Il leva les yeux vers Erik et porta la main à son front. Il vit son casque sur le sol auprès de lui et le ramassa. Sur le devant il y avait une entaille toute fraîche dans le métal là même où le fil avait frappé.

Don regarda Erik.

« Un fil à guillotine ? »

Erik acquiesça.

Soudain inquiet, Don regarda autour de lui.

« Jim ? »

Ni Erik ni Klein ne dit rien. Don jeta soudain son casque dans la poussière.

« Les salauds ! grommela-t-il, sa voix vibrant d'une âpre fureur. Les abominables salauds ! »

Erik l'aida à se relever. Un moment les deux hommes restèrent silencieux à se regarder par-dessus un gouffre noir d'horreur et de chagrin.

Erik tourna lentement les yeux vers l'autre côté de la route.

« Dans quoi diable nous sommes-nous fourrés ? » fit-il lentement.

Il se retourna vers Don. Son visage exprimait une redoutable détermination. Il dit :

« Dieu m'en est témoin... Demain, on va leur en faire voir ! »

QUATRIÈME PARTIE

30 avril 1945

SCHONSEE

La ferme Zollner

5 h 11

La lourde lumière grise d'avant l'aube baignait la ferme Zollner, les champs et la forêt un peu plus loin comme les voiles du sommeil s'écartent peu à peu sur les yeux au premier réveil.

Dans la cour de la ferme, l'enclos pour les prisonniers ceint de barbelés était vide, attendait, les canons d'acier des mitrailleuses en position n'étaient braqués sur rien. La présence du tas de fumier se faisait moins sentir à une heure aussi matinale ; cela changerait quand le soleil commencerait à taper dessus, plus tard dans la journée. A la porte de la ferme deux M.P. montaient la garde. Deux jeeps avec des chauffeurs de la police militaire, étaient garées juste à l'intérieur. Sur la banquette avant de l'une d'elles était assis le commandant Harold Jr. Evans. Il avait l'air impatient.

Erik, Don et le sergent Klein émergèrent de la ferme et se dirigèrent d'un pas vif vers les deux jeeps qui attendaient.

Erik éprouva un vague agacement en voyant Evans. Cet emmerdeur ! songea-t-il. C'est bien de lui d'être dans ma jeep ! Il se tourna vers Klein.

« Don sera avec la compagnie A, dans le secteur est, dit-il. Je serai avec la compagnie B à l'ouest. »

Il consulta sa montre.

« Ça ne devrait pas leur prendre plus de deux heures environ pour ratisser toute la forêt. »

Klein acquiesça.

« S'il y a quelqu'un là-dedans, ils les trouveront sûrement », renchérit-il.

Erik et Don se retournèrent vers lui d'un seul geste.

« Si !

— Il vaudrait mieux qu'ils y soient ! fit Don d'un ton résolu.

— Nous reviendrons ici dès que nous aurons mis les troupes en marche, dit Erik.

— Bon. Nous serons prêts et nous attendrons. »

Don se dirigea vers sa jeep. Erik s'arrêta devant la sienne.

« Bonjour, commandant, dit-il, d'un ton froid. Vous faites le voyage avec moi ? »

Evans se tourna vers lui.

« Je présume que vous n'y voyez pas d'inconvénients ? »

Erik ne répondit pas. Il sauta à l'arrière de la jeep. L'idée lui vint qu'il devrait être fichtrement agacé par la façon hautaine dont Evans l'avait relégué sur la banquette arrière. Mais ça lui était bien égal. Evans se retourna pour le regarder.

« Il paraît que vous avez eu... des ennuis hier soir. »

Erik ne parvint pas à contenir l'amertume dans son ton.

« Oui, commandant, dit-il. Un de vos « incidents mineurs ».

— Dommage », fit Evans en secouant gravement la tête.

Il se remit face à l'avant.

« Oui. Dommage... » Un moment Erik regarda la lumière grise de l'aube. Son regard était las. Il y avait dans son esprit un vide sombre. Il y fourra délibérément toutes les pensées d'Anneliese, de Murphy. Il voulait les oublier. Pour l'instant...

Il fit signe au chauffeur.

« Allons-y », dit-il d'une voix sans timbre.

Les deux jeeps démarrèrent. Klein mit ses mains en porte-voix et leur cria :

« Bonne chasse ! »

Evans ricana tout seul. Il n'arrivait pas à savoir s'il se sentait satisfait ou agacé. Certes, il avait remis à sa place cet insupportable agent du C.I.C. Il lui avait montré que c'est la place d'un officier que d'être devant ! Mais il était quand même entraîné dans cette ridicule expédition.

De nouveau il ricana, cette fois de façon audible.

Des Werewölfs ! songea-t-il avec mépris.

WEIDEN

5 h 26

Krauss se sentait mal à l'aise.

Il était encore tôt, mais déjà les rues de Weiden commençaient à s'animer. Même en temps de guerre, les habitants d'une bourgade agricole se lèvent avec le soleil.

Il avait la désagréable impression qu'on le remarquait tandis qu'il se dirigeait vers la maison bombardée, bien que son esprit lui soufflât qu'il ne se distinguait pas des autres piétons se hâtant dans la rue. Il se força à ne pas prendre l'air furtif en jetant un coup d'œil autour de lui avant de plonger dans la cave de l'immeuble en ruine.

Il se fraya un chemin en descendant l'escalier jonché de débris. On n'y voyait rien. Il ralentit.

Il n'aimait pas ça. Pas du tout. Trop de contacts. C'était dangereux. Mais Heinz connaissait le système de communications. Pas lui. On n'y pouvait rien. Pas avec cette situation qui menaçait si terriblement l'opération. Il arriva dans la cave. Un instant il demeura immobile, l'oreille tendue.

Il n'entendit rien.

Il prit dans sa poche une boîte d'allumettes et en craqua

une. La brusque lueur de la flamme lui parut intolérablement vive, le grattement assourdissant. Il scruta l'ombre au delà du cercle de pâle lumière que projetait l'allumette qui brûlait. Il crut distinguer une silhouette qui se détachait de l'obscurité plus grande. L'allumette s'éteignit.

« Heinz ? murmura-t-il.

— *Ja.* »

Il fit un pas en avant. Ses yeux commençaient à s'habituer à la pénombre. Il aperçut la silhouette de son camarade.

« Nous n'en avons eu qu'un, dit-il d'une voix sourde.

— *Verflucht* ! cracha Heinz.

— Steiner a été blessé. Il a fallu l'emmener.

— Avant que votre mission soit accomplie ? »

Krauss frissonna en entendant le froid mordant de la voix de son interlocuteur. Il garda le silence.

« Qui a décidé ?

— L'officier du quartier général. Le lieutenant Richter. » Krauss éprouva soudain le besoin de défendre l'action. « On ne pouvait pas laisser Steiner, dit-il. Ils l'auraient fait parler. Il fallait l'emmener pendant que c'était encore possible. »

Il y eut un moment de silence glacé.

« Votre mission était vitale, dit froidement Heinz. Vous auriez dû le tuer. »

Krauss frissonna.

Il a raison, songea-t-il. Il a raison.

« Et Plewig ? interrogea Heinz.

— Il est à leur quartier général. Nous n'avons pas pu l'approcher. Pas encore. » Krauss se rendit compte soudain qu'il ne chuchotait plus. Il baissa la voix. « De toute façon, il est trop tard. Il a certainement déjà parlé. »

— Il le paiera. » Il y avait du venin dans la voix de Heinz. « Et les Amerloques ? Les agents ? »

Krauss sentit son cœur se glacer. On le tiendrait peut-être pour responsable. Mais il ne l'était pas. Ce jeune officier du quartier général de Krueger, Richter. C'était lui qui commandait. Ce n'était pas sa faute à lui, Krauss, s'ils n'avaient pas réussi à éliminer tous les Américains. Et pourtant, c'est lui qui avait choisi le lieu de l'embuscade. On pourrait le lui reprocher...

La barbe. Il n'allait pas renoncer maintenant.

« Ils sont à la ferme Zollner, » dit-il.

Heinz tressaillit.

« La ferme Zollner ! murmura-t-il. Mais c'est... »

Il s'arrêta court.

Krauss prit une profonde inspiration.

— Je sais, fit-il d'une voix tendue. Mais nous n'arriverons peut-être pas trop tard... »

Il hésita.

« Il va falloir prendre le risque, dit-il. Nous. Nous-mêmes ! »

SCHONSEE

La ferme Zollner

7 h 35

GRUSS GOTT ! TRITT EIN !
BRING GLUCK HEREIN !

Erik était assis à la grande table de bois dans la *Bauernstube* de la ferme Zollner. Il contemplait le vieux proverbe brodé sur un morceau de tissu taché de graisse tendu sur un cadre de bois au-dessus de la porte. Mais il ne le voyait pas. Sur la table devant lui, se trouvaient plusieurs feuilles de papier blanc et il avait un crayon à la main. Mais il n'écrivait pas...

Il laissa son regard parcourir la pièce.

Un énorme poêle à bois noir avec une pile de bûches à côté ; des bancs de bois et des chaises trapues ; un plancher inégal, et non ciré, dont chaque fente, chaque nœud de bois était imprégné de boue piétinée ; des murs blanchis à la chaux, sales et lézardés ; des rideaux tachés, passés, dans un tissu imprimé bavarois classique. Tout cela usé, abimé par des années d'usage.

Il prit brusquement une conscience aiguë de tout cela. De tout ce qu'il y avait dans la pièce. Il se sentait parfaitement déplacé dans ce cadre. Un parfait étranger.

Qu'est-ce que je fiche ici ? songea-t-il.

Tout cela, ça n'a rien à faire avec moi. Rien...

Il contempla le papier devant lui. Ç'avait été une bonne idée. Utiliser l'attente pour commencer son rapport pour le G-2. Mais il n'en avait pas écrit un mot.

Il se rendait parfaitement compte de la tension qui l'étreignait. Il l'avait sentie se développer à mesure que les minutes d'attente devenaient des heures. C'était le suspense. Le suspense avait un effet cumulatif, songea-t-il. Comme les rayons X.

Il s'obligea à se détendre. Peut-être que s'il s'y mettait. La date, voilà. Il pouvait toujours commencer par écrire la date.

« 30 avril 1945 », écrivit-il.

Il regarda. Ça n'était qu'une date. Un jour. Comme tous les autres. Pour l'instant. Allait-il rester comme ça ?

Il s'aperçut tout d'un coup qu'il tendait l'oreille, à l'affût du moindre signe d'activité insolite dehors. Cela l'agaça. Allons, bon Dieu ! Concentre-toi ! se dit-il. Concentre-toi sur ce que tu es censé faire.

La porte s'ouvrit et Don entra dans la pièce. Erik aussitôt leva les yeux vers lui.

« Pas trace d'eux ? » demanda-t-il aussitôt.

Don secoua la tête.

« Pas encore. » Il fronça les sourcils. « Qu'est-ce qui peut bien les retenir ? Il est 8 heures. Ça fait déjà près de deux heures et demie maintenant.

— Ils ont peut-être eu des ennuis.

— Je n'ai entendu aucun coup de feu. »

Erik semblait préoccupé. Il contempla la feuille de papier devant lui. « 30 avril 1945 »... « 30 avril 1945 »...

Don examinait la phrase brodée au-dessus de la porte.

« Je me demande si c'est valable pour nous aussi », murmura-t-il.

Erik leva les yeux.

« Quoi donc ?

— Ça. »

Il traduisit tout haut :

« Dieu vous bénisse ! Entrez ! Apportez le bonheur avec vous !

— Guère. En tout cas, nous ne leur avons pas apporté beaucoup de bonheur.

— Bah, si nous ne l'avons pas fait, c'est bien leur faute. Ils l'ont cherché. » Don regarda autour de lui. « Tu y as jamais réfléchi ? Ici même, mon vieux. Le berceau du nazisme ! Ici même en Bavière. C'est là que tout a commencé... »

Il se mit à arpenter le plancher.

« Tu sais, quand même, je n'y comprends rien, fit-il en secouant la tête. La plupart de ceux à qui nous parlons n'ont pas l'air de si mauvais bougres.

— Je pense que la plupart d'entre eux ne le sont pas.

— Oui. Mais comment diable les sépare-t-on des autres ? Sans les casser. »

Il continuait à marcher de long en large, car il avait besoin de quelque chose à faire. Il se mit à siffloter « Lily Marlène. » Faux.

Erik fixait son papier, le front plissé. Il regardait avec irritation Don qui marchait toujours en sifflant. Bon Dieu ! se dit-il. Comment est-ce que je pourrais me concentrer avec ça ?

Il s'apprêtait à dire quelque chose à Don mais se ravisa. Il se mordit la lèvre... Est-ce qu'il avait entendu quelque chose dehors ? Non. Rien. Pas avec cet emmerdeur qui sifflotait. Il regarda la date.

« 30 avril 1945. »

Don s'arrêta de siffler.

« Est-ce que tu as jamais réfléchi, dit-il, « Lily Marlène » c'est la seule bonne chanson qui soit sortie de cette saloperie de guerre. Lily Marlène. Une chanson allemande ! »

Il se remit à faire les cent pas en sifflant.
Erik leva la tête.
« Nom de Dieu, tu ne peux pas te poser quelque part ? lança-t-il d'un ton agacé. Et arrêter de siffler ! »
Don s'arrêta et regarda son compagnon d'un air mauvais.
« Qu'est-ce qui te prend ? grommela-t-il.
— Rien ne me prend ! J'essaie simplement d'écrire !
— Eh bien, vas-y, bon Dieu ! Que je ne t'arrête pas ! »
Il tourna brusquement le dos à Erik. La porte s'ouvrit et le commandant Evans entra. Aussitôt Don et Erik tournèrent vers lui un regard interrogateur.
Evans s'avança d'un pas nonchalant.
« Eh bien, dit-il. On dirait que les hommes sont lancés à la poursuite d'une chimère comme je le disais.
— Qu'est-ce qui vous fait croire ça ? demanda Erik d'un ton glacé.
— Vous savez quelque chose que nous ne savons pas ? », fit Don sans se donner le mal de dissimuler son hostilité.
Evans sourit. Il était ravi de se montrer condescendant.
« Oh, voyons, dit-il. Ça fait longtemps qu'ils sont partis maintenant. Et nous n'avons pas entendu le moindre signe d'activité.
— Ça ne veut rien dire », dit Don précipitamment.
Evans les regarda l'un après l'autre. Il avait l'air d'un père plein d'indulgence, s'adressant à ses fils égarés et légèrement retardés.
« Ecoutez, fit-il avec une patience exagérée. Dix-sept ans dans les forces de l'ordre et de la police militaire donnent à un homme l'expérience, le flair... il peut sentir s'il y a quelque chose. » Il marqua un temps. Il les regarda tour à tour avec une gravité théâtrale. « Vous n'avez rien du tout ! » déclara-t-il.
Erik réprima sa colère.
Il se leva de la table et s'approcha d'Evans pour se planter droit devant lui.
« Nous ne sommes pas du même avis, commandant, dit-il tranquillement.

— Oh, c'est vous qui vous mouillez. C'est à vous qu'on demandera des comptes. Pas à moi. »

Erik regarda l'officier avec un mépris mal dissimulé.

— Ça m'est égal de me retrouver face à la fanfare, commandant, dit-il. Dès l'instant où c'est moi qui donne le ton. Et pour l'instant, c'est ce qui se passe ! »

Evans s'empourpra.

« Ce que vous autres gens du C.I.C. n'avez pas l'air de comprendre, c'est une chose que nous, professionnels, avons apprise depuis longtemps et durement. Résoudre une affaire, c'est quatre-vingt-dix pour cent de travail assommant de routine et dix pour cent de chance. »

Erik regardait toujours l'officier droit dans les yeux.

« Et nous autres gens du C.I.C., reprit-il, nous avons appris qu'on pouvait fabriquer vos dix pour cent de chance avec un peu d'imagination et de ténacité. Vous n'avez jamais essayé ça ? »

Don éclata de rire et fit un grand clin d'œil à Erik.

« Je n'aurais pas exprimé ça mieux moi-même, général ! » déclara-t-il.

Evans était furieux. Il s'était fait moucher. Moucher par un... par un petit connard d' « agent » dont il était sans doute le supérieur en grade ! Il s'efforça de conserver sa dignité.

« Cette fois, je crains bien que votre... imagination ne vous ait emporté. » Il eut un petit sourire désagréable. « Des Werewölfs ? Mais voyons, ça n'existe pas. »

Soudain la porte s'ouvrit toute grande et le sergent Klein entra en trombe dans la Bauernstube.

« Ils arrivent ! s'écria-t-il tout excité. Ils descendent la route ! »

Erik et Don se retrouvèrent ensemble à la porte de la ferme. Comme un seul homme ils s'arrêtèrent net.

Ils contemplèrent la route avec consternation.

C'était une bien triste procession qui approchait de la ferme. D'abord venaient trois soldats de la Wehrmacht en haillons, les mains croisées derrière la nuque. Leurs uniformes étaient sales et déchiquetés mais ils avaient quand même l'air contents d'eux. Derrière eux se traînaient trois hommes d'un certain âge en civil, de toute évidence des fermiers, leur visage boucané trahissant leur appréhension et leur étonnement. Les six prisonniers étaient gardés par deux G.I's. dont l'un, un caporal, fermait la marche.

Mais à part ce groupe pitoyable, aussi loin que pouvait porter le regard, la campagne était déserte.

Erik sentit son estomac se serrer. Il avait tout d'un coup la gorge sèche. Au prix d'un effort conscient, il avala sa salive.

Ça n'est pas possible, songea-t-il, affolé. Ça ne peut pas être tous leurs effectifs !

Il se dirigea d'un pas rapide vers la colonne, Don sur ses talons. Le caporal les vit approcher.

« Halte, les Boches ! lança-t-il à ses prisonniers. Restez là ! » Il alla à la rencontre des deux agents du C.I.C. Il salua sans se presser, un grand sourire sur son visage.

« Caporal Lawton au rapport avec ses six prisonniers Werewölfs.

— Il n'y a que ceux-là ?

— Hé oui. C'est tout ce que nous avons pu dénicher là-bas.

Erik contempla le pitoyable groupe des prisonniers. Il n'osait pas regarder Don. Il ne voulait pas voir la déception qu'il éprouvait, son inquiétude et son souci se refléter sur le visage de son ami. Il se retourna vers le caporal.

« C'est tout ce que vous avez pu trouver ? » demanda-t-il lentement. Il ne voulait pas y croire. Peut-être que s'il reposait la question, la réponse serait plus satisfaisante.

Lawton de toute évidence s'amusait. Il savourait la situation.

« Absolument. » Il hocha la tête et désigna les trois soldats allemands. « On peut même dire que ce sont ces trois soldats boches qui nous ont trouvés ! Ils étaient là à errer en cherchant quelqu'un à qui se rendre — n'importe qui — quand nous sommes arrivés. »

Il désigna les trois civils.

« Ces trois vieux étaient en train de couper du bois...

tranquilles comme Baptiste. Ils ne m'ont pas l'air d'être des Werewölfs, observa-t-il. Mais on avait ordre de ramasser tout le monde.

— Très bien, caporal ! » fit Erik d'une voix plus sèche qu'il ne le voulait. Il n'appréciait guère la bonne humeur délibérée du sous-officier. Pas pour l'instant. « Emmenez vos prisonniers jusqu'à la ferme et remettez-les au sergent Klein. Dites-lui de les mettre dans la cage.

— La cage ? fit Lawton en haussant les sourcils d'un air surpris. Bien ! et ensuite est-ce que nous pouvons rejoindre notre unité ? Ils sont tous remontés en ligne.

— Oui.

— Merci. » Lawton esquissa un autre salut nonchalant et se tourna vers sa colonne de prisonniers.

« Allons, vous autres ! Remuez-vous ! cria-t-il d'un ton autoritaire. *Vorwärts !* En avant ! *Schnell... Schnell !* »

La colonne dépenaillée se remit en marche d'un pas traînant vers la ferme Zollner. Erik et Don restèrent là à les suivre du regard.

Erik se sentait comme vidé, horriblement déprimé. Il avait vaguement conscience que ce moment précis exigeait un maximum d'efforts, de réflexions constructives, imaginatives. Mais il avait l'esprit émoussé par le découragement. Il jeta un coup d'œil à Don.

Don se tourna vers lui. Son expression n'était pas gaie. « Tu crois qu'après tout Joe nous a donné une fausse piste ? demanda-t-il.

— Non. Je ne crois pas.

— Moi non plus. » Don avait l'air furieux. Il désigna la colonne qui s'éloignait. « Mais à quoi diable est-ce que *ça* nous avance ?

— Je te le demande. »

Lentement, ils repartirent vers la ferme. Ils restèrent un moment silencieux, chacun plongé dans ses sombres pensées. Puis Don reprit :

« On ne peut pas laisser tomber comme ça...

— Non, pas question. Je tiens trop à mon cou pour ça. »

Erik plissait le front d'un air songeur. « D'ailleurs, je ne crois pas que ce soit une chasse à la chimère, comme le disait de façon si succincte, notre bon ami de la police militaire.

— C'est censé être une chasse au loup-garou ! fit Don avec un petit rire. Taïaut, Taïaut ! »

Ils marchèrent un moment. Leurs tentatives d'humour noir commençaient à donner des résultats, à neutraliser l'engourdissement qui s'était emparé de leur esprit. Une fois de plus leurs pensées revenaient au problème — au problème qui, au lieu d'avoir été résolu, au cours des quelques dernières minutes, était devenu infiniment plus vaste.

Erik fit un effort délibéré pour mettre de l'ordre dans le tourbillon de ses pensées. Une phrase lui jaillit soudain à l'esprit. D'un vieil hymne danois. Il l'avait chanté bien des fois avec ses parents dans la petite église danoise de Rochester. Il y avait longtemps. Il avait toujours pensé que c'était une belle devise. « *Giv aldrig tabt, först da er du en slagen Mand !* » Il y avait quelque chose là-dedans : « Ne renonce jamais, c'est alors seulement que tu es vaincu ! » Ainsi soit-il. Il repassa les événements dans sa mémoire. Avait-il été égaré sur une fausse piste ? Est-ce que toute cette histoire n'était qu'un vaste bobard ? Non. Il croyait encore à son intuition. Il devait y avoir une façon, une façon de trouver la solution. Pas à pas...

C'était le prochain pas qu'il fallait trouver...

« Bon, fit-il, nous avons abattu notre main. S'il y a quelque chose qui se passe par là, ça ne sera plus pareil après aujourd'hui.

— Nous pouvons oublier les soldats de la Wehrmacht, fit Don. Ce ne sont que des déserteurs qui s'en sont tirés. Mais les civils ?

— Je ne sais pas. Je ne crois pas qu'ils en fassent partie. Ils étaient sans doute en train de ramasser du bois ou bien... »

Don l'interrompit.

« Mais ils *pourraient* avoir des contacts avec les Werewölfs. Savoir quelque chose sur eux. N'oublie pas ces cent vingt chevaux. »

Erik leva les yeux, le regard soudain intéressé.
« Tu as raison ! Ça vaut la peine d'essayer.
— C'est notre seule chance. »
Il y avait un nouveau but maintenant et une énergie nouvelle dans leurs pas tandis qu'ils se dirigeaient vers la ferme.
« Il faut faire vite, dit Erik d'un ton résolu. Pas le temps de longs interrogatoires. Il va falloir...
— J'ai trouvé ! s'exclama Don.
— Quoi ?
— Tu te rappelles l'affaire Salzman ? Tu te souviens comment tu les as fait parler ? Un très joli numéro. »
Erik s'arrêta net. Il se tourna vers Don, en fronçant les sourcils.
« Je me souviens.
— Ça devrait marcher avec ces types aussi.
— C'est vache.
— Bien sûr que c'est vache ! riposta Don. Tout comme de se faire balancer dans une rivière avec les tripes éclatées ou la gorge ouverte ! »
Il regarda Erik. « Est-ce qu'on a le choix ? Qu'est-ce qui se passerait s'ils étaient vraiment là-dedans et qu'on les laissait entrer en action ? S'ils arrivaient vraiment jusqu'à Ike ? »
Erik avait l'air grave, songeur.
« Il va falloir les travailler tous les trois à la fois, dit-il lentement.
— Commençons tout de suite ! »
Ils regagnèrent d'un pas vif la cour de la ferme. Ils trouvèrent sur leur chemin un Klein à l'air penaud.
« J'ai mis les prisonniers dans la cage », dit-il. Il regarda l'enclos. Dans un coin, pelotonnés les uns contre les autres, les trois vieux civils terrorisés ; dans un autre, les trois déserteurs de la Wehrmacht observaient les gardes M.P. entourant les barbelés. Les positions de mitrailleuses étaient occupées, chaque homme à son poste.
Erik se dit : On dirait un film des Marx Brothers... Il dit à Klein d'un ton sec :
« Sam, prenez six hommes. Allez chercher les trois prison-

niers civils. Emmenez-les dans le champ de l'autre côté de la route. »

Klein parut stupéfait.

« Six hommes ?

— Allez !

— Bien, mon capitaine ! » Il partit en courant. Le commandant Evans arrivant d'un pas flâneur. Il avait l'air extrêmement satisfait de lui. Avec un sourire de fausse sympathie, son regard alla d'Erik à Don.

« Allons, je pense que vous avez fait de votre mieux, remarqua-t-il, d'un ton plus protecteur que jamais. C'est dommage que ça ait donné un tel fiasco. » Il savourait jusqu'à la lie son moment de triomphe. « Mais vous ne pouvez pas dire que je ne vous avais pas prévenus ! »

Il jeta un coup d'œil vers l'enclos des prisonniers, l'air soudain affairé.

« Bon. Je m'en vais reprendre mes M.P. et rejoindre aussitôt le Corps. Inutile de perdre davantage de temps. Et je vais emmener vos... euhm... il eut un sourire narquois — vos prisonniers Werewölfs avec moi. »

Il eut un hochement de tête bienveillant.

« Je signalerai dans mon rapport au colonel Streeter que je suis convaincu que vous avez agi en toute bonne foi. » Il rayonnait. C'était bon d'être magnanime. Il pouvait se le permettre. Il avait eu la preuve qu'il avait raison. Il sourit à Erik et à Don. Il se sentait presque enclin à la charité envers eux maintenant qu'ils avaient été humiliés.

Erik soutint son regard. Son visage était impassible.

« Nous ne renvoyons pas tout de suite les M.P., commandant Evans, déclara-t-il tranquillement.

Evans fut pris par surprise.

« Comment ?

— Nous n'avons pas fini avec eux, expliqua Don patiemment.

— Mais c'est... mais c'est ridicule ! » Evans ne parvenait pas à chasser de sa voix sa profonde indignation. Qu'est-ce que c'était que ça ? Est-ce qu'ils se moquaient délibérément de lui ? C'était une attitude absolument déraisonnable. Enfin, bon sang, leur affaire avait tourné en eau de boudin. Comme il l'avait annoncé. Il sentit la colère monter en lui.

« Nous avons besoin d'eux encore un moment, dit Erik.

— Pour quoi faire ?

— Nous n'avons pas encore renoncé, commandant.

— Allons donc ! Pourquoi n'avouez-vous pas votre erreur ? Croyez-moi, vous ne ferez que vous enfoncer davantage si vous persistez dans cette... dans cette farce !

— Un instant ! » Don se tourna vers Evans, furieux. Erik intervint :

« Commandant ! Nous ne considérons pas notre travail comme une farce. L'enjeu est trop grand ici pour ne pas tout essayer. »

Evans se retourna vers lui.

« Vous n'en avez pas fait assez ? Deux compagnies d'infanterie au grand complet, immobilisées toute une matinée ! Cherchant des Werewölfs imaginaires ! »

L'hostilité entre Evans et les deux hommes du C.I.C. était une chose presque tangible. Don reprit :

« Si vous n'y voyez pas d'inconvénients, c'est à nous d'en décider, fit-il d'un ton froid.

— Je ne peux pas être d'accord avec vous.

— Etre d'accord avec nous ?

— Il faut que je fasse cesser cette bouffonnerie, déclara Evans d'un ton autoritaire. Je ramène mes hommes au Corps. A l'instant ! »

Don allait protester, mais Evans l'interrompit.

« Je ne reviendrai pas là-dessus !

— Commandant Evans, fit Erik d'un ton calme et ferme, je dois vous rappeler que vous êtes ici strictement en qualité d'observateur. *C'est moi qui commande !* Les M.P. restent jusqu'à ce que moi, je les renvoie ! »

Evans foudroya Erik du regard, le visage rouge de fureur.

« Vous êtes bien sûr ? » Il y avait dans sa voix une nuance de menace. De toute évidence l'homme ne se contrôlait qu'au prix des plus grands efforts.

— J'en suis sûr.

— Ce sera en dépit de ma protestation officielle.

— Parfait pour nous, dit Don.

— Vous vous rendez compte, bien sûr, que le colonel Streeter aura un rapport détaillé sur tout cet incident. »

Erik regarda froidement l'officier de la Police Militaire.

« C'est pour ça que vous êtes ici, commandant.

— Très bien ! Si c'est ainsi que vous le voulez... »

Evans tourna brusquement les talons et s'éloigna à grands pas. Erik et Don le suivirent des yeux. Don se frotta le cou. C'était un geste d'intense soulagement.

« Mon vieux, observa-t-il, il l'a vraiment mauvaise.

— Allons-y », fit Erik. Il prit son Colt dans son baudrier et l'inspecta.

« J'espère bien que ça va marcher », dit-il avec ferveur.

Les trois vieux fermiers étaient groupés, pleins d'appréhension, au milieu du champ. Ils avaient un air étrangement faible, leurs grandes mains calleuses pendant mollement le long de leur corps, leur visage exprimant la crainte et l'incertitude. Six M.P. en alerte les entouraient, leur Colt 45 à portée de la main dans leur étui ouvert. La scène avait un air caricatural, et pourtant il n'y avait pas à s'y méprendre, on sentait que c'était terriblement sérieux aussi.

Le sergent Klein bavardait avec un des M.P. Il s'interrompit pour aller au-devant d'Erik et de Don qui arrivaient de la ferme.

« Bien, Sam, lui dit Erik. Séparez-les ! » Son visage était sévère.

Klein se tourna vers les M.P. qui gardaient les fermiers.

« Séparez-les ! » cria-t-il.

Les M.P. s'avancèrent aussitôt vers les fermiers. Deux hommes prirent chacun un Allemand par le bras et l'entraînèrent à quelques pas. Ils placèrent les prisonniers à environ cinq mètres l'un de l'autre de façon à former un triangle, chacun tournant le dos aux deux autres, mais à portée d'oreille, chacun solidement tenu par deux M.P.

Erik regarda la scène. Ça n'avait pas l'air vrai, il se sentait comme un acteur sur le point de jouer une pièce dont il ne connaît pas la fin. Il éprouvait un impérieux besoin de se préparer à son rôle, de se mettre « dans la peau du personnage ».

Il scruta longuement les trois Allemands. Un instant, il ouvrit délibérément les portes de sa mémoire aux sombres souvenirs emprisonnés dans les profondeurs de son esprit et les laissa inonder sa conscience :

... la première fois qu'il avait vu et senti un camp de concentration, l'indescriptible masse de misères humaines confinées derrière ces barbelés. L'homme allongé sur le dos à même le sol boueux, trente ans, mais en paraissant quatre-vingts, si maigre qu'on voyait son épine dorsale à travers son ventre ; ses mains parcheminées inertes au-dessus de sa tête ; des yeux brûlants profondément enfoncés dans leurs orbites ; victime de la règle inhumaine du camp « pas de travail, pas de nourriture », — murmurant inlassablement un seul mot entre ses dents rongées par la carie dans les gencives putréfiées d'une bouche sans lèvres : « Sucre — sucre — sucre », avant de mourir...

... la joie et la gratitude bouleversantes des déportés libérés, qui utilisaient leurs dernières forces pour imprimer un petit prospectus de remerciements sur la presse du camp : « Nos glorieux libérateurs américains nous arrachent à la vie inhumaine du camp Untermassfeldt », lisait-on. « Le radieux soleil de la liberté emplit nos cœurs débordant d'espoir. » Il avait dû détourner les yeux quand ils le lui avaient remis...

... la mutilation de la petite Tania...

...les G.I's massacrés dans la rivière.

.. Anneliese...

... Murphy...

Il prit une profonde inspiration. Il s'avança d'un pas résolu derrière le premier Allemand.

« Ton nom ? » demanda-t-il. Il y avait dans sa voix une brusquerie pleine de rage.

L'Allemand sursauta.

« Oberman, répondit-il d'un ton nerveux. Alois. »

L'homme allait se retourner vers celui qui l'interrogeait par-derrière. Les M.P. le retinrent brutalement.

« Ne te retourne pas ! ordonna sèchement Erik. Regarde droit devant toi et réponds à mes questions. »

Il parlait fort, d'une voix vibrante de colère. Sans aucun doute les deux autres prisonniers entendaient chacune de ses paroles.

« Sais-tu pourquoi tu es ici ? demanda-t-il sèchement.

— Non, Herr Offizier. Je ne sais pas.

— Parce que tu es un Werewölf !, fit Erik d'une voix sourde et dure. Un salaud de Werewölf nazi ! »

L'Allemand pâlit. Tout d'un coup il eut l'air terrifié. Une fois de plus, il essaya de se retourner pour faire face à son interrogateur, et une fois de plus les M.P. l'en empêchèrent.

« *Nein ! Nein !* Herr Offizier, répéta-t-il d'une voix que la peur rendait rauque. Je ne suis pas un Werewölf !

— Non ? Alors, qu'est-ce que tu faisais dans cette forêt ?

— Je suis bûcheron, Herr Offizier. Je coupais simplement du bois pour le feu. » Il suppliait. « Je vous en prie, je vous en prie... Laissez-moi partir. Je ne suis qu'un bûcheron. De Schönsee. J'ai une femme. Des enfants. Des enfants, Herr Offizier. Je ne suis pas un Werewölf... »

Erik l'interrompit.

— Silence ! Je sais que tu l'es. »

Brusquement le vieil homme se tut.

« Où sont les autres ? »

Oberman passa sa langue sur ses lèvres sèches. Il tremblait de tous ses membres.

« Je ne sais rien des Werewölfs, Herr Offizier. Croyez-moi ! *Bitte, bitte,* croyez-moi ! Je ne sais rien... »

— Tu mens ! lança Erik.

— Non ! Je vous jure ! Je ne sais pas ! »

D'un geste délibérément lent, Erik tira son Colt de son baudrier.

« Peut-être que ça va te rafraîchir la mémoire, mon vieux ! » Il enfonça le canon de son pistolet dans le dos d'Oberman. L'Allemand sursauta violemment et se crispa.

« Tu ferais mieux de parler ! Maintenant ! fit Erik d'un ton menaçant.

— Je vous en prie, Herr Offizier. Je... je ne sais rien ! Je vous en prie ! » La pitoyable supplication d'Oberman était un chuchotement rauque et terrorisé. Il se tut.

« Comme tu voudras, vieillard. C'est toi qui as choisi ! » La voix d'Erik était forte et vibrante de dégoût.

Il tourna les talons et se dirigea vers le second des trois hommes. Il s'arrêta juste derrière lui. Le vieil homme se mit à trembler. Les M.P. l'empoignèrent plus solidement.

« Ton nom ? »

Erik avait l'air furieux, glacial et dangereusement impatient en même temps.

« Weber, Franz.

— Toi, aussi, tu es un Werewölf ! »

Weber tremblait de peur.

— Non ! » C'était un cri d'affolement. « Je ne sais rien d'eux ! Rien ! »

Erik était planté juste derrière l'Allemand. Sa bouche était à quelques centimètres de la nuque de l'homme. Il reprit d'une voix forte et brutale :

« Tu sais pourquoi tu es ici, Weber ? On est en train de te juger ! En ce moment même ! C'est moi ton juge ! Tu risques ta vie ! »

Weber marmonnait tout seul en proie à une terreur abjecte.

— *O-o-oh ! Mein Gott in Himmel ! Mein lieber Gott...*

Erik poursuivait impitoyablement.

« Réponds-moi ! Où sont les Werewölfs ?

— Je ne sais pas... Je ne sais pas...

— Tu mens !

— Non ! Non !

— Bon sang, j'en ai par-dessus la tête de ces mensonges ! Tu entends ? » Erik jouait la rage à peine contrôlée. « Allons, parle !

— *Bitte, bitte, bitte...* Je ne mens pas ! »

Erik leva son pistolet et l'enfonça brutalement dans le dos

de Weber. L'homme était crispé par la surprise, son visage était déformé par la terreur. Erik avait l'air tendu, plein de mépris.

« Parle ! cria-t-il à l'Allemand. Parle... Ou bien je te jure que je t'abats sur place !

— Je ne sais rien... Rien... Rien... »

Erik avait un air obsédé. Il luttait contre lui-même. Peut-être que le vieil homme disait la vérité. Il avait depuis longtemps appris à ne jamais écarter la possibilité que quelqu'un pût ne pas mentir. Ce genre d'erreur pouvait être aussi dangereuse que les conséquences de croire un menteur. Mais il n'y avait pas moyen de revenir en arrière maintenant. Il ne pouvait pas quitter la scène qu'on avait plantée pour lui. La pièce devait continuer. Il fallait jouer le dernier acte dans toute sa cruauté... Il enfonça le canon du pistolet dans le dos de Weber.

« Parle ! »

Mais Weber devenait incohérent tant il avait peur. Il continuait à balbutier :

« Rien... rien... rien... »

Le coup de feu claqua comme l'unique écho d'un tocsin...

Au même instant un des M.P. qui le tenait plaqua sa main sur la bouche de Weber. L'Allemand s'agita convulsivement, puis s'effondra évanoui dans les bras des deux M.P.

La balle s'était enfoncée dans le sol sans le toucher, à quelques centimètres de ses pieds...

En quelques enjambées, Erik arriva derrière le troisième prisonnier. L'homme était pétrifié d'horreur. Une peur totale dilatait ses pupilles ; il respirait par à-coups ; il ne doutait pas que son camarade était étendu mort derrière lui. Les SS l'auraient tué. Il sentit derrière lui la présence glacée de l'officier américain. Un frisson le parcourut.

« Ton nom ? »

Erik amena son pistolet exactement au niveau du cou de l'homme. Il avait les yeux fixés sur la nuque de son prisonnier. Il semblait en proie à une tension aussi forte que l'Allemand...

Il arma son pistolet.

Ce fut comme une explosion dans ses oreilles.

Cela fit un déclic anormalement bruyant.

« Gruber, Rudolf. » Un chuchotement terrifié.

« Alors ? demanda-t-il d'une voix farouche.

— *Ja ! Ja !* fit Gruber en hochant vigoureusement la tête. Attendez ! Je parle ! Ne tirez pas ! Je vous dis tout ! Ne tirez pas !

— Alors parle !

— Nous avons travaillé pour eux, Herr Offizier. Nous ne sommes pas des Werewölfs. » Les mots sortaient précipitamment. « Nous avons seulement *travaillé* pour eux. Comme vigies.

— Tous les trois ?

— Oui ! Oui. Nous leur avons apporté des vivres. Des légumes. Du pain. Et du lait. Ils sont là-dedans. Seulement, je ne suis pas un Werewölf. Je...

— *Où* sont-ils ?

— Dans la forêt. Je ne sais pas exactement où. Nous devions laisser la nourriture dans un sac au pied d'un grand arbre. Ils venaient la chercher après notre départ. Mais je sais dans quelle partie de la forêt.

— Tu vas nous montrer. »

Gruber se tut brusquement.

« Ils me tueront », murmura-t-il.

Erik se détourna.

— Sergent Klein ! » cria-t-il.

Klein arriva en courant.

— Voici, mon capitaine ! »

Il y avait un respect nouveau dans la façon dont il regardait Erik. Il ne parut pas noter l'expression épuisée de son visage.

« Combien d'hommes avons-nous ?

— Douze, en me comptant.

— Rassemblez-les. Laissez deux hommes à la ferme pour garder les prisonniers et amenez les autres ici... Tout de suite ! Nous partons pour trouver ces Werewölfs !

— Bien, mon capitaine ! »

Klein s'éloigna. Erik se tourna vers Gruber.

« Et c'est toi qui va nous montrer où regarder. »

L'homme hocha la tête avec une résignation totale. Don s'approcha de lui.

« Quand as-tu été pour la dernière fois en contact avec eux ? » demanda-t-il.

Gruber se tourna vers lui.

« Je les ai vus hier soir. Hier soir. »

Il s'arrêta. Il demeura bouche bée. Il contempla avec une incrédulité totale ses deux camarades, Oberman et Weber, qu'on emmenait devant lui vers la ferme. Les deux hommes le regardèrent avec un mépris malveillant.

« Hier soir, tard, j'ai... j'ai vu... », il semblait dans une transe. « J'ai vu le général en personne entrer dans la forêt... »

LA FORET DE SCHONSEE

9 h 09

Le petit groupe suivait prudemment un étroit sentier s'enfonçant dans la forêt. Don marchait en tête, suivi d'un Gruber pâle et craintif. Après eux venaient les M.P., au nombre de neuf, qui marchaient sans bruit, aux aguets, à la file indienne, carabine au poing. L'air maussade, le commandant Evans suivait, et Erik et le sergent Klein fermaient la marche.

La plupart des bois en Allemagne sont bien soignés et la forêt de Schönsee ne faisait pas exception. Composée principalement d'arbres à feuilles persistantes — pins, sapins, épicéas — elle s'étendait suivant un système de carrés de cent mètres de côté et était traversée par un réseau de chemins et de sentiers séparant les carrés. Abattus et replantés en même temps les arbres dans un carré donné avaient tous approximativement la même taille.

Erik et Klein marchaient côte à côte.

« Combien sont-ils censés être là-dedans, vous le savez ? demanda Klein.

— Entre quarante et soixante. Peut-être plus.

— Merde alors ! fit Klein en regardant Erik d'un air incrédule. Contre nous douze ! » Il avala sa salive. « Comment sont-ils armés ?

— Ils sont censés avoir des armes légères — des mitrailleuses — des mortiers. » Klein eut un petit sifflement. Machinalement il resserra son étreinte sur sa carabine. Il scruta intensément le couvert des arbres bordant le sentier.

« Pourquoi n'avons-nous pas de troupe ? » demanda-t-il.

Erik se rembrunit.

« Nous avons eu notre chance, Sam, dit-il d'un ton uni. Vous vous rappelez ? Ce matin, ils ont passé cette même forêt au peigne fin. Ils n'ont pas été foutus de trouver quoi que ce soit. Jamais on ne nous redonnerait des troupes. En temps voulu. »

Klein prit un air grave.

« Non, sans doute que non.

— Nous ne pouvons même pas être sûrs qu'ils sont ici. Malgré ce que nous a dit le vieil homme.

« Vous plaisantez ! fit Klein en regardant Erik avec surprise. Vous croyez qu'il vous a raconté un bobard ? Avec le canon d'un pistolet sur la nuque ?

— Je crois qu'il a pu nous dire ce qu'il croyait que nous aimerions entendre, fit doucement Erik.

— Oui. Je vois. » Klein redevint songeur.

« Mais s'ils sont bien là, poursuivit Erik, il va falloir les bluffer.

— Les bluffer ? fit Klein, l'air surpris.

— Bien sûr. Monter tout un numéro. Il serait plus facile pour eux de croire que nous sommes ici en force plutôt que de penser que nous sommes assez fous pour nous lancer à leur poursuite avec seulement une poignée d'hommes.

— Ça, fit Klein avec ferveur, on peut dire que c'est vrai. Sûrement... »

Ils continuèrent à marcher en silence.

En tête Don et Gruber s'arrêtèrent soudain. Ils se plaquèrent au sol. Don fit signe de s'arrêter et les hommes aussitôt se mirent sous le couvert des arbres. Erik et Klein arrivèrent en courant, penchés en avant.

Don désigna un grand pin qui se dressait au coin d'un carré de forêt où deux sentiers se croisaient. A un moment le tronc avait été endommagé. L'arbre faisait un angle au-dessus du chemin.

« C'est ça, murmura Don. C'est l'arbre du ravitaillement. »

Erik étudia le terrain. Le carré juste devant lui était planté d'épaisses rangées de sapins, tous hauts de quatre à cinq mètres. Des buissons de diverses espèces poussaient entre eux. Le carré de sapins était entouré par des carrés plantés de grands pins. Les chemins qui les séparaient étaient envahis de ronces et de mauvaises herbes. De toute évidence on ne les avait pas utilisés depuis pas mal de temps.

« C'est là où notre ami Gruber et ses copains laissaient le ravitaillement », poursuivit Don à voix basse. Il désigna le carré de sapins. Le Q.G. Werewölf est quelque part là-dedans. Il le croit ! »

Erik regarda les arbres en fronçant les sourcils.

« Nous allons être obligés... »

Il s'arrêta et son regard revint à la poignée de M.P. accroupis derrière lui au bord du sentier.

« Nous allons être obligés de cerner le secteur du mieux que nous pourrons. Avant d'aller de l'avant.

— Oui. »

Erik se tourna vers Klein.

« Sam. Ecoutez attentivement. Cette zone de sapins devant nous est un carré forestier.

— Oui ?

— Le carré est d'environ cent mètres de côté. Nous allons l'encercler.

— A nous douze ? fit Klein en regardant Erik d'un air incrédule.

— Oui. »

Erik avait parlé d'un ton sec. Il savait que c'était ridicule. Mais que diable pouvait-il faire d'autre ? Il était dans un vrai pétrin. Il était contraint de prendre des décisions dont il savait pertinemment qu'elles étaient téméraires. Ou bien d'avouer son échec.

Ça, il ne pouvait pas le faire. C'était trop important.

L'était-ce vraiment ? L'ombre d'un doute traversa son esprit. Refusait-il d'abandonner parce qu'il était sincèrement convaincu qu'il y avait un danger réel ? Pour l'armée ? Pour Ike ? Ou bien refusait-il d'avouer son échec pour des raisons purement égoïstes ? Pour donner une leçon à ce salaud d'Evans ? Pour ne pas avoir à affronter les conséquences de sa propre erreur de jugement ? Il était furieux contre lui-même de s'abandonner à de pareilles pensées. Furieux parce qu'il n'avait pas de réponse décisive. Il se força à prendre un ton de froide efficacité.

« Prenez tous les hommes. Vous serez dix. Engagez-vous dans le sentier à droite et faites tout le tour du carré de sapins. Placez les hommes de façon qu'ils puissent voir. Il y aura environ trente mètres entre chaque homme. Prenez votre position le dernier. »

Il désigna le sentier qui croisait le leur devant eux.

« A ce coin-là. Nous serons au milieu des épicéas en face des sapins. Signalez-nous quand tout le monde sera en position. Compris ?

— Très bien !

— Bon. Allez. »

Erik regarda sa montre. Neuf heures vingt-sept. Il se rendit compte qu'il l'avait regardée seulement quelques secondes auparavant. Où diable était passé Klein ? Il regarda le chemin qui coupait à gauche. Rien.

Il était tapi derrière la racine retournée d'un arbre abattu. A quelque distance sur la droite il apercevait Don, et auprès de lui Gruber, qui essayaient de se fondre dans le paysage. Derrière eux, Evans était accroupi bien protégé par le tronc massif d'un grand pin.

Erik jeta de nouveau un coup d'œil à sa montre.

Neuf heures vingt-huit.

Qu'est-ce qui retardait donc Klein ? Ils n'auraient quand même pas pu tomber dans une embuscade ?

Et si c'était le cas ?

Il écarquilla les yeux vers le carrefour.

Rien.

Et puis — tout d'un coup — un mouvement furtif. Instinctivement la main d'Erik se déplaça vers son pistolet. Il avait les yeux collés aux broussailles du carrefour, en essayant de les pénétrer. Et puis il aperçut la silhouette cachée.

C'était Klein.

Il leva le bras. Erik en fit autant. Il vit Klein se retourner et lever le bras vers l'homme à sa droite. Il attendit. Il savait que les hommes le long de la ligne relaieraient le signal. Il savait qu'ils s'installeraient, leurs armes prêtes à ouvrir le feu, braquées sur les sapins.

Il attendit.

Il regarda vers Don.

Don acquiesça de la tête.

Erik tira son pistolet de son baudrier. Il se leva. Il sentit soudain la sueur sous ses aisselles. Il prit une profonde inspiration.

« Ge-ne-ral Krue-ger ! cria-t-il de toute la force de sa voix. « General Krueger ! *Ihre Stellung ist umzingelt !* Votre position est encerclée ! Déposez vos armes et avancez-vous ! »

Il attendit.

Il écouta.

Pas un bruit ne venait du secteur des sapins. Il cria de nouveau :

« General Krueger ! Vous êtes cernés ! Avancez-vous ! Vous avez deux minutes. Toute résistance est inutile ! »

Une fois de plus il écouta attentivement. Pas de réponse, pas de mouvement. Le silence était oppressant. Le seul son qu'on entendait c'était le bourdonnement d'un insecte insouciant, ou bien des feuilles mortes qu'une bouffée de brise envoyait comme des crabes surpris en travers du chemin. Il fit signe à Klein de rester caché et courut jusqu'à Don.

« Je vais essayer encore une fois », dit-il, d'un ton résolu. S'il n'y a toujours pas de réponse, tu sais ce que nous devrons faire. » Il se sentait étrangement engourdi.

Don acquiesça gravement. « Oui. Mais ça ne me tente pas beaucoup.

— Moi non plus. »

Erik se tourna de nouveau vers les sapins. Une fois de plus il lança :

« Krueger ! Avancez ! Nous connaissons votre position ! Nous connaissons votre organisation ! Avancez ! Vous êtes cernés ! »

Une fois de plus l'attente... et le silence.

Erik s'assit auprès de Don. Evans vint le rejoindre. Son visage arborait une expression rayonnante de Je-vous-l'avais-bien-dit.

« Alors ? demanda-t-il avec une patience onctueuse. Etes-vous prêts à entendre raison et à renoncer ? »

Erik lui tourna délibérément le dos. Il ne se sentait pas d'humeur à engager une discussion avec l'officier de la Police Militaire. Pas maintenant. Aussi bien Don que lui ignorèrent sa présence. Evans rougit.

« Vous persistez à continuer ce... cette absurdité ? »

Don se tourna vers Erik.

« Je crois que c'est à nous », dit-il d'un ton détaché.

Erik hocha la tête. Evans se contrôlait au prix d'un effort visible. « Très bien », dit-il d'une voix que le venin faisait grincer. « Mais je vous préviens. Je vous ferai casser ! Ça fait longtemps que je suis dans les M.P. Je ne me suis pas encore trompé ! »

Il tourna les talons et regagna d'un pas raide son abri.

Don se leva.

« Bon, dit-il. On ferait mieux de se remuer le train. Peut-être qu'on va tomber sur *quelque chose*. Je n'ai jamais entendu dire que personne y soit arrivé en restant sur ses fesses. »

Il fit signe au M.P. le plus proche qui arriva en courant. Il lui désigna Gruber, pelotonné dans son coin.

« Gardez-moi à l'œil ce loustic, dit-il. Nous allons revenir... J'espère ! » Il se tourna vers Erik. « Alors ?

— Après vous, baron ! »

Erik prit son pistolet. L'arme lui parut soudain ridiculement petite. Inefficace. Il eut brusquement l'envie de l'échanger contre une carabine, mais chassa aussitôt cette idée. Il connaissait son pistolet. Il en avait l'habitude. Il savait ce qu'il pouvait faire avec.

Les deux agents du C.I.C. étaient à la lisière des arbres. Ils échangèrent un coup d'œil... et s'enfoncèrent dans la forêt.

De sa cachette de l'autre côté du sentier, le bûcheron allemand, Gruber, les suivait des yeux, comme s'il s'attendait à les voir sauter d'une seconde à l'autre...

Une demi-heure, bon Dieu ! Dans deux minutes ça ferait une demi-heure qu'il avait vu les deux agents du C.I.C. s'enfoncer parmi les sapins. Klein fit passer son poids d'un pied sur l'autre. Non pas par inconfort ; mais par inquiétude. Aucun bruit ne venait de là-bas, aucun signe de vie. Un moment il détourna les yeux du carré forestier devant lui. Il jeta un regard sur le chemin à sa gauche. Il distinguait l'homme le plus proche de lui, agenouillé derrière un buisson. Qui attendait. Sous les pins à sa droite, il apercevait le vieux Boche, gardé par un autre de ses hommes. Et le commandant Evans.

L'officier M.P. était debout, tout contre un gros pin. Klein le vit consulter sa montre. Il paraissait impatient.

Une pensée fit soudain frissonner Klein. C'était le commandant maintenant qui était l'officier le plus haut en grade. Le seul officier, en fait, maintenant que les agents du C.I.C. s'étaient enfoncés parmi les sapins. Et s'il décidait de prendre le commandement ? A l'instant même ! De toute évidence, il ne pouvait pas supporter les deux types du C.I.C. Et s'il décidait de faire quelque chose de stupide ? Comme, par exemple, de lui ordonner, à lui Sam Klein de rassembler ses hommes et de les ramener au Corps. De considérer que toute l'opération avait échoué. En laissant les deux autres types tout seuls là-dedans. Qu'est-ce que ferait Sam Klein alors ? Il ne pouvait pas refuser d'obéir à un ordre direct, et il ne pouvait certainement pas décamper comme ça. Mon Dieu, pourquoi ne pouvait-il pas se retrouver au Corps en train de tenir à jour les listes de garde ? Ah si seulement il avait cette chance. Il vit le commandant se tourner vers lui.

Soudain il se crispa. Son regard revint vers le secteur des sapins, ses yeux fouillant le couvert des arbres. Il avait vu quelque chose. Un mouvement.

Ses mains se crispèrent sur sa carabine.

Là ! Encore.

Il épaula et visa l'endroit où il avait vu ce mouvement subreptice. Dans le viseur la silhouette d'un homme apparut, s'approchant d'eux.

C'était Erik.

Klein se détendit. Il se sentit soudain les jambes molles. Il reposa sa carabine et attendit. Erik s'approcha de lui. Il avait l'air découragé.

« Il ne semble y avoir rien là-dedans, dit-il d'une voix sans timbre.

— Tant mieux ! » fit Klein avec un grand sourire. Il leva les yeux vers Erik et son visage se rembrunit. « C'est mauvais ? demanda-t-il.

— Il faut que nous en soyons absolument sûrs, reprit Erik comme s'il ne s'était aperçu de rien. Faites entrer vos hommes dans le secteur, dit-il, à votre signal. Je veux qu'ils le parcourent et qu'ils se regroupent au centre. Dites-leur d'être prudents, mais je veux qu'on inspecte chaque arbre, chaque buisson !

— Bien, mon capitaine.

— Faites mouvement, dit Erik en jetant un coup d'œil à sa montre, dans dix minutes. »

— Bien. »

Klein s'éloigna au trot dans le sentier. Erik se tourna vers le commandant Evans. L'officier M.P. se dirigea vers lui d'un pas vif.

Sans lui accorder un second regard, Erik tourna les talons et replongea dans la forêt...

QUARTIER GENERAL WEREWOLF

10 h 23

Steiner était en nage. Ça l'agaçait. Il avait conscience de l'odeur âcre qui montait de ses aisselles. Ce devait être le cas pour les autres aussi. Mais personne ne disait rien. De toute façon il ne pouvait rien y faire mais ça le mettait extrêmement mal à l'aise. Et puis sa satanée jambe lui faisait mal. La balle avait traversé la partie charnue de la cuisse. Il avait eu de la chance. Elle n'avait même pas éraflé le fémur. Mais ça l'élançait diablement.

Il gagna en boitillant la salle radio. C'était bien le moment pour lui de se retrouver le sous-officier le plus haut en grade. Il appuya un peu trop fort le poids de son corps sur sa jambe blessée et une vive douleur le traversa comme un coup de poignard jusqu'à l'œil. *Verflucht !*

Quand même, il était vivant...

Lorsqu'il avait senti le choc sourd de la balle dans sa jambe et qu'il s'était rendu compte qu'il avait été touché, il s'était souvenu en un éclair du credo Werewölf. Il savait qu'à cet instant il était un homme mort. Les autres ne pouvaient pas se charger d'un blessé, et ils ne pouvaient pas le laisser derrière eux vivant.

Il avait pleinement conscience de tout cela, mais c'était comme s'il avait vu la chose arriver à quelqu'un d'autre. Il était resté très calme. Sans doute le choc de la blessure...

Mais là-dessus le jeune Willi Richter avait ordonné à Krauss et à Leib de le soutenir à eux deux et, Dieu sait comment, ils avaient pu rentrer...

Il pensa à Willi. Il lui devait la vie. Il éprouvait de la

reconnaissance à son égard et en même temps un peu de mépris. Le jeune officier avait pris un sacré risque. Celui de compromettre toute l'opération. C'était par pure chance qu'ils ne s'étaient pas tous fait prendre. Il fronça les sourcils. Qu'est-ce que lui aurait fait, à sa place ?

Il arriva sur le seuil de la salle radio. Il s'appuya lourdement contre le chambranle. Le radio leva les yeux vers lui.

« Prenez un message », ordonna sèchement Steiner. Il humecta ses lèvres sèches. « Alerte à toutes unités et stations. Fouille ennemie en cours Schönsee suite interrogatoire Plewig. Pas de danger apparent de découverte. Restez strictement à l'abri. Annulez toutes opérations prévues... »

Il s'arrêta, se rendant compte soudain de l'énormité de la décision qu'il devait prendre. Pourquoi diable fallait-il que ça tombe sur lui ! Il avait le vertige. Il sentait fortement l'odeur qui montait de ses aisselles. La peur ?

Non, il ne pouvait pas prendre cette responsabilité. Ça n'était pas son travail. Il ne pouvait tout simplement pas. L'opération que devait monter l'Unité C, c'était une chance de dernière minute. Il *fallait* la tenter. Richter était déjà en route. Il ne *pouvait pas* l'arrêter. Pas maintenant. Pas pour le cas improbable...

Il regarda droit le radio qui attendait.

« Annulez toutes opérations prévues, dit-il d'un ton ferme, puis il prit une profonde inspiration, dans secteur quartier général seulement — je répète : secteur quartier général seulement — en attendant nouveaux ordres. Accusez réception. »

Il attendit que le radio eût finit de noter le message.

« Codez ça, envoyez-le tout de suite. Par le relais de Munich.

— *Sofort !* »

L'homme se mit à préparer son équipement.

« Combien sont-ils là-bas en ce moment ? »

Steiner haussa les épaules.

« Trente. Quarante. Peu importe. »

L'opérateur leva les yeux vers lui.

« Mais si c'est tout, nous pourrions facilement... »

Steiner intervint sèchement :

« Nous suivons les ordres. Tant qu'ils ne nous découvrent pas, nous les laissons tranquilles.

— Dans le cas contraire ?

Le regard de Steiner était glacial.

« Nous les éliminons. »

Il se tourna pour repartir. La douleur dans sa jambe devenait intolérable. Il s'arrêta.

« Il faut prévenir le général, dit-il d'une voix lourde. Il y a peut-être des plans à modifier. »

Il posa sa main sur la blessure. Même à travers le bandage sa jambe lui paraissait brûlante.

« Nous ne pouvons pas le contacter. Pas maintenant. » Il se tourna vers l'opérateur radio. « Dès que vous aurez envoyé le message, contactez Weiden. »

La sueur lui coulait dans les yeux. Il ne pouvait rien faire d'autre. Il n'avait qu'à s'allonger...

Peut-être... peut-être que c'était pour rien toute cette inquiétude. On ne les découvrirait jamais. Jamais.

Quand même, *Sicher ist die Mutter der Porzellankiste!* Maman fait très attention à son service en porcelaine.

LA FORET DE SCHONSEE

10 h 41

La mousse épaisse sur le gros rocher paraissait douce et fraîche au dos d'Erik. Il se força à se détendre en s'y appuyant. Pas la peine de se crisper et de se figer quand les choses commençaient à s'animer. Si elles s'animaient. Si jamais elles s'animaient. Il jeta un coup d'œil à Don accroupi à quelques pas de là, qui scrutait le couvert des arbres.

Ça faisait près d'un quart d'heure qu'il avait rejoint Don au centre de la zone des sapins et qu'ils avaient entendu les trois coups de sifflets de Klein signalant à ses hommes de commencer à infiltrer le secteur.

Il sentait vivement le rocher contre son dos. Il se posait des questions à propos de ces rochers. Il y en avait plusieurs entassés au milieu du carré forestier. A les voir on avait l'impression qu'ils étaient là depuis longtemps. Sans doute avaient-ils été rassemblés là lorsqu'on avait planté le carré. Les arbres étaient un peu plus clairsemés à cet endroit, formant une petite clairière.

Il scruta les arbres derrière lui. Il savait que Klein et ses M.P. se frayaient un chemin à travers le secteur vers lui, en fouillant, en sondant, en inspectant...

Il tendit l'oreille.

Rien.

Où étaient-ils ? Etaient-ils proches ? Allaient-ils débusquer quelque chose ?

Il écarta son dos du rocher qui devenait dur.

Il jeta un coup d'œil à sa montre.

Seize minutes.

Et puis il aperçut le premier homme. Prudemment il avançait parmi les arbres, passant d'un buisson à l'autre, sa carabine au poing.

Et puis un autre.

Tout autour de lui maintenant les M.P. commençaient à envahir la petite clairière, silencieusement, prudemment. Ils regardèrent sans rien dire Erik et Don et s'arrêtèrent, hésitants.

Erik soupira.

Rien, se dit-il avec la rage impuissante née du désappointement. *Rien de rien !*

Le bruit soudain d'un coup de feu qui lui claqua aux oreilles avec la violence d'un coup qu'on lui aurait assené chassa toute pensée de son esprit.

Un coup de feu !

Chaque homme aussitôt dans la clairière se plaqua au sol, le doigt sur la détente.

Klein arriva en courant parmi les arbres dans la petite clairière.

Erik sentit que c'était le moment de l'action. *Ça y est !*

Klein s'approcha des deux agents du C.I.C.

« Désolé, dit-il avec un sourire penaud. Encore les grands pieds de Warnecke. Il a trébuché sur une racine. Il a failli me percer un troisième œil ! »

Erik se leva. Il se sentait tout d'un coup épuisé. Il regarda les hommes autour de lui, qui l'observaient avec curiosité. Il savait ce qu'ils pensaient.

« Ecoutez, tout le monde ! lança-t-il d'une voix forte. On dirait bien qu'il n'y a personne ici. »

Il se tut. Les hommes attendaient.

« Mais je veux en être absolument sûr. Je veux savoir si personne n'a jamais été ici ! Je veux qu'on fouille chaque taillis, chaque buisson. Inspectez tout en repartant. S'il y a quoi que ce soit ici, je veux qu'on le trouve, même si ça n'est qu'une vieille capote ! Nous nous regrouperons au grand pin penché dans... trente minutes. Allons-y ! »

Les hommes commencèrent à s'agiter. Un lapin soudain jaillit de sa cachette devant l'un d'eux et partit en bondissant à travers la clairière pour disparaître au milieu des buissons.

« En voilà un ! » cria l'homme.

Mais son rire était un peu tendu.

Erik resta avec Klein et Don à regarder les hommes s'enfoncer dans les bois.

Don tout d'un coup regarda autour de lui puis se tourna vers Klein.

« Tiens, qu'est-ce qui est arrivé à notre flamboyant héros M.P. ?

— Le commandant Evans ? fit Klein en souriant. Je crois que chez lui il y a plus de fumée que de feu ! »

C'était une tentative méritoire, mais elle tomba à plat.

REGION DES SUDETES. TCHECOSLOVAQUIE

Sur la route vers l'Unité C

11 h 03

Willi Richter tendit l'oreille. Il fronça les sourcils. Il n'aimait pas ce grincement qui venait du moteur de sa Volkswagen. Ce serait de la charité que de dire que la voiture qu'on lui avait donnée était simplement délabrée. Elle était criblée d'éclats de shrapnel ; une des ailes avant était enfoncée, le phare en œil de grenouille arraché ; la roue de secours avait disparu. La capote était baissée. Willi doutait qu'on pût jamais la remettre. Il se félicitait que le temps ne fût pas à la pluie. Il était sur la route depuis plusieurs heures déjà et ce foutu bruit avait commencé il y a une vingtaine de kilomètres. On aurait dit que tout le moteur allait tomber en pièces d'une seconde à l'autre.

Zum Teufel damit ! se dit-il. La barbe ! De toute façon, il serait obligé d'abandonner très bientôt la voiture.

Il repensa aux événements de ces dernières heures...

Il avait quitté le quartier général du général Krueger à quatre heures trente ce matin-là, bien avant les premières lueurs du jour, afin de profiter de l'obscurité pour se glisser hors du secteur sans mettre en danger le Q.G. Il n'avait eu aucun mal à franchir les lignes avancées américaines, puis à passer la frontière et à entrer en Tchécoslovaquie.

Il avait réquisitionné la Volkswagen dans la première unité allemande qu'il avait rencontrée grâce à l'ordre de mission prioritaire du général, et il avait gagné le poste de commandement important le plus proche.

Il avait fallu un temps fou pour contacter la station relais de Munich et pour obtenir par eux confirmation des arrangements de transport pour le groupe tactique fourni par l'unité C, mais il avait fini par y arriver. Les camions seraient sur la route de Salzbourg, au sud de Passau, à l'heure prescrite. De là, il ne leur faudrait que deux heures pour atteindre leur destination.

Il éprouva une brusque excitation. Il allait être du grand coup !

Sans s'en rendre compte, il appuya sur l'accélérateur.

La Volkswagen prit de la vitesse ; le moteur fit un bruit abominable. Il y eut un *ping* métallique sec — et la boîte de vitesses se bloqua, envoyant la voiture déraper vers le bas-côté jusqu'à ce qu'elle s'arrêtât ignominieusement.

Willi descendit et regarda le véhicule d'un air mauvais. « *Scheissdreck !* jura-t-il. Merde ! »

Dégoûté, il donna un coup de pied dans le pneu arrière et se dirigea à pied vers la frontière tchèque et le secteur de l'unité de Werewölf C juste au-delà de la frontière...

FORET DE SCHONSEE

11 h 14

Erik et Don étaient assis sous le grand pin penché. Les M.P. étaient confortablement allongés dans l'herbe autour d'eux. Le commandant Evans était assis un peu à l'écart, arborant toujours son air Je-vous-l'avais-bien-dit et aspirant avec satisfaction la fumée d'une cigarette. Le soleil était haut dans le magnifique ciel bleu de printemps. Des oiseaux pépiaient gaiement dans les arbres. Des libellules passaient à la poursuite d'insectes minuscules et une douce brise murmurait doucement dans les pins. Tout le paysage était exactement à l'opposé de la triste humeur dans laquelle se trouvaient Erik et Don.

« Deux heures. Deux heures que nous piétinons ce satané

bout de terrain. Et rien. Pas trace d'eux. » Don avait l'air écœuré.

« Enfin, comme on dit, si rien d'autre ne marche on peut toujours renoncer.

— Très drôle !

— Je ne cherchais pas à être drôle.

— Tu as réussi. »

Klein s'approcha d'eux.

« Le dernier des hommes est de retour, signala-t-il. Qu'est-ce qu'on fait maintenant ? » Il leva les yeux vers le soleil. « Il est près de midi.

— On ferait aussi bien de rentrer à la ferme, fit Don, l'air abattu. On ne peut plus rien foutre ici. »

Il se tourna vers Erik.

« Erik ?

— Oui. Probablement... » Erik avait le regard perdu dans le vide, plongé qu'il était dans ses pensées.

« Ça ne va pas être drôle d'affronter Streeter. » Don jeta un coup d'œil vers Evans. « Et ça m'est encore plus pénible d'avoir à regarder cette face de carême d'Evans. »

Erik se redressa.

« On n'a pas encore dit notre dernier mot », dit-il.

Il se tourna vers Klein, soudain résolu.

« Sam. Vous et vos hommes allez escorter les prisonniers de la ferme jusqu'au Corps. Remettez les soldats aux interrogateurs et les civils... » Il désigna Gruber... « y compris ce misérable petit salaud là-bas, au C.I.C. pour interrogatoire. Don et moi allons essayer encore une chose.

— Très bien. » Klein se leva.

« Allons, les gars, cria-t-il. Rassemblement. On rentre. » Il montra du doigt Gruber. « Et emmenez-moi ce Boche. »

Les M.P. se relevèrent et commencèrent à se rassembler autour de Klein. Evans s'avança d'un pas nonchalant vers Erik et Don. Il était en train de briser soigneusement son mégot de cigarette, en répandant le tabac tout en marchant. Dans la façon dont il accomplissait cette tâche on sentait un air incontestable d'intense autosatisfaction.

Don jeta un coup d'œil à Erik.

« Je savais que ça nous attendait », marmonna-t-il.

Evans s'approcha d'eux.

« Alors, dit-il avec un petit sourire de dérision sur les lèvres, vous retrouvez enfin votre bon sens. J'imagine que vous êtes prêts maintenant à admettre que j'avais raison ? »

Erik se leva lentement.

« C'est comme ça que vous prenez la chose ? fit-il d'un ton affable. Figurez-vous que nous n'avons pas encore classé l'affaire, commandant.

— Vraiment ? » fit Evans d'un ton délibérément incrédule. Il regarda les M.P. rassemblés autour de Klein. « Enfin, au moins vous ne perdrez plus le temps de personne, sauf le vôtre. »

L'implication que cela n'avait guère d'importance était aussi visible qu'un camion de deux tonnes.

Don se leva.

« Je ne crois pas que vous ayez la moindre raison de considérer cette affaire comme une perte de temps, commandant », fit-il d'une voix dangereusement sourde.

Evans le regarda en haussant un sourcil.

« Non ?

— Non ! Vous avez entendu de vos propres oreilles confirmer notre évaluation de la situation. »

Du menton, Evans désigna Gruber.

« Vous parlez de ce vieil homme ?

— Exactement ! »

Evans eut un sourire condescendant.

« Je crois que nous pouvons oublier cela, n'est-ce pas ?

— Pourquoi ? Il a avoué que les Werewölfs étaient ici.

— Oui. En effet. » Evans plissa les lèvres d'un air exagérément songeur. Il s'amusait énormément. Il était temps de remettre à leur place ces insupportables prétendus « agents ». Méthodiquement il roula le papier de son mégot de cigarette en une petite boule. « Mais, poursuivit-il, vous semblez oublier les circonstances dans lesquelles ce vieil homme a fait cet aveu. »

Don le foudroya du regard. « Où exactement voulez-vous en venir ?

— N'oubliez pas... euh... Johnson, que aux Etats-Unis j'étais dans les forces de l'ordre. Il y a façon... et façon. » Il secoua lentement la tête d'un air de regret. « Je doute fort que personne croie sérieusement cette... confession lorsque j'expliquerai comment elle a été obtenue. »

Don jeta un rapide coup d'œil à Erik. Celui-ci avait l'air accablé. Il ne dit rien. Il n'avait rien à dire...

Evans continua. « Après tout, vous avez affolé ce pauvre type au point de lui faire perdre la tête. Il aurait dit n'importe quoi pour sauver sa peau. »

Il les regarda l'un après l'autre.

« Je crois malheureusement... euh... messieurs, que votre affaire ne tient pas debout. »

D'une chiquenaude il lança au loin sa boulette de papier.

« Je vous ai prévenus, fit Evans d'un ton de reproche. Je vous l'ai dit, il n'y a qu'une seule façon de mener une enquête professionnelle. Il faut... euh... une certaine expérience pour savoir le faire. Vous ne l'avez pas. »

Erik reprit avec un calme étudié :

« Néanmoins, commandant, nous continuons.

— A votre guise, fit Evans en haussant les épaules. Pour moi, il va falloir que je retourne à des travaux sérieux.

— Ah, mais une minute ! fit Don explosant. Si vous vous imaginez que vous pouvez... »

Evans pivota vers lui, la voix soudain chargée de venin.

« Ne grognez pas, mon ami, si vous n'êtes pas capable de mordre, lança-t-il. Et je crains fort que votre morsure ne soit pas extrêmement efficace. »

Il contempla Don un bref instant, savourant sa supériorité, une vilaine petite lueur au fond du regard.

« Vous ne m'aimez pas, n'est-ce pas... euh... *agent* Johnson ? demanda-t-il.

— C'est exact, *commandant*. » La voix de Don était glacée.

Evans eut un large sourire.

« Ah, je suis navré si vous trouvez que je me conduis comme un salaud, mais c'est pour ça qu'on me paie. »

Don regarda bien en face son visage souriant.

« Ils ne vous paient sûrement pas ce que vous valez, n'est-ce pas ? » observa-t-il.

Evans devint pourpre de rage. Erik avait du mal à ne pas éclater de rire. L'officier M.P. considéra les deux agents du C.I.C. d'un œil mauvais. Quand il reprit la parole, ce fut d'un ton plus aigu.

« Bien, dit-il. Bien. Vous êtes là maintenant comme deux singes au bout d'une branche ; une branche que je prendrai personnellement grand plaisir à couper. »

Il tourna brusquement les talons et s'éloigna.

Don le suivit, l'œil mauvais.

« Ce salaud a vraiment une mentalité de flic », grommela-t-il. Ils partirent sur les talons des M.P.

Erik se sentait étrangement énervé, presque excité. Il se demanda un instant si ce n'était pas une réaction à la dépression qui l'avait frappée lorsque la fouille du secteur où devaient se trouver les Werewölfs s'était soldée par un échec total. Non, ça n'était pas ça. Il comprit soudain pourquoi. Il se rendit compte tout d'un coup qu'il se foutait éperdument d'Evans. Ou de ce que l'autre pouvait lui faire. Il devait continuer son enquête parce qu'il croyait sincèrement que c'était important. C'est qu'il était convaincu que ce devait être fait. Et pas simplement pour se protéger lui-même. Bien qu'il s'avouât en toute franchise qu'il aurait préféré avoir raison. Bien sûr. Mais le vrai motif, ce n'était pas ça...

Il se tourna vers Don.

« Don, dit-il. On ne va pas renoncer. Bon Dieu ! On ne va pas s'avouer vaincu comme ça.

— D'accord, fit-il. Je suis avec toi. Qu'est-ce que tu projettes ?

— Bon, écoute. Tu te rappelles ce que Plewig a dit à propos des provisions que les Werewölfs sont censés avoir ?

— Bien sûr. Des tas de choses. Depuis de la soupe jusqu'à des cacahuètes. Et alors ? »

Erik reprit lentement :
« N'est-il pas possible qu'ils aient caché une partie de ces provisions dans des endroits différents ? Quelque part autour de leur zone de bivouac ?
— Ça se pourrait...
— Même si ce n'était pas dans ce foutu carré où Gruber croyait que c'était, les réserves pourraient encore être quelque part dans les parages. Après tout, c'est lui qui nous a désigné l'arbre où il déposait le ravitaillement. »
Il regarda longuement Don.
« Ecoute. Je n'ai aucune envie que nous revenions trouver Streeter avec l'air de deux idiots à la tête vide — et aux mains vides. Imagine que nous puissions trouver un dépôt de ravitaillement ? Ou même une trace ?
— Oui. On n'aurait pas l'air aussi bêtes. Si nous pouvions prouver que ces foutus Werewölfs ont été par ici, ça émousserait drôlement la hache d'Evans !
— Et ça n'est pas tout. Si nous pouvons prouver que les Werewölfs existent bien, nous pouvons prendre des mesures...
— Je pense bien. Renforcement de la sécurité...
— Streeter a dit : « Occupez-vous-en ! »
— Eh bien, on va s'en occuper !
— Parfaitement ! On va prendre la jeep. Patrouiller le secteur. Nous allons prendre ce carré de pins comme pivot. Peut-être... Peut-être que quelque chose va se présenter...

WEIDEN

11 h 29

La bicyclette délabrée appuyée contre le mur criblé d'éclats d'obus de la maison bombardée n'avait pas de pneus. On avait passé une lourde chaîne autour d'une des roues du cadre et un lourd cadenas bloquait le tout. Les débris de maçonnerie avaient été en partie déblayés de l'escalier de pierre conduisant à la cave sous les ruines, et cela faisait un étroit chemin dans l'obscurité.

Les deux hommes parlaient à voix basse et insistante.

« Tu sais ce qu'il faut faire. »

Heinz fit passer son poids sur sa jambe valide. L'autre lui faisait mal. Il s'était trop remué. C'était cette foutue affaire Plewig.

« Unité B, continua-t-il. Groupe opérationnel de cinq hommes. Consignes d'urgence. »

Il sentit un brusque élancement dans son bras gauche. Ça lui arrivait de temps en temps. Même si son bras, amputé à l'épaule, était à pourrir quelque part en Afrique du Nord. Ça le surprenait toujours. Cette fois il essaya de ne pas y faire attention. Il inspecta son interlocuteur avec l'œil qui lui restait.

« Compris ?

— C'est compris. »

Krauss était mal à l'aise. Il avait le vague sentiment que la situation échappait à leur contrôle. Tout cela à cause de ces deux *verfluchte* agents de la Gestapo américaine. Il avait envie de cracher par terre, mais Heinz ne comprendrait peut-être pas.

« Aussi vite que tu peux. Il faut absolument prévenir Krueger.

— Et les agents américains ?

— Impossible. Pour l'instant. La forêt et la ferme grouillaient de troupes amerloques. ».

L'appréhension de Krauss se fit plus grande.

« Alors on ne peut pas savoir... Ils pourraient... »

Heinz l'interrompit brutalement.

« Ils peuvent fouiller autant qu'ils veulent. Ils ne trouveront rien. »

Il s'interrompit. Il reprit appui sur ses deux jambes et se redressa, face à Krauss.

« Le reste dépend de toi. C'est toi qu'on tiendra pour responsable. »

FORET DE SCHONSEE

12 h 27

Erik avait l'impression que les carrés forestiers de cent mètres de côté étaient de plus en plus grands à mesure que la jeep passait au ralenti devant eux suivant l'étroite piste, mais il savait que c'était seulement son agacement croissant qui lui donnait cette illusion.

Don était au volant. A certains endroits, le chemin était envahi de végétation et il avait enclenché le craboteur pour obtenir le maximum de traction sur les quatre roues. Ils patrouillaient depuis plus d'une demi-heure, et Erik estimait qu'ils avaient parcouru cinq à six kilomètres. Ils s'étaient arrêtés à maintes reprises pour inspecter divers endroits qui pourraient servir de cachettes pour des provisions, n'importe quelles provisions : arbres abattus, rochers, monticules et creux, buissons touffus, amas de branches mortes, tout ce qui pouvait servir à cacher quelque chose.

Ils n'avaient rien trouvé.

Erik scrutait les bois tandis que la jeep avançait lentement. Ils étaient à trois carrés de leur point pivot. La futaie était plus haute et moins bien entretenue à cet endroit. Erik désigna un petit tas de bûches au bord du chemin. Don arrêta la jeep et Erik sauta à terre. Il s'approcha du tas de bois. Il l'examina attentivement. Il prit quelques bûches et se donna un coup de pied.

Rien..

Sans un mot, il remonta dans la jeep et Don redémarra.

Devant eux le chemin descendait une courte pente. En bas les arbres s'arrêtaient à une petite clairière. Erik la désigna ; passant la main devant sa gorge, il fit le geste de couper. Don arrêta le contact. Sans bruit, ils descendirent la pente en roue libre presque jusqu'à la clairière en bas. Don stoppa la jeep et les deux hommes descendirent. Avec précaution ils se glissèrent jusqu'au bord de la clairière, en profitant de l'abri des buissons.

Devant eux s'étendait un pâturage typique d'une forêt bavaroise, planté de trèfle. Une barrière en bois qui avait bien besoin de réparation l'entourait. A une quinzaine de mètres de la lisière de la forêt, là où Don et Erik étaient tapis, se dressait une petite cabane en rondins. Il n'y avait pas de fenêtres ni de portes du côté qui faisait face aux arbres, rien que le dos d'un conduit de cheminée rudimentaire dont les pierres grimpaient le long de la cabane pour se terminer par une courte cheminée. Un tas de bois coupé était entassé à côté et une hache était encore enfoncée dans le bois d'un grand billot. Tout l'endroit semblait abandonné.

Pendant quelques instants Don et Erik observèrent la scène en silence.

Erik soudain se crispa. Il posa la main sur l'épaule de Don et désigna la cabane.

Don plissa les yeux. Il fronça les sourcils et se tourna vers Erik l'air surpris.

« La cheminée ! souffla Erik. Regarde la cheminée ! »

Don obéit.

Et il vit.

Sortant de la courte cheminée on voyait le tremblement de l'air chaud. Pas de fumée. Seulement l'effet d'optique particulier de la chaleur qui montait, faisant miroiter l'air comme un mirage.

— Compris, murmura Don. De l'air chaud ! Il y a quelqu'un là-dedans !

— Ou il y avait quelqu'un. Récemment. »

Don regarda la cabane.

« Ça pourrait n'être que des fermiers...

— Qui feraient attention à ne pas faire de fumée ?

— Il n'y a qu'une seule façon de le vérifier. »

Erik acquiesça. Il se mordit la lèvre. Puis il eut un petit sourire.

« On va jouer les Dick Tracy ?
— Pourquoi pas ? Pruneface, nous voilà ! »

Les deux hommes dégainèrent leurs pistolets et les vérifièrent. Don jeta un coup d'œil à Erik. Celui-ci fit un bref signe de tête..

Les deux hommes sortirent de leur cachette en même temps. Sans bruit, décrivant des zigzags, ils coururent de la forêt jusqu'à la clairière et s'approchèrent de la cabane ; Erik par la gauche, Don par la droite.

Erik courait sans effort. Vite. La distance qui les séparait de la hutte lui parut soudain désagréablement plus grande qu'il n'avait cru. Il se rendit vaguement compte que Don atteignait le coin opposé de la cahute et disparaissait à ses yeux. Puis il arriva à son tour, passant en courant devant une fenêtre aux volets clos. Une partie de son esprit était grisée de l'espoir que la cabane allait grouiller de Werewölfs, pendant que l'autre appréciait froidement la folie d'un tel espoir.

Il tourna le coin de la cabane pour arriver sur le devant. Son cœur battait à tout rompre. Don. Il n'était pas là ! Puis il le vit qui arrivait en courant de l'autre coin.

Il y avait une autre fenêtre aux volets clos également. Les deux hommes s'arrêtèrent devant. Ils tendirent l'oreille. Pas un son.

Erik resserra l'étreinte de ses doigts sur son pistolet. Il regarda Don — et fit un signe de tête.

Don aussitôt décocha un violent coup de pied à la porte. Dans un craquement de bois brisé elle s'ouvrit toute grande...

Erik avait franchi le seuil avant même que le fracas se fût apaisé.

En un éclair ses yeux et son esprit embrassèrent la scène qui s'offrait à eux : les pioches, les pelles, les fourches dépassant d'un grand tonneau boueux contre les murs de bois dans un coin de la hutte ; la grande marmite dans l'âtre, le feu qui flambait sans fumer, la grande table entièrement taillée — et les cinq personnes assises autour sur des tabourets, à manger leur soupe dans des écuelles, les yeux rivés sur lui, pétrifiées...

Il prit conscience que Don était auprès de lui. Il eut aussitôt un sentiment de protection, comme un chat dont le dos est confortablement blotti contre un abri familier. Il examina le groupe assis à la table. Ils étaient tous vêtus de tenues bavaroises bien ordinaires. Trois jeunes filles en blouses et jupes paysannes. Un infirme, le bras droit et la jambe droite dans un harnais d'acier et de cuir. Un vieil homme en culottes grises, chemise de grosse laine verte et veste bavaroise grise avec des boutons d'os sculptés.

Des fermiers...

Quelque chose s'effondra en lui, laissant un vide noir. C'était leur dernière chance. Il ne restait rien à faire maintenant. Quelque part en chemin ils avaient fait fausse route. Il était toujours convaincu que les Werewölfs existaient. Tout comme Plewig l'avait révélé une fois son masque percé à jour. Mais maintenant... Il se sentait épuisé. Comme dégonflé. L'envie le prit de céder à ce sentiment d'échec, mais quelque chose le harcelait, quelque chose qui s'agitait au bord de sa mémoire, quelque chose qui lui manquait...

Plewig. C'était quelque chose que Plewig avait dit...

Il regarda le groupe autour de la table et tout d'un coup, il comprit. Il crut entendre la voix de Plewig. « Certains d'entre eux sont des blessés de guerre. » *Des blessés de guerre...*

L'infirme !

Et le vieil homme ?

Quelques secondes seulement s'étaient écoulées. Les Allemands considéraient toujours les intrus avec stupéfaction. Erik lança un ordre d'une voix sèche et autoritaire :

« Général Krueger ! Venez avec nous. Levez-vous ! Maintenant ! »

Le raclement du tabouret de bois sur le plancher lui parut le grondement d'un gigantesque éboulement lorsque le vieux fermier bavarois machinalement se leva de son siège — et s'arrêta dans son geste !

Pendant quatre secondes pleines, l'étrange tableau vivant resta figé, les deux groupes de personnages se dévisageant avec stupéfaction.

Puis Krueger se rassit lourdement en se rendant compte de la façon dont il avait par inadvertance fait l'aveu de son identité.

Le cœur d'Erik battait follement, comme pour rattraper au centuple ce battement qu'il avait manqué quand le vieux fermier s'était levé. Don et lui avaient capturé le général Werewölf en personne ! En bluffant ! Il lança un rapide coup d'œil à Don. Parfait. Don surveillait les Werewölfs, l'air sévère et résolu.

Erik sentit une vague de triomphe monter en lui. Ils y étaient arrivés ! Bon sang, ils y étaient arrivés ! Ils avaient donné la preuve qu'ils avaient raison. Au diable Evans. Les Werewölfs étaient exactement là où Don et lui avaient dit qu'ils seraient ! Ils avaient le général pour le prouver !

Le général...

Et tout d'un coup il regardait bien en face la froide réalité.

Ce fermier bavarois était bien le général Karl Krueger — s'il était le général Werewölf — il ne devrait pas être loin de son Q.G. Ses Werewölfs étaient certainement dans les parages. Quarante ? Soixante ? Qu'est-ce qu'avait dit Plewig ? Des troupes d'élite. Des fanatiques. Armés jusqu'aux dents. Ils devaient être par là...

Ils étaient en plein dans l'antre caché des Werewölfs. Don et lui.

Seuls.

Une seule chose pouvait les sauver. Son bluff instinctif avait impressionné le général. Il fallait continuer. Il fallait transformer ça en un bluff énorme, monstrueux !

Il avait la bouche sèche, les paumes moites. Drôle de réaction, songea-t-il, avec le détachement bizarre d'un observateur objectif. Il avait une irrésistible envie de s'humecter les lèvres. Il n'en fit rien. Il savait avec quelle clarté de petits gestes inconscients comme ça trahissaient la nervosité. L'hésitation...

Et si jamais il avait eu besoin de paraître plein de confiance et d'assurance, c'était bien maintenant.

« Debout ! lança-t-il. Tous. Debout ! »

Il ponctua son geste de son pistolet.

« Là-bas contre le mur. Les mains croisées derrière la nuque ! Allons ! »

Ils obéirent.

Krueger d'abord, puis les trois jeunes filles et enfin l'infirme vinrent se ranger le long du mur près de la porte, sans jamais quitter des yeux les deux Américains qui les couvraient de leurs pistolets. La haine qui brillait dans leurs yeux était presque tangible, surtout dans les yeux des filles. Elles auraient pu être jolies, songea Erik. Mais elles ne l'étaient pas. Leurs visages étaient défigurés par la haine. Seul le regard pénétrant des yeux bleus de Krueger semblaient sans émotion tandis qu'il fixait Erik et Don.

« Tournez-vous ! ordonna Erik. Appuyez-vous des deux mains contre le mur. Les jambes écartées. »

Les cinq prisonniers obéirent.

L'infirme avait des difficultés ; il semblait perdre l'équilibre, et la fille auprès de lui le prit aussitôt par le bras pour le rattraper, et l'aider. Avant de se retourner pour s'appuyer à son tour contre le mur, elle lança à Erik et à Don un regard plein de mépris.

Ç'avait été une brève diversion. Cela n'avait détourné le regard de Don et d'Erik que pour deux ou trois secondes.

Mais cela avait suffi.

Lorsque la fille la plus proche de Krueger et la plus éloignée de l'infirme se tourna vers le mur, elle passa rapidement la main sur la ceinture de sa jupe. D'un geste habile, elle tira le minuscule automatique Lilliput d'une petite poche dissimulée dans la doublure ; elle l'empauma dans sa main droite, puis posa cette main contre le mur et s'appuya dessus.

Erik surveillait les prisonniers tandis que Don les fouillait. Les filles subirent la fouille avec un silence hargneux. Don vint rejoindre Erik.

« Rien », dit-il.

Il suivit Erik qui se dirigeait vers la cheminée, hors de portée d'oreilles des prisonniers qui attendaient toujours en déséquilibre le long du mur opposé.

« Bon, fit Erik, à voix basse. File !

— Tu es dingue ? » Don détourna les yeux des Allemands pour jeter un coup d'œil stupéfait à Erik. « Nous sommes en plein milieu de ce nid de Werewölfs ! Je ne peux pas te laisser tout seul ici !

— Deux ne valent pas mieux qu'un !

— On peut les emmener...

— On ne sortirait jamais vivants. Va chercher de l'aide, bon Dieu ! Et vite ! Je continuerai à bluffer. »

Pendant quelques secondes Don dévisagea son ami, le regardant comme s'il ne l'avait jamais vu. Il se sentait coincé. Il savait qu'Erik avait raison. Il savait qu'il leur fallait de l'aide. Et il savait que lui ne pouvait pas rester là. Son allemand n'était pas assez bon pour soutenir le bluff. C'était à Erik de jouer. Mais le laisser là, comme ça ?...

Sans un mot il tourna les talons et sortit de la cabane.

Erik était seul.

Il regarda ses prisonniers alignés contre le mur. Cinq. Cinq dos. Cinq Werewölfs...

Seigneur, il n'aurait jamais cru que cinq, ça faisait autant de monde.

Appuyés contre le mur, ils avaient l'air tendus comme des ressorts prêts à entrer en action.

Etait-ce le cas ?

Il ne fit pas un geste. Les prisonniers non plus. Le silence était total. Le temps s'écoulait silencieusement. Aussi silencieusement qu'une souris pissant sur un buvard, songea-t-il. En général cette expression l'amusait. Pas maintenant.

Il jeta un coup d'œil au pistolet qu'il tenait à la main. Un Colt 38 spécial. C'était là tout ce qui faisait sa supériorité. Non. Pas tout à fait. Il avait quand même un atout caché pour appuyer son bluff. Des informations. Des informations dont ses prisonniers ignoraient qu'il les possédait. Il était temps de commencer à les utiliser ; il sentait les Werewölfs s'énerver...

Le silence fut soudain rompu par le bruit au loin d'une jeep qui démarrait en trombe.

Ce fut un choc pour Erik.

Mon Dieu ! songea-t-il avec inquiétude. Don est toujours là ? Ça fait des minutes et des minutes déjà qu'il est parti ! Qu'est-ce qu'il fout ?

Il vit les Allemands réagir à ce bruit inattendu. Il savait qu'il ne pouvait pas se permettre de les laisser commencer à réfléchir. Il fallait contre-attaquer. Tout de suite !

Il se força à se calmer. Cela ne faisait que quelques secondes que Don avait quitté la cabane. Il s'obligea à prendre un air moins tendu, à avoir la main qui tenait son pistolet moins crispée. Il savait qu'il devait avoir l'air sûr de lui.

« Ça va », dit-il d'un ton nonchalant. « Vous pouvez vous retourner. Gardez simplement les mains derrière la nuque. »

Les cinq prisonniers pivotèrent lentement vers Erik. Ils restaient là à le regarder d'un air mauvais. Affichant la plus grande insouciance, il alla s'asseoir au bord de l'âtre.

« J'espère que vous ne pensez pas à rien faire de stupide, dit-il aimablement. Tout le secteur est cerné par les troupes qui font mouvement vers cette cabane. »

Il regarda Krueger en souriant.

« Nous savions que nous vous trouverions ici, général. »

Il guetta chez eux une réaction. Pas la moindre. Il savait qu'ils étaient encore à le jauger, à évaluer la situation. Il fallait continuer à parler. Continuer à leur montrer combien il en savait long sur eux. Leur faire croire qu'il en savait beaucoup, beaucoup plus. Les empêcher de réfléchir et d'estimer correctement leur position.

« En fait, poursuivit-il, nous savons un tas de choses sur vous. Et sur toute l'*Unternehmung Werwolf*. Ça fait longtemps que vous appartenez à l'organisation, n'est-ce pas, général ? Deux ans, je crois ? Au fait, préfériez-vous votre Q.G. en Pologne à celui de Thürenberg ? En Tchécoslovaquie ? »

Il continuait à parler. Et à observer. Ils l'écoutaient. Ils devaient se poser des questions. Mais ils étaient forts. Ils ne trahissaient pas leurs réactions.

« Au fait, général, fit Erik d'un ton de confidence. Vos chevaux, vos cent vingt chevaux sont tous retrouvés. Comme ils étaient la propriété de la Wehrmacht, ils sont évidemment maintenant la propriété de l'armée américaine. »

Une des filles jeta un rapide coup d'œil à Krueger ; puis aussitôt elle se reprit et regarda droit devant elle. L'expression du général n'avait pas changé.

« Au total, commenta tranquillement Erik, c'est un joli coup de filet. Ça va être un coup pour votre supérieur, l'Obergruppenführer SS Hans-Adolf Prützmann, j'imagine, que de perdre comme ça le Sonderkampfgruppe Karl. »

Il regarda Krueger droit dans les yeux.

L'officier allemand soutint son regard. Ses lèvres esquissèrent un sourire crispé. Il inclina la tête de façon à peine perceptible.

« Je vous félicite, dit-il, la voix ferme et tranquille. Nous ne pensions pas tenir indéfiniment, mais nous ne comptions pas être capturés aussi rapidement. »

Il regarda le mutilé, puis Erik.

« Permettrez-vous à mon second, Hauptmann Schmidt, de s'asseoir ? Sa jambe ne peut pas le supporter longtemps. »

Erik acquiesça.

« Bien sûr. Asseyez-vous, capitaine. »

Schmidt approcha de lui un des tabourets et s'assit, sa jambe mutilée tendue toute raide devant lui. Les autres le regardèrent. La fille la plus proche de Krueger fit un petit geste de la main qu'elle tenait derrière sa nuque, sans quitter des yeux Erik.

« Les filles, demanda Erik. C'est du personnel administratif ? Ou bien sont-elles entraînées pour le service actif ? »

Krueger ne répondit pas. Erik fit un signe aux filles.

« Vous pouvez baisser les mains, dit-il. Tenez-les croisées devant vous. »

Les filles lui lancèrent un regard de défi.

Pas une ne bougea.

LA ROUTE DE SCHONSEE

La jeep dévala l'étroite route forestière, prit à toute vitesse le tournant sur la route et fonça vers la petite ville de Schönsee.

Don était crispé sur le volant. Tout en roulant à fond de train, ce fut à peine s'il remarqua le petit groupe d'hommes qui marchait sur le bas-côté de la route dans la direction d'où il venait. Ils portaient des instruments aratoires. L'un d'eux, coiffé d'une casquette de cuir sale, poussait une bicyclette avec un vieux sac à dos fixé au guidon. La bicyclette n'avait pas de pneus.

La jeep négocia un brusque virage. Ensuite, la route était droite. Au loin. on apercevait une colonne motorisée qui approchait.

Don écrasa la pédale d'accélérateur. La jeep s'envola littéralement...

Il ne vit pas le petit groupe d'hommes avec la bicyclette tourner pour prendre le chemin qui s'enfonçait dans la forêt de Schönsee...

LA CABANE

Erik fit un sourire aimable à l'adresse des jeunes filles Werewölfs.

« A votre aise. » Il haussa les épaules. « Je voulais simplement que vous soyez un peu plus confortables. »

Avec un mépris délibéré, une des filles cracha par terre. C'était une manifestation théâtrale et puérile, et pourtant un geste d'insolence et de défi qui vous faisait froid dans le dos.

Krueger eut un petit sourire.

« Je crains que mon secrétariat ne tienne pas en très haute estime les officiers américains, dit-il.

— En ce cas leur goût n'est pas aussi bon que le vôtre, général. Il paraît que vous aimez beaucoup les roses. »

Krueger regarda attentivement son adversaire. Un air songeur apparut dans ses yeux.

Erik le reconnut. C'était l'air combien-cet-homme-en-sait-il ? Il fouilla dans sa mémoire pour retrouver le moindre renseignement qu'il avait arraché à Plewig. Quoi d'autre ? Si seulement il avait laissé ce type bavarder plus longuement...

« Et, bien sûr, l'armagnac, reprit-il avec nonchalance. Là, je suis d'accord avec vous. C'est merveilleux. Dommage, mais je crois que vous allez devoir vous en passer pendant un moment. »

Krueger l'observait avec un petit sourire.

« Vous semblez bien renseigné sur mes goûts personnels », observa-t-il. Presque imperceptiblement il tourna la tête.

Ce mouvement n'échappa pas à Erik. Il écoute, se dit-il. Il commence à se demander pourquoi nous restons là à échanger des conneries. Je ne peux pas le perdre maintenant ! Tout haut il dit :

« Ça n'a pas grande importance, général. Je suis bien d'accord avec vous. »

Il s'installa plus confortablement sur les pierres de l'âtre.

« C'est le sucre glacé du gâteau. Bien sûr, les détails plus significatifs sont beaucoup plus intéressants. J'ai eu récemment une conversation tout à fait fascinante. Avec quelqu'un que vous connaissez, je crois. Le Reichsamtsleiter Manfred von Eckdorf ? »

Pour la première fois Krueger ne put empêcher une lueur de surprise de passer dans son regard.

« Von Eckdorf ?

— Oui. Juste avant sa mort. »

LA ROUTE DE SCHONSEE

Don freina brutalement et arrêta sa jeep en diagonale en travers de la route, la bloquant, forçant la colonne qui arrivait à stopper. Il constata avec satisfaction que c'était un convoi de cavalerie motorisé. Avec des voitures blindées. Une énorme puissance de feu. Une jeep se précipita en tête de la colonne et s'arrêta dans un crissement de pneus. Un lieutenant sauta à terre avant même que la voiture eût complètement stoppé et s'avança vers Don. Deux G.I's le couvraient de leurs mitraillettes.

« Qu'est-ce que vous croyez ? s'écria le lieutenant d'un air furieux. Otez-moi cette foutue jeep de là ! »

Don se tourna vers lui.

« Lieutenant ! Je suis un agent spécial. C.I.C. : contre-espionnage. J'ai un copain là-bas qui est dans un vrai pétrin. J'ai besoin de vos hommes. Suivez-moi. Immédiatement ! »

Le lieutenant le dévisagea. Puis il sourit.

« Contre-espionnage ? Hein ? Contre-conneries plutôt ! En pleine forme, hein ?

— Cessez de faire le clown ! En route ! ».

Le lieutenant ne bougeait pas.

« Pas si vite ! Tout d'abord nous allons voir *qui* peut ordonner à *qui* de faire *quoi !* » Son ton se fit soudain sec. « Montrez-moi vos papiers ! »

Il tendit la main.

Don sentit dans sa bouche un goût amer. Il jura sous cape, mais il savait que l'officier avait raison.

Il chercha sa carte d'identité militaire dans sa poche...

LA CABANE

Les cinq prisonniers Werewölfs étaient toujours là, à dévisager Erik.

C'était devenu pour lui de plus en plus pénible de garder son air assuré. Depuis combien de temps cela durait-il ? Il avait l'impression que cela faisait une éternité. Il sentait une sueur d'angoisse perler sous ses aisselles et ruisseler le long de ses flancs. Il savait que de petites gouttes de transpiration révélatrices allaient apparaître sur son front, mais il n'osait pas les essuyer. Il pouvait seulement prier le ciel que les prisonniers ne les voient pas. Il s'efforça de garder un ton de conversation.

« Le Reichsamtsleiter m'a donné de nombreux renseignements, dit-il. En cet instant même, général, nos troupes font mouvement vers vos unités opérationnelles. C'est la fin des Werewölfs. »

Le regard de Krueger était fixé sur lui, pensif.

« Peut-être », dit-il. Il tourna la tête de côté pour tendre l'oreille. Cette fois, il ne prit pas la peine de s'en cacher. « Peut-être pas... »

Erik examina ses prisonniers. Un subtil changement s'était opéré parmi eux et il en avait conscience. La familiarité engendre le mépris, songea-t-il. Voilà ce qui leur arrive. Ils s'habituent à cette situation. L'effet de choc s'émousse. Ils vont se mettre à réfléchir sérieusement maintenant...

Une des filles ôta lentement ses mains de derrière sa nuque, et les croisa devant elle. Elle lança à Erik un regard de flagrant défi. Il se demanda s'il devait l'interpeller, puis décida de n'en rien faire. Mais il savait que les règles du jeu commençaient à changer.

Où diable était Don ?

Krueger se tourna vers lui.

« Votre camarade est parti depuis longtemps, n'est-ce pas ? » demanda-t-il doucement.

Pour Erik c'était la question la plus glaçante, la plus menaçante qu'il eût jamais entendue.

Il sentait le contrôle de la situation lui échapper...

On allait démasquer son bluff...

LA ROUTE DE SCHONSEE

Le lieutenant Larry James examinait la carte du C.I.C. qu'il tenait à la main. Ça avait l'air en ordre. Il rendit ses papiers à Don. Quel bordel, songea-t-il avec agacement.

Don se tourna vers sa jeep.

« Allons-y !

— Hé, dites donc. C'est un peloton de cavalerie motorisée. Nous avons un nid de résistance SS à nettoyer. Nous... »

Don pivota vers lui.

« Mettez-vous en doute les papiers que je vous ai montrés ? lança-t-il sèchement. Mon autorité ?

— Hé là, non ! Ne montez pas sur vos grands chevaux. Mais il y a toute une division de Panzer là-haut, qui fait route vers les montagnes. On ne peut tout de même pas s'arrêter pour vous suivre. J'ai mes ordres.

— Je vous donne un contrordre, à l'instant même !

— Dites donc... euh... Quel est donc votre grade ?

— Mon grade est confidentiel. Mais je peux vous assurer, *Lieutenant,* que vous vous adressez à un supérieur ! En route ! *C'est un ordre !* »

Il tourna les talons et se dirigea rapidement vers sa jeep.

« D'accord... Ça vous regarde. »

Don lança par-dessus son épaule :

« Et contactez par radio le commandant Evans. Aux M.P. du Corps. Dites-lui dans quelle direction nous allons. »

Il emballa le moteur de sa jeep et reprit en trombe la route qui menait vers la forêt de Schönsee...

LA CABANE

L'atmosphère même dans la petite cabane était plus chargée de suspense. Les yeux pénétrants de Krueger étaient plissés. Il examinait Erik, une expression calculatrice sur son visage.

« Qu'est-ce que nous attendons exactement ? demanda-t-il, d'un ton un peu plus mordant.

« Mon camarade parle avec un de vos hommes, général. Plewig. Josef Plewig. Votre ordonnance », lui annonça Erik. Il fallait qu'il les fasse écouter encore. Il le fallait. « Quand nous partirons d'ici, nous voulons que rien n'ait été négligé. »

Au nom de Plewig, le visage de Krueger s'assombrit. Les autres tressaillirent et échangèrent de rapides coups d'œil. Krueger s'exclama doucement :

« Plewig...

« *Verräter !* cracha Schmidt. Traître !

— Ne soyez pas trop sévère avec lui, capitaine, dit Erik. Il a simplement compris la totale futilité de toute votre opération... »

Soudain Krueger l'interrompit, un nouvel accent d'autorité résonnant dans sa voix.

« Schmidt. Avez-vous entendu un signe d'activité dehors ces dernières minutes ? »

Erik se leva, aussitôt en alerte. Son pistolet était braqué droit sur Krueger.

Sa main ne vacillait pas.

« Pas de conversation entre vous ! ordonna-t-il sèchement.

« *Nein,* Herr General, fit Schmidt sans s'occuper de lui.

— C'est bien ce que je pensais. »

Erik ôta le cran de sûreté de son pistolet. Le déclic lui en parut anormalement bruyant. Cette fois, ça y était : il avait passé le point de non-retour...

« Je vous préviens, fit-il, étonné lui-même de la dureté de son ton. Pas un geste ! »

Les prisonniers Werewölfs se tendirent. Cinq paires d'yeux flamboyant de haine se braquèrent sur Erik. La fille la plus proche de Krueger était toute rouge. Le général jeta un coup d'œil au pistolet que tenait Erik.

« Combien de balles contient un chargeur de Colt ? demanda-t-il d'un ton sarcastique. Six ? Vous pourriez nous tuer tous ? Avant...

— Vous serez le premier ! »

Krueger haussa les épaules.

« Peu importe. »

Avec un frisson d'horreur Erik comprit qu'il le pensait.

Lentement Krueger se mit à laisser ses bras descendre le long de son corps. Les autres l'imitèrent, sans jamais quitter des yeux Erik.

Erik braqua son pistolet en plein sur Krueger. Maintenant que les dés étaient jetés, il se sentait d'un calme redoutable, tous ses sens étaient en alerte. Il ne bluffait plus. Maintenant c'était une question de survie.

Soudain la fille Werewölf qui dissimulait son arme agit avec une extraordinaire rapidité.

Poussant un cri rauque d'animal, elle baissa les mains, braqua son arme miniaturisé et fit feu.

Mais dans le même instant, durant la fraction de seconde qu'il fallut à la fille pour bien prendre en main le petit pistolet, Erik se laissa tomber sur un genou, son arme toujours braquée sur Krueger. De sa main gauche, il saisit un petit tabouret de bois près de la cheminée, et du même mouvement ininterrompu, le lança droit sur les jambes de la fille. La balle qu'elle avait tirée siffla à l'oreille d'Erik, frappa la cheminée, faisant voler des éclats de pierre, puis ricocha avec un sifflement perçant pour aller s'enfoncer dans le mur derrière lui au moment précis où le lourd tabouret venait s'abattre sur les jarrets de la fille. Elle s'effondra avec un gémissement de douleur, sa seconde balle s'enfonçant dans le plancher devant elle.

Ça s'était passé avec une si extraordinaire rapidité que les autres Werewölfs commençaient tout juste à réagir quand Erik, son pistolet et ses yeux inexorablement fixés sur Krueger, lança :

« Halte ! »

On sentait dans sa voix une maîtrise glaciale.

« Votre général meurt ! » Son regard se posa un instant sur la fille pelotonnée par terre, les yeux brillant de douleur, mais qui tenait encore son arme dans sa main crispée. « Et c'est vous qui allez le tuer, si vous ne lâchez pas ce joujou ! *Sofort !* Tout de suite ! »

La fille lança un coup d'œil à Krueger, puis ses yeux revinrent vers Erik ; des yeux dont le regard était terrible à soutenir.

Pendant une seconde qui dura une éternité, le groupe de Werewölfs demeura pétrifié. S'ils se précipitent sur moi, je suis fait, songea Erik avec un curieux détachement. Puis, en poussant un juron étouffé de déception et de rage impuissantes, la fille laissa tomber sur le plancher le pistolet Lilliput. Cela fit un bruit de tonnerre.

Puis elle se releva tant bien que mal.

« Envoyez-le-moi d'un coup de pied, ordonna Erik. Attention ! »

La fille obéit. Le petit pistolet fila sur les planches rugueuses, suivi par tous les regards sauf celui d'Erik.

Il se redressa.

Les cinq prisonniers Werewölfs le fixaient. On aurait dit des ressorts tendus et malveillants. Qui attendaient. Qui attendaient l'instant de se précipiter sur lui, l'instant qui devait venir. Ça n'était qu'une question de temps. Et du temps, il n'en avait pas beaucoup. Et le temps était la seule chose qu'il ne pouvait pas contrôler avec un pistolet.

« Mettez vos mains sur votre tête, ordonna-t-il sèchement. Tous ! Face au mur. »

Ils ne bougèrent pas.
Le pistolet d'Erik était toujours braqué sur Krueger. Il leva son autre main. Lentement, il prit la crosse du pistolet à deux mains, tendit le bras et visa soigneusement, le canon braqué juste sur le front de Krueger.
— *Maintenant !* »
Pas un son. Pas un mouvement... puis les prisonniers lentement s'écartèrent les uns des autres, ne quittant pas Erik des yeux, élargissant progressivement le secteur qu'il devait contrôler.
Il était en train de perdre les derniers fils par lesquels il contrôlait encore la situation...
Il prit soudain conscience d'autre chose. Un grondement sourd et lointain de nombreux véhicules motorisés, ébranlant le silence de la forêt. Et devenant de plus en plus fort. Le bruit de voitures qui stoppaient ; le cliquetis des half-tracks, le rugissement de camions qui se mêlait à des ordres criés çà et là et aux bruits de nombreux hommes qui accouraient.
C'était la plus belle symphonie de sons qu'Erik eût jamais entendue.
Son pistolet se mit à trembler entre ses mains ; il l'abaissa pour l'appuyer contre son ventre ; il était toujours braqué sur Krueger.
Le général parut soudain s'effondrer un peu. Ses bras s'abaissèrent, inutiles, et il baissa la tête dans un geste d'amère résignation.
Brusquement la porte de la cabane s'ouvrit. Don et le lieutenant James se précipitèrent. Don aussitôt fut auprès d'Erik.
« Erik ! »
Erik réussit à sourire.
« Comme la cavalerie dans un western. »
Il replaça son pistolet dans son baudrier. Il savait que ses mains tremblaient. Il ne cherchait pas à le dissimuler. Il se sentait la gorge serrée comme s'il allait éclater en sanglots. Ses yeux brusquement le picotaient. Il ne se sentait pas capable de continuer avec toute la nonchalance qu'il aurait voulu montrer. Il parvint à peine à dire :

« Donne-moi... rien qu'une minute... »

Et il quitta la cabane.

Seul.

Il avait vécu toute une vie. Une vie longue de neuf minutes...

Une fois dehors, il s'adossa au mur de la cabane. Il ferma un moment les yeux. Il prit quelques profondes inspirations et sentit la tension peu à peu se dissiper. En tout cas, il ne tremblait plus...

Tout autour de lui, les hommes du peloton de cavalerie motorisée se déployaient, encerclant le pré. Erik regardait. La tranquille clairière était soudain devenue le théâtre d'une activité fébrile. Des véhicules de l'armée américaine convergeaient vers elle dans une cacophonie épouvantable : des jeeps, des half-tracks, des voitures blindées, des petits camions. Des G.I's se déployaient en éventail, carabine au poing. A intervalles réguliers, ils se plaquaient contre le sol, face à la forêt, le doigt sur la détente. D'autres encerclaient la cabane. L'opération se déroulait à toute allure, avec le maximum d'organisation et d'efficacité d'une unité de combat d'élite.

Erik vit tout cela. Mais il ne vit pas un petit incident qui se produisit sur un des sentiers partant de la clairière...

Un petit groupe de fermiers descendaient précipitamment le chemin en s'éloignant du pâturage grouillant soudainement de G.I's.

L'un d'eux, poussant une bicyclette sans pneus chargée d'un vieux sac à dos, était coiffé d'une casquette de cuir sale.

Krauss.

Son visage exprimait la hâte et l'inquiétude tandis qu'il poussait rapidement la vieille bécane le long de l'étroit sentier.

Soudain, au détour d'un virage, deux véhicules de l'armée américaine dévalèrent le chemin, se dirigeant droit vers le groupe de fermiers. Le véhicule de tête était une jeep, avec un officier assis auprès du chauffeur ; l'autre véhicule était un petit Dodge bourré de M.P.

Les fermiers quittèrent précipitamment l'étroit chemin pour laisser la place aux voitures qui arrivaient. La vieille bicyclette échappa des mains de Krauss et vint rouler sous les roues de la jeep. Il y eut un grand bruit métallique et les deux roues du vélo réapparurent derrière la jeep, complètement déformées. La jeep et le petit camion s'arrêtèrent brusquement. Krauss se précipita vers sa bicyclette et le vieux sac à dos qui gisait à côté. Il y arriva en même temps que l'officier qui avait sauté à bas de la jeep. Les deux hommes s'arrêtèrent contemplant le sac qui s'était déchiré. Par l'ouverture dans la toile on voyait une poignée de munitions et deux pistolets Luger.

Erik ne vit pas cela. Et s'il l'avait vu, cela n'aurait rien voulu dire pour lui.

Don sortit de la cabane et vint rejoindre Erik.

« Ce que je suis content de te voir ! » Il avait presque envie de toucher son ami, mais il n'en fit rien.

« Pas moitié autant que moi de te voir ! » Sans aucun doute Erik pensait ce qu'il disait.

« Comment diable as-tu fait ? Qu'est-ce qui s'est passé ?

— Une minute de plus... Je te le dis, une minute de plus et j'étais bon. »

Don secoua la tête en feignant l'étonnement.

« Et dire que c'est toi qui ne gagnais jamais au poker ! »

Il redevint grave.

« Et maintenant ? demanda-t-il. On a le vieux, mais on ne sait toujours pas où sont les autres Werewölfs. Je ne saurais même pas où commencer à chercher.

— Je crois que je sais comment y arriver. » Erik avait l'air songeur. « Toute cette affaire n'a été qu'un énorme bluff depuis le début. Pourquoi s'arrêter maintenant ? Je vais m'arranger pour que ce soit Krueger qui nous montre où ils sont.

— Tu es dingue ? Ce vieux salaud ne te dirait même pas où est ta droite !

— Bien sûr que non. Pas s'il savait ce qu'il faisait. » Il se dirigea vers la porte, puis s'arrêta net.

Il regardait au bout de la clairière.

« Ça, alors ! s'exclama-t-il. Regarde qui est là. »

D'un sentier de la forêt une jeep émergeait, suivie d'un petit Dodge bourré de M.P. La jeep avait une bicyclette démolie jetée sur la banquette arrière. Debout auprès du chauffeur, comme un César conquérant, se tenait le commandant Evans, poussant devant lui un petit groupe d'hommes, les mains sur la tête.

« Oh, lui, fit Don. Je l'ai invité.

— C'est gentil de sa part d'être venu. Et en amenant ses fermiers ! »

Erik entra dans la cabane, suivi de Don. Le lieutenant James et deux de ses hommes gardaient les prisonniers. Erik s'approcha de l'officier. Il avait l'air sûr de lui, et il parlait d'une voix assez forte pour être entendu de tous.

« Bien, lieutenant, annonça-t-il d'un ton vif, nous sommes prêts à encercler les autres. Rassemblez vos hommes et suivez-nous. » Il se tourna vers les Werewölfs. « Prenez quatre hommes pour ramener les prisonniers au Corps. » Il regarda Krueger droit dans les yeux. « Excepté vous, général Krueger. Vous venez avec nous. »

Il dégaina son pistolet, désigna la porte.

« Allons ! »

Pendant un bref instant, Krueger le dévisagea, puis il tourna les talons et se dirigea vers la porte. Son allure était étonnamment digne et militaire, malgré les simples vêtements de fermier qu'il portait. Erik l'arrêta.

« N'oubliez pas, général, fit-il d'un ton caustique. Ne nous jouez pas de tours. Nous sommes juste derrière vous ! »

Sans un mot Krueger continua à avancer. Il ne se retourna pas pour voir si les Américains le suivaient. S'il l'avait fait, il aurait vu le grand clin d'œil qu'Erik adressait à Don. Mais il sortait tout droit de la cabane et s'engagea dans la clairière.

Erik et Don étaient juste sur ses talons...

GRAFENHEIM

Secteur de l'Unité de Werewölfs C

13 h 09

Les diagonales de peinture noire et blanche sur le poteau indicateur s'écaillaient vilainement. Le panneau lui-même, en forme de flèche rudimentaire, annonçait : GRAFENHEIM 4 KM.

C'était là.

Willi s'arrêta sur le sentier à la lisière de la forêt. La colline descendait en pente devant lui, vers une petite vallée, un coin de champs cultivés dont le vert clair tranchait sur le vert plus sombre des bois de sapins qui couvraient la colline. Le chemin par lequel il avait franchi la frontière tchèque se séparait en deux à cet endroit. Le panneau indicateur désignait l'ouest, sur la gauche. Au loin, à l'entrée de la vallée, Willi distinguait le village de Grafenheim. Le vallon lui-même n'avait guère plus d'un kilomètre de large. Quelque part, dans les bois de l'autre côté, se trouvait le secteur de l'unité de Werewölfs C.

Ç'avait été un long voyage. Le Q.G. de Krueger à Schönsee était situé à cent ou cent cinquante kilomètres au nord-ouest, mais Willi estimait qu'il avait dû parcourir au moins le double de cette distance pour éviter le territoire tenu par l'ennemi, avant que cette saleté de Volkswagen ne rende l'âme.

Ç'avait été absurdement facile d'arriver jusque-là, se dit-il. Ça n'était pas une infiltration risquée, mais plutôt une agréable promenade dans cette belle forêt de Bohême. Il s'était tenu à l'écart des routes, bien sûr, il n'avait vu aucune troupe ennemie. La situation devait être diablement fluide. Il en était ravi. Ça facilitait beaucoup les choses. Aussi bien pour maintenant que pour plus tard. Mais il était également consterné des signes d'effondrement qu'il avait observés parmi les troupes allemandes qui piétinaient encore en Tchécoslovaquie dans la bande chaque jour plus étroite de territoire entre les forces américaines et russes qui avançaient. Le temps pressait.

Instinctivement il porta la main à sa poche de poitrine et sentit un froissement de papier. Des ordres pour l'officier commandant l'unité C. Les instructions de dernière minute du général Krueger.

Il sentit monter en lui une vague d'orgueil et d'excitation. Dans quelques heures, songea-t-il avec ce sens des exagérations propre à la jeunesse, le cours de l'Histoire va être changé !

Son regard revint au panneau indicateur. Il le remua. Oui. Il était desserré. Comme on le lui avait annoncé...

L'empoignant solidement, il tourna le panneau de cent quatre-vingts degrés, le braquant vers l'est.

Il jeta un coup d'œil sur la vallée. Il savait qu'on l'observait.

Il s'assit et s'adossa au poteau. Il attendit.

Quelqu'un allait venir le chercher.

LA FORET DE SCHONSEE

13 h 17

Le général major Karl Krueger marchait d'un pas ferme dans le chemin forestier. Il ne lui avait fallu que quelques minutes pour analyser la situation, l'évaluer, prendre sa décision et agir en conséquence. Sans perdre un instant en « si » ou en « si seulement », il acceptait le fait qu'il avait été fait prisonnier. Il était déconcerté par les méthodes suivant lesquelles fonctionnait le service de renseignements ennemi. Ça le mettait mal à l'aise. Les Américains semblaient savoir beaucoup de choses, mais leur comportement paraissait étrangement livré au hasard. Il chassa cette pensée comme étant sans importance pour l'instant. D'ailleurs, avec les Américains on ne pouvait jamais être sûr de rien. Le problème essentiel était de savoir comment opérer maintenant, afin de minimiser les dégâts et de sauvegarder la mission principale.

Fait : Lui, personnellement, était empêché d'agir directement. Toutefois, il pouvait encore influencer le progrès et l'ampleur de l'opération ennemie. Fait : Son unité de Q.G. était immobilisée. Regrettable. Mais il y avait des officiers compétents au sein des autres unités. Et Richter était porteur d'ordres détaillés. Il n'y avait aucune raison, absolument aucune raison pour que toute la mission ne fût pas exécutée avec succès. C'était impératif. Il y avait encore un grand nombre de troupes prêtes à occuper le réduit. Du temps. Du temps, c'était ça dont on avait besoin... Même les heures comptaient. Il prit sa décision. Il allait coopérer avec les officiers de renseignements ennemis. Il ferait semblant d'accepter la défaite. Il retiendrait leur intérêt et leur attention, limiterait leurs zones d'opération à son propre secteur aussi longtemps que possible. Ça, c'était déjà perdu. La mission clé, il fallait encore la monter.

Il arriva à un carrefour. Résolument il tourna à gauche. Il savait ce qu'il avait à faire...

Erik et Don marchaient juste derrière l'officier allemand. Sur leurs talons suivait le lieutenant James, ses hommes déployés en tirailleurs derrière lui. Sur un flanc, le commandant Evans et ses M.P. se frayaient un chemin à travers les bois.

En quittant la clairière, Krueger avait pris le même chemin par lequel Erik et Don étaient parvenus jusqu'à la cabane. Maintenant qu'il s'en rendait compte, Erik regardait autour de lui. Le secteur lui semblait déplaisamment familier. Là, là sur le bord du chemin se trouvait le tas de bois qu'il avait éparpillé d'un coup de pied moins d'une heure plus tôt. Il jeta un coup d'œil à Don. Krueger semblait se diriger vers la même partie de la forêt qu'ils avaient déjà fouillée, piétinée pendant des heures — sans rien trouver. Il en était certain. Une pensée soudain le glaça.

Est-ce que Krueger avait compris ? Avait-il compris le truc qui consistait à le laisser leur montrer le chemin ? Se rendait-il compte qu'ils n'avaient aucune idée de l'endroit où étaient les Werewölfs ? Les menait-il délibérément en bateau, les emmenant vers un endroit où il savait ne rien risquer ? En donnant à ses hommes une chance de s'échapper ?

Avec appréhension Erik jeta des coups d'œil autour de lui. C'était bien le même secteur. Là, au coin à droite, se dressait le grand pin penché. L'arbre au ravitaillement. Et devant le carré forestier planté de pins en rangs serrés, tous ayant entre quatre et cinq mètres de haut ! C'était la même foutue forêt qu'avaient passée au peigne fin deux compagnies de M.P. au début de la journée ; le même coin repéré par les M.P. d'Evans, inspecté arbre par arbre par lui et par Don !

Krueger les avait conduits juste au seul endroit de cette satanée forêt où ils savaient qu'il n'y avait rien !

Il avait bluffé ceux qui l'avaient bluffé.

Erik réfléchit très vite. Il fallait jouer le jeu jusqu'au bout. Il n'y avait rien d'autre à faire, absolument rien.

Il se retourna pour regarder en arrière. Sans un mot, il fit signe au lieutenant James de faire cerner par ses hommes le carré de pins.

Oh, mon Dieu... Encore !

Il vit les hommes se déployer. Il détourna délibérément les yeux de ceux du commandant Evans. Avec Don, il pénétra dans le carré de pins, sur les talons du général Krueger...

Les rochers dans la petite clairière au milieu du carré avaient exactement le même air que moins de trois heures plus tôt. Erik voyait même l'endroit où la mousse épaisse s'était aplatie sur le rocher auquel il s'était adossé. Ça faisait comme un tapis vert de billard.

Krueger s'arrêta. Un moment il resta silencieux, à regarder dans le vide.

« Alors ? » La voix d'Erik trahit sa tension.

Krueger soupira. « Nous y sommes, dit-il tranquillement.

— Ne nous racontez pas ça ! fit Don, furieux. Nous avons déjà été ici. Il n'y a absolument rien ! »

Les épaules de Krueger se raidirent. Lentement il se tourna pour faire face aux deux agents du C.I.C. Il les regarda avec un œil glacé. Le visage résolu, ils soutinrent son regard.

« Vous n'avez jamais su ! » murmura-t-il, incrédule. Son visage s'assombrit. Ses épaules s'abaissèrent imperceptiblement. « Vous... n'avez... jamais su. »

Erik reprit d'une voix rauque :

« Qu'est-ce que vous nous racontez ?

Krueger le scruta longuement, un regard froid et distant. Il jeta un coup d'œil sur la clairière. Dans les bois on apercevait le lieutenant James, le commandant Evans, plusieurs G.I's qui convergeaient vers le secteur. Krueger hocha lentement la tête comme s'il se parlait à lui-même. Puis il se tourna vers Erik. Lorsqu'il parla, ce fut d'une voix plus calme et plus assurée.

« Feldwebel Steiner ! » cria-t-il. « Feldwebel Steiner ! *Antreten !* »

Il resta immobile. A attendre.

Pas un son. Tous les hommes étaient immobiles, à regarder l'Allemand planté là, tout seul au milieu de la clairière. Et qui attendait...

Erik l'observait. Il tendait l'oreille. Il n'entendait rien, mais il sentait son poil se hérisser sur sa nuque comme un avertissement instinctif.

Krueger fronça les sourcils. Une fois de plus il appela : « Steiner ! » Sa voix avait un accent d'autorité. « *Antreten ! Sofort !* »

Erik et Don échangèrent un regard amer.

Rien...

Erik se sentait dupé. Il y a quelques instants seulement, ça y était, et maintenant... Le vieil homme les menait en bateau. La partie était loin d'être finie ; c'était à lui de jouer. Mais, bon sang, il n'avait pas la moindre idée de ce qu'il fallait faire. Il foudroya l'Allemand du regard. Il sentait la colère et l'exaspération monter en lui.

Soudain, tous les muscles de son corps se crispèrent. A moins de deux mètres de l'endroit où il se tenait, le sol commença à bouger.

Lentement un carré d'herbe se souleva de quelques centimètres. Glissant d'un côté, il révéla un trou dans le sol d'environ cinquante centimètres de diamètre.

Un homme en émergea. Il portait l'uniforme d'un Feldwebel de la Wehrmacht. Il fit quelques pas vers Krueger. Il boitait, mais cela ne l'empêcha pas de claquer des talons, de se mettre au garde-à-vous et de faire un salut impeccable.

« *Zu Befehl.* Herr General ! »

Abasourdi, Don laissait son regard aller du trou dans le sol à l'homme au garde-à-vous devant Krueger pour retourner au trou par lequel il était apparu.

« Souterrain ! dit-il incapable de maîtriser l'émerveillement dans sa voix. Toute cette installation doit être souterraine ! » Il se tourna vers Steiner. Sèchement, il fit un signe avec son pistolet.

« Les mains en l'air ! Sur votre tête ! Avancez ! »

Steiner jeta un regard interrogateur à son chef. Sa main droite glissa imperceptiblement vers la boucle de son ceinturon. Krueger demeurait parfaitement immobile. Silencieux. Il détourna les yeux du sergent. L'homme se rembrunit. Lentement il posa les mains sur le haut de son crâne. Il luttait pour gagner chaque seconde, mais il devait prendre garde de ne pas en faire trop, de ne pas éveiller la méfiance des Américains. Il avait reculé aussi longtemps qu'il avait osé, le moment d'obéir à l'ordre de capitulation générale. Assez longtemps pour donner précipitamment des instructions à l'opérateur radio. Berlin *devait* être informé. Cela passait en priorité absolue. Puis la station relais de Munich. Il fallait alerter les autres unités ; mettre en œuvre de nouveaux échelons de commandement. Sauvegarder la mission de l'unité C. Il fallait empêcher les Américains d'entrer dans le souterrain assez longtemps pour qu'on eût le temps d'envoyer les messages. Il le fallait. Il toisa froidement l'officier ennemi qui s'approchait de lui...

Erik fouilla soigneusement le sous-officier allemand pendant que Don le couvrait. L'homme n'était pas armé, mais dans la poche de poitrine de sa tunique, il trouva quelques papiers pliés. En dépliant l'un d'eux, il émit un petit sifflement.

« Hé, j'ai touché le gros lot ! fit-il en montrant les documents à Don. Regarde ça. Une liste complète des effectifs de l'unité ! Il lut tout haut : « *Sonderkampfgruppe Karl. Gliederung des Führungsstabes.* » Il se tourna vers Steiner.

— C'est votre unité ? »

Steiner lança un rapide coup d'œil à Krueger pour quémander une indication, mais le général demeura silencieux.

« Eh bien ? » demanda Erik.

Steiner ne répondit pas. Erik s'approcha de lui.

« Répondez ! »

Steiner ne regardait pas Erik. Il avait le regard fixé droit devant lui.

« Je ne peux pas savoir, Herr Offizier », dit-il. Il y avait une trace de raillerie dans sa voix. « Je ne sais pas quel document regarde le Herr Offizier. »

Erik lui fourra le papier sous le nez.

« Bon, regardez ! lança-t-il et parlez ! »

Steiner jeta un coup d'œil au document.

« Oui, Herr Offizier, dit-il. C'est la liste des effectifs de l'unité du quartier général. »

Don vint les rejoindre.

« Formidable ! dit-il. Il ne nous reste plus qu'à faire l'appel et nous saurons si nous les avons tous ! Comment veux-tu que ça rate ? »

Erik se dirigea vers Krueger. Il regarda gravement le général Werwolf.

« Général Krueger, fit-il doucement. Ordonnez à vos hommes de sortir sans opposer de résistance. Je veux éviter toute effusion de sang inutile. Je suis sûr qu'il en est de même pour vous. »

Krueger se tenait très raide. Il ne répondit pas. On aurait dit qu'il n'avait même pas entendu Erik. Celui-ci poursuivit :

« Il doit être évident pour vous qu'ils n'ont aucune chance de s'échapper. »

Krueger manifestement était en proie à un conflit intérieur.

Il avait le regard morne. Il secoua la tête lentement, lourdement.

« Je... je ne peux pas faire ça », dit-il. Bien qu'il parlât d'une voix sourde, son ton demeurait ferme.

La première réaction d'Erik fut de donner à l'homme un ordre direct... sinon... Mais il regarda l'officier allemand. Il vit le combat qui faisait rage en lui. Et il comprit.

Il lança un coup d'œil du côté de Steiner.

Le sergent allemand soutint son regard. *Er kann mich am Arsch lecken !* songea-t-il rageusement. Il peut toujours venir me lécher le cul, s'il croit que je vais le faire !

Erik écarta le sous-officier allemand. C'était à lui d'agir. Il regarda autour de lui. Tout autour de la clairière les G.I. étaient prêts. Il éleva la voix :

« *Achtung* ! *Achtung ! Kampfgruppe Karl !* cria-t-il. Votre position est prise ! Vous êtes encerclés ! » Il eut soudain une folle impression de déjà vu, on aurait dit que tout cela s'était déjà passé... « Votre général est notre prisonnier, reprit-il. Abandonnez vos armes et avancez ! »

Pendant un long moment tout fut silencieux et immobile, comme si le carré forestier lui-même retenait son souffle.

Puis, prudemment, pleins d'appréhension, deux hommes sortirent par le trou d'où Steiner avait émergé. L'un d'eux, le second à apparaître, était l'opérateur radio. Il jeta un coup d'œil à Steiner et lui fit un imperceptible signe de tête.

Steiner se détendit. Une expression satisfaite apparut sur son visage. Machinalement il jeta un coup d'œil vers l'orifice comme s'il s'attendait à voir quelqu'un d'autre en sortir.

Mais le trou sombre demeurait vide.

Il fronça légèrement les sourcils, puis soudain détourna le regard en affichant un total manque d'intérêt.

C'était une piètre performance, une tentative transparente pour ne pas attirer l'attention sur l'entrée du souterrain. Ça n'aurait trompé personne.

Mais Erik et Don scrutaient la clairière. Aucun d'eux n'avait observé Steiner.

Et voilà que dans tout le secteur, de petits carrés d'herbes se mirent à bouger, certains d'entre eux littéralement sous les pieds des G.I's stupéfaits. Un étrange spectacle commença à se dérouler. L'un après l'autre, des trous carrés apparurent et l'on vit en sortir une bande de Werewölfs à l'air maussade, vêtus d'un étrange assemblage de tenues militaires et civiles.

Lentement. à contrecœur, ils émergeaient du sol. Comme des bulles d'une fosse de bitume, songea Erik.

Certains des G.I's se mirent à encercler les Allemands et à les rassembler au milieu de la clairière ; d'autres, suivant les instructions du lieutenant James, gardaient leur position, encerclant le secteur...

Le soldat de première classe Warnecke était au bord de la clairière, tournant le dos à un bosquet de pins. Il était tendu. On ne lui avait pas laissé oublier la dernière fois qu'il était ici. Ses copains M.P. le blaguaient encore pour avoir trébuché et avoir ouvert le feu sur rien. Merde ! Mais pas cette fois-ci. S'il tirait cette fois, il y aurait quelqu'un qui saurait que c'était lui qu'on visait !

Il contempla avec détermination la scène qui s'offrait à ses yeux, prêt à tout...

A quelques mètres derrière lui, le sol commença à bouger...

Un carré d'herbe, furtivement, silencieusement, se souleva et commença à glisser de l'orifice d'un puits.

Warnecke ne s'en rendit pas compte.

Prudemment une tête d'homme apparut dans le trou sombre, puis ses épaules tandis qu'il commençait à se hisser dehors. Dans sa main il tenait une baïonnette, aussi affilée qu'un rasoir. Sans bruit il émergea de la cachette, les yeux fixés sur le dos de Warnecke...

Warnecke était fasciné par le drame qui se jouait au milieu de la clairière. L'officier commandant le peloton de cavalerie motorisée — comment s'appelait-il déjà ? James, le lieutenant James — accompagnait deux Werewölfs vers le groupe de plus en plus nombreux des prisonniers. Warnecke le vit se retourner et regarder dans sa direction — et brusquement dégainer son pistolet pour le braquer droit sur lui !

Il sentit, comme un coup de poignard, la stupéfaction le traverser, et à l'instant où James tirait, il se plaqua contre le sol !

Il sentit un poids considérable s'abattre sur son dos — et à quelques centimètres de son visage, la lame étincelante d'une baïonnette s'enfonça de quinze bons centimètres dans le sol.

Pendant un bref instant, il resta allongé, bouleversé et sans comprendre. Puis il sentit quelque chose de chaud et d'humide qui se répandait sur sa main et sur son bras. Il se dégagea et regarda.

Du sang... Et tout d'un coup il comprit.

Secoué de nausées, il se libéra du poids du Werewölf mort. Il contempla le corps avec un étonnement horrifié. Il frissonna. Puis il se retourna vers James.

« Merci, mon lieutenant ! »

Il aurait désespérément voulu ajouter une plaisanterie quelconque, mais il ne réussit à en trouver aucune. Et il savait qu'il ne pouvait pas se fier à sa voix.

« Faites attention, soldat ! » James éleva la voix. « Ça vaut pour vous tous ! Prenez garde ! Ces types sont malins. Ne leur laissez pas une chance. Groupez-vous ! Dos à dos. Regroupez-vous ! »

Les G.I's aussitôt firent mouvement. Erik se tourna vers Steiner.

« Vous ! Combien y a-t-il d'autres entrées ? »

Steiner le regarda froidement. Il haussa les épaules.

« Je ne peux pas vous le dire.

— Vous ne pouvez pas ? Ou vous ne voulez pas ? riposta Erik, furieux.

— Je n'en connais que deux. » Steiner désigna une ouverture déjà béante. « Aucun homme n'en connaît d'autre que la sienne et une de plus. C'est pour la sécurité. »

Erik examina brièvement l'homme, puis il détourna les yeux. Il haussa le ton :

« *Achtung ! Achtung !* cria-t-il. Dans dix minutes on va faire l'appel du Kampfgruppe Karl. Tout homme qui sera découvert caché après l'appel sera fusillé ! Je répète : tout homme qui sera découvert se cachant après l'appel sera fusillé ! »

D'un trou proche de Don un homme émergea. Il regarda autour de lui, posa ses mains sur sa tête et considéra Don.

Don l'examina. L'homme arborait un large sourire. Ce salaud croit que tout ça c'est de la rigolade, n'est-ce pas ? se dit Don, avec agacement.

« Qu'est-ce qui vous fait sourire ? » grommela-t-il.

Le sourire de l'homme s'élargit. Il répondit dans un anglais teinté d'un fort accent allemand, manifestement fier de son exploit.

« C'est vous », déclara-t-il.

Don le regarda sans aménité.

« Tiens, par exemple ! Est-ce que ce n'est pas Adolf Schicklgruber ? fit-il d'un ton mordant.

— Vous avez de la veine d'être vivant !

— On ne peut pas discuter de ça en général. Mais pourquoi en particulier ? »

L'homme parut hésiter.

« Je ne sais pas ce que vous voulez dire, fit-il. Mais c'est vous que j'ai vu. Ici. Ce matin. » Don l'écoutait avec intérêt. « Nous vous avons vus. Vous et vos hommes, continua l'Allemand. C'est seulement parce que nous avions l'ordre de ne pas tirer à moins d'être découverts que nous ne vous avons pas tous tués. Vous avez de la chance de ne pas nous avoir trouvés. Si vous nous aviez découverts... »

Don l'interrompit.

« *Si* est un petit mot piège de la langue anglaise, mon vieux, dit-il sèchement. Impossible de dire ce que ça prédit. Regardez autour de vous ! »

La clairière grouillait de prisonniers Werewölfs. Et il en émergeait encore des abris souterrains. Deux G.I's hissaient dehors un homme qu'ils tenaient par le col. L'air curieux, ils inspectaient le trou.

« Hé, venez voir ! cria l'un d'eux. Ils ont une moto en bas. Bon Dieu ! »

Erik leva les yeux des documents qu'il avait trouvés sur Steiner. Il s'approcha de Don.

« C'est de la dynamite, dit-il, incapable de maîtriser l'excitation dans sa voix. De la vraie dynamite ! Il y a ici des allusions aux trois autres unités. Les unités opérationnelles. A, B et C. Et il y a une liste des agents extérieurs et de leurs zones d'opérations. Leur procédure de sécurité. Tout !

— On ferait mieux de rapporter immédiatement tout ça au Corps. »

Erik acquiesça.

« On va emmener le général. Evans et James peuvent se charger de ce qui se passe ici.

— James en tout cas ! » Ils se dirigèrent vers Krueger.

« Veuillez venir avec nous, général, dit Erik. Nous partons. »

Krueger le regarda.

« J'ai une requête à formuler. » Il avait dit cela avec une dignité tranquille.

« Quoi donc ?

— Mon uniforme est dans le P.C. de l'abri. » Il jeta un coup d'œil un peu méprisant à sa tenue de fermier bavarois. « Je sollicite l'autorisation de me changer. »

Don prit Erik à l'écart et lui dit d'un ton pressant :

« Attention, Erik. Il a été pris en civil. Tu connais les lois de la guerre.

— Je connais.

— Il est malin !

— Ecoute. Ce type se sentirait probablement beaucoup mieux s'il pouvait affronter nos patrons en uniforme et non pas habillé comme un péquenot. Qu'est-ce que ça change ? Notre rapport montrera qu'il a été pris en civil. D'ailleurs, si nous lui accordons sa requête maintenant il se sentira des obligations à notre égard. Ça pourrait le rendre plus enclin à coopérer par la suite. »

Don n'était pas convaincu. Il eut un haussement d'épaules.

« Bon. ça te regarde. » Il sourit. « Tu as tellement l'habitude de prendre des risques que tu ne peux plus t'en empêcher ! »

Erik sourit à son tour. « Je vais descendre avec lui. De toute façon je voudrais jeter un coup d'œil avant de repartir. »

Il appela :

« Warnecke ! Venez ici ! »

Le M.P. arriva au petit trot. Le commandant Evans vint les rejoindre. Erik se tourna vers Warnecke.

« Venez avec moi, dit-il. Nous descendons dans l'abri du général. »

Il se dirigeait vers l'entrée de l'abri souterrain quand Evans l'arrêta.

« Si vous descendez là-dedans, dit-il, je voudrais venir aussi. Je tiens à voir cette installation Werewölf. »

Erik et Don se tournèrent tous deux vers lui.

« Commandant ! s'exclama Don en feignant la surprise. Moi qui m'imaginais que vous ne croyiez pas aux Werewölfs ! »

Evans rougit. Mais il resta silencieux. Erik fit signe à Krueger.

« Bon, général. Allons-y. »

Krueger acquiesça et d'un pas vif se dirigea vers le puits.

Erik ne quitta pas un instant Krueger des yeux tout en suivant le général Werewölf dans l'abri, mais il parvint quand même à se faire une bonne idée de l'ingénieuse installation.

Sur le carré formant le couvercle du puits d'accès, poussaient les mêmes herbes et les mêmes broussailles que sur le sol de la forêt alentour. Une fois en place, reposant sur les quatre lourds piliers d'angle du puits, exactement au même niveau que le sol, il était pratiquement impossible à déceler : Erik pouvait en témoigner.

Le puits comprenait une échelle scellée à une des parois. Il avait environ trois mètres de profondeur et était bordé de planches mal équarries.

Erik vint rejoindre Krueger au pied de l'échelle. L'abri était éclairé par plusieurs ampoules nues qui pendaient du plafond de bois haut d'un peu plus de deux mètres. Il regarda autour de lui. Ils se trouvaient dans une pièce qui devait faire environ deux mètres cinquante sur deux. L'entrée du puits occupait un coin. Juste à gauche se trouvait une double couchette rudimentaire. Des caisses d'armes, de munitions, et de grenades bordaient les murs faits en madriers. On avait l'impression d'être dans une énorme caisse d'emballage.

Deux portes allant jusqu'au plafond donnaient accès à d'autres pièces. Krueger se dirigea vers celle qui se trouvait le plus à gauche. Erik lui emboîta le pas. Il savait qu'Evans et Warnecke descendaient l'échelle après lui.

Il jeta un coup d'œil dans la pièce sur sa droite en passant devant la porte ouverte. Elle avait à peu près la même taille que la première. Elle aussi abritait une double couchette et le long du mur opposé était installé un récepteur-émetteur radio qui semblait fort complet. Là aussi des caisses et des cartons s'entassaient partout et le long d'un mur s'alignaient les unes sur les autres de grosses batteries d'accumulateurs. Erik comprit que c'était là d'où provenait l'énergie nécessaire à la radio et au modeste éclairage de l'abri.

Krueger pénétra dans la troisième pièce. Elle était grande comme les deux autres réunies et de toute évidence c'était là qu'il résidait ainsi que ses collaborateurs immédiats.

Deux doubles couchettes formaient un angle dans le coin droit. L'une d'elle, disposée contre le mur à droite avait un rideau qu'on pouvait tirer. Erik se demanda brièvement si c'était Krueger ou les femmes de son équipe qui voulaient protéger ainsi leur intimité.

En face de la porte ouverte se trouvait une table jonchée de documents et de livres. Derrière elle, on avait épinglé au mur de gauche de grandes cartes. Là aussi, caisses et cartons occupaient tout l'espace disponible. Plusieurs armes automatiques étaient posées contre une des couchettes.

Krueger se dirigea vers un porte-manteau disposé contre le mur du fond. Sous ses bottes les planches sur lesquelles il marchait sonnaient le creux.

Un système de drainage sous le plancher, se dit Erik. Aboutissant sans doute à une fosse septique. Il leva les yeux. Au plafond, au-dessus du seuil entre les deux pièces il aperçut un ventilateur. Il ne fonctionnait pas. Cela l'impressionna. Les bouches de ventilation de cet abri et des autres devaient passer par les troncs des arbres de la forêt : c'était la seule façon d'être invisibles.

Krueger se tourna vers Erik. Il attendait.

Erik alla s'asseoir sur le coin de la table. Evans entra dans la pièce. Il regarda autour de lui, essayant juste un peu trop de ne pas avoir l'air impressionné. Il s'approcha pour inspecter une des cartes murales tandis que Warnecke prenait position sur le pas de la porte, appuyé contre le chambranle, le doigt sur la détente de sa carabine.

« Allez-y, général, fit Erik. Désolé de ne pas pouvoir vous laisser davantage d'intimité. » Il désigna les armes appuyées à la couchette. « Je ne voudrais pas vous voir succomber à la tentation. »

Krueger eut un petit sourire amer, et il inclina légèrement la tête.

« Bien sûr. »

Il se tourna vers le porte-manteau, choisit un uniforme et le posa sur la couchette. Il se mit à ôter sa veste bavaroise.

Erik l'observait. Il était content. Après tout, l'opération se révélait payante. Tout marchait bien. Nonchalamment il se mit à feuilleter les papiers sur le bureau de Krueger. Il allait tous les rassembler. Les rapporter au Corps. On ne sait jamais ce qu'on pouvait trouver.

Krueger déboutonnait son gilet. Erik laissa son regard parcourir la pièce.

« Dites-moi, général, les autres unités... elles ont des cantonnements souterrains aussi ? »

Le ton d'Erik était désarmant de désinvolture. Il donnait l'impression de faire simplement la conversation.

Krueger parut ne pas l'entendre, mais il se crispa imperceptiblement.

« Oh, voyons, général, dit Erik sur le ton de la plaisanterie. Nous avons toutes vos archives ! »

Krueger était en train d'ôter sa chemise de paysan. Il s'assit sur la couchette et entreprit d'ôter ses bottes. Il leva les yeux vers Erik, arborant son petit sourire.

« Oui. Souterrain, dit-il d'un ton détaché.

— Alors, ce sont vos agents extérieurs qui vous fournissaient les renseignements. Vous choisissiez les objectifs et vous envoyiez vos ordres à l'unité opérationnelle la plus proche. Ils montaient un groupe de Werewölfs, faisaient leur coup et disparaissaient de nouveau dans leur petit nid souterrain.

— C'était le plan. »

Krueger ôtait ses grosses chaussettes de laine.

« Et Ike ? » Il avait demandé ça nonchalamment.

L'officier allemand tressaillit légèrement. Puis il continua rapidement à se déshabiller.

« Ike ? » Son ton avait exactement l'inflexion de la curiosité polie. Pas davantage.

« Le commandant suprême allié, le général Dwight D. Eisenhower.

— Je ne sais pas ce que vous voulez dire. » Krueger avait l'air lointain. On sentait dans sa voix un indéniable accent de refus.

Erik sourit. Il s'amusait.

« Oh, voyons, général, dit-il avec bonne humeur. Vous savez très bien de quoi je parle. »

Il regarda Krueger.

« L'assassinat, souffla-t-il. Vous pensiez vraiment que vous arriveriez jusqu'à lui ? »

Krueger ne dit rien. Il se releva, tournant le dos aux Américains. Erik attendit. Il allait lui donner un peu de temps pour réfléchir. Pour se rendre compte à quel point toute son opération avait échoué. Il regarda l'officier allemand. Cela l'amusa de constater que le général Werewölf portait des caleçons longs. Mais il devait faire froid dans ce souterrain humide et non chauffé. Il comprenait cet homme d'avoir envie d'un bol de soupe bien chaude devant un bon feu. Il laissa son esprit s'attarder sur la scène dans la cabane. Krueger avait dû se sentir bien en sûreté lorsque la première fouille de la forêt par l'infanterie n'avait pas réussi à découvrir l'installation Werewölf. Assez en sûreté pour quitter le souterrain et aller jusqu'à la hutte. Erik sourit tout seul. Il pourrait dire qu'il devait une fière chandelle à un bol de soupe !

Krueger avait presque fini de passer son uniforme. Erik se mit à rassembler les papiers sur la table du général. Il ne leur jetait qu'un coup d'œil rapide tout en les rassemblant.

Krueger boutonnait sa tunique. Il se retourna vers les autres. Au-dessus de la poche droite de sa tunique grise, étincelait le *Hoheitsabzeichen* d'argent, le grand aigle allemand étreignant un swastika ; au-dessus de la poche gauche, une impressionnante rangée de rubans représentant des décorations militaires et nazies. La seconde boutonnière arborait le ruban rouge, blanc et noir de la Croix de fer. La métamorphose du paysan bavarois en général de la Wehrmacht était stupéfiante.

Il leva les yeux vers Erik — et s'immobilisa. Malgré l'effort qu'il fit aussitôt pour dissimuler son inquiétude, une crispation plissa son visage. Un moment il demeura immobile, à regarder l'Américain avec ses papiers à la main, oubliant les derniers boutons de son uniforme.

Erik lui jeta un coup d'œil et Krueger aussitôt détourna le regard et se remit à boutonner sa tunique.

Erik surprit la dernière lueur d'inquiétude dans le regard de Krueger : ce fut suffisant. Aussitôt il se sentit en alerte. Quelque chose venait de se passer. Quelque chose qui lui avait échappé !

Il contempla l'Allemand d'un air songeur. L'homme paraissait-il plus crispé ? Ou bien au contraire plus délibérément détendu ?

Il essaya de saisir le regard de Krueger, mais le général l'évita. Le faisait-il exprès ?

Erik était déconcerté. Mal à l'aise. Il se passait quelque chose. Quelque chose qu'il ferait mieux de découvrir. Et vite ! Il réfléchit rapidement. Il contempla l'Allemand. Très raide, Krueger regardait Erik droit dans les yeux.

« Je suis prêt », annonça-t-il calmement.

Erik se leva. A son tour, il regarda Krueger dans les yeux.

Il eut soudain l'impression de livrer un duel, un duel de contrôle des émotions, d'action et de réaction muettes, et il se rendit compte avec consternation qu'il ne connaissait même pas l'enjeu de la lutte ! Tout ce qu'il savait, c'était qu'il s'agissait d'un duel qu'il ne fallait pas perdre.

Il se rendit brusquement compte qu'il froissait les papiers qu'il tenait à la main. Il leur jeta un coup d'œil — et parvint à grand-peine à ne pas trahir la pensée qui lui traversa l'esprit.

Il fléchit les épaules dans un geste de détente.

« Bon, allons-y. »

Il lança les papiers sur la table en affectant l'indifférence.

Au même instant il lança un coup d'œil au général Werewölf. Et il vit !

Le regard de Krueger se tourna brièvement vers les papiers posés sur la table, puis revint tranquillement sur Erik. C'était à peine perceptible, mais le visage du général avait perdu un peu de son expression crispée. Krueger paraissait soulagé.

C'étaient les documents qui le préoccupaient !

Erik revint aussitôt vers la table. Il saisit les papiers et les brandit sous le nez de Krueger.

« Qu'est-ce qu'il y a dans ces documents, général ? » demanda-t-il d'une voix soudain dure comme du silex.

Il guetta la réaction de Krueger. Il faillit la manquer. Des yeux qui s'agrandissaient à peine ; un pâlissement du visage à peine perceptible ; le sourire sardonique qui disparaissait. Mais lorsqu'il reprit la parole, l'Allemand avait la voix calme, sans hâte.

« Emportez-les. Lisez-les, fit-il en haussant les épaules d'un air insouciant. Ce sont des rapports. Des rapports quotidiens... de la routine. »

Abandonnant le sujet, il se dirigea vers la porte.

« Attendez ! lança Erik. Restez où vous êtes ! »

Krueger s'immobilisa. Erik se mit à étudier les papiers qu'il tenait à la main.

« Je suis curieux tout d'un coup de voir quelle sorte de

routine suit un Werewölf. Je crois que je ferais mieux de comprendre. Et pas plus tard que maintenant ! »

Il se mit à examiner les documents, un par un. Il lisait vite. Mais il ne laissait rien lui échapper. Il était certain qu'il allait découvrir quelque chose.

Krueger le regardait d'un air mauvais. Sous ses sourcils en broussaille, ses yeux froids brillaient d'un feu glacé. Les muscles de sa mâchoire crispée se tendaient tandis que machinalement il serrait les dents. Tout d'un coup son corps nerveux semblait chargé d'une violence à peine contenue. Son regard alla d'Erik à Evans planté devant la carte murale. L'officier M. P. l'observait avec méfiance. Il jeta un rapide coup d'œil à Warnecke. L'homme était toujours sur le seuil. Il tenait sa carabine à la main, prêt à s'en servir.

Soudain Krueger ouvrit des yeux plus grands. Aussitôt son regard revint à Erik. Affectant un agacement ennuyé, il tourna les talons, fit deux pas vers la couchette et s'adossa à un des montants. Warnecke le suivait du regard, toute son attention concentrée sur le général Werewölf.

Il ne remarqua absolument pas le mouvement silencieux et furtif derrière lui...

Sur le mur du fond de la pièce par laquelle ils étaient entrés, derrière lui, une petite section des planches, dont on discernait à peine le contour parmi les fentes naturelles du bois, glissait lentement, silencieusement et une main la déposait avec précaution sur le sol.

Avec des mouvements fluides, un homme, tapi devant l'ouverture, se glissa sans bruit dans la pièce. De sa ceinture il tira la masse noire d'un Luger 8 et visa soigneusement le dos de Warnecke...

Les secondes semblaient une éternité. Krueger n'arrivait plus à se contenir. Il laissa ses yeux se tourner un instant vers la première pièce derrière Warnecke. Il s'immobilisa. Il réfléchissait à toute vitesse.

Quel imbécile que cet homme ! S'il fait feu, il va anéantir toute possibilité qui nous reste d'utiliser le tunnel de secours ! songea-t-il avec désespoir. Il faut absolument que je l'arrête !

Il se força à regarder Erik. Il se força à prendre un ton détaché.

« Vos amis là-haut, dit-il précipitamment, en levant les yeux vers le plafond, ils ne vont pas s'impatienter si vous restez ici à lire tous ces rapports ? Comme je vous l'ai dit, ils n'ont aucun intérêt. »

Erik ne répondit pas. Tout en lisant, il sentait son cœur se serrer. C'étaient bien des papiers de routine. Des listes d'effectifs. Des programmes. Des règlements. Ils n'avaient aucun intérêt. Mais, bon sang, c'était lui qui déciderait quand il s'arrêterait de lire, et non pas ce foutu général ! Avec un geste d'agacement, il reposa les papiers qu'il venait de lire et s'attaqua obstinément au suivant.

Et brusquement tous ses nerfs se tendirent. Ça y était ! Ce qu'il avait été si certain de trouver était là ! Ses yeux dévoraient les mots sur le document qu'il tenait à la main...

Le Werewölf tapi derrière Warnecke sans méfiance comprit aussitôt l'avertissement du général. Il s'empressa de rengainer le pistolet. Il porta la main à la visière de sa casquette de la Wehrmacht. Il tira d'un coup sec. La visière céda et il en tira un poignard incurvé de dix centimètres. Affuté comme un rasoir...

Erik, tout excité, leva les yeux du document.

Ce fut à cet instant que le Werewölf agit. Il sauta par derrière sur Warnecke et d'un seul geste lui trancha la gorge.

Le cri d'agonie de Warnecke s'étouffa dans un hideux gémissement mêlé de gargouillements, l'air expulsé convulsivement rejetant des gouttes de sang rouge vif de la blessure béante pendant qu'il s'effondrait.

A l'instant où Warnecke s'affalait, Evans se retournait vers l'assaillant, pistolet au poing. Mais le Werewölf avait prévu cette réaction. D'un coup de pied bien dirigé, il envoya le pistolet valser sur le sol...

Au même instant où l'homme avait bondi pour attaquer Warnecke, Krueger s'était précipité sur Erik, le prenant complètement par surprise. Avec la force incroyable que donne le désespoir, il le tenait dans une prise de judo fort pénible, l'empêchant de tirer son pistolet et de venir au secours d'Evans, qui, désarmé, se trouvait confronté à l'assassin Werewölf s'avançant inexorablement sur lui.

Erik se débattait désespérément dans l'étreinte de Krueger. Il sentait que l'os de son bras allait casser.

« *Erledigen ! Schnell !* Liquide-le ! » lança Krueger.

Evans recula vers la table. Il jeta un rapide coup d'œil derrière, cherchant une arme.

Et il en trouva.

Il saisit un crayon à demi caché au milieu des papiers et, l'étreignant comme un poignard, en décocha un coup vers le ventre du Werewölf qui approchait. L'homme aussitôt se redressa et rentra le ventre. Ce faisant, il se pencha légèrement en avant...

Le geste d'Evans n'était qu'une feinte. Sans une rupture dans son mouvement souple et puissant, il enfonça le crayon bien taillé en plein dans la veine jugulaire de son adversaire.

Pendant une fraction de seconde, un regard incrédule de surprise et de mortification apparut dans les yeux qui devenaient vitreux de l'homme ; il savait en cet instant qu'il avait été dupé, mais il avait été impuissant à maîtriser son réflexe.

Si grande était la force derrière le coup d'Evans que le crayon se cassa dans la chair du Werewölf. Des doigts déjà morts tirèrent sur le bout de crayon maculé de sang et l'homme essaya de hurler dans son agonie tandis que sa vie s'échappait de lui.

Il n'avait pas encore touché le sol qu'Evans avait ramassé son pistolet. Il pivota vers Krueger.

« Assez ! » lança-t-il sèchement. Il jeta un bref coup d'œil au corps de Warnecke. « J'aimerais bien être obligé de m'en servir contre vous, salaud ! »

Krueger aussitôt relâcha Erik.

Erik contempla le Werewölf mort. Il était profondément secoué. Il sentait dans sa bouche le goût amer de la bile. Il lutta pour le chasser. Il avait la gorge qui le brûlait. Il se tourna vers Evans.

« Merci ! fit-il. Dieu merci, vous connaissiez ce bon vieux truc de l'O.S.S. ! »

Evans regarda le bout de crayon sur le sol.

« Le crayon ? dit-il en haussant les épaules. Nous suivons un certain entraînement de base dans les M.P. », fit-il d'un ton sarcastique.

Erik prit une profonde inspiration.

« En tout cas, merci. »

Evans lui lança un regard glacé.

« Les remerciements sont inutiles... euh... Larsen. C'est ma propre peau que je protégeais. »

Erik s'agenouilla auprès de Warnecke. Mais il savait que l'autre était mort. Il rassembla les documents sur la table. Puis il se tourna vers Krueger.

Le général Werewölf se tenait très droit. Le petit sourire narquois avait réapparu sur ses lèvres et dans son regard. Il soutint calmement le regard furieux d'Erik.

Celui-ci désigna la porte.

« En route ! »

Krueger s'inclina légèrement. Le parfait officier prussien, le vrai Junker. Il se dirigea vers l'échelle.

Le regard morne d'Erik le suivait.

C'est un jeu, songea-t-il avec amertume. Il agit exactement comme si c'était un jeu. Il a joué un coup et il a perdu. Personne ne peut lui en vouloir pour ça, n'est-ce pas ? Oh que non. Il essaiera encore, bien sûr. Est-ce qu'au fond tout ne se ramène pas à ça ? Un grand jeu glorieux joué par des officiers gentlemen ? Merde alors !

Il détourna les yeux des deux cadavres sur le sol tout en suivant Krueger et Evans vers l'échelle.

En haut Don vint le rejoindre.

« Nous avons quarante-huit hommes de troupe et sept officiers, annonça-t-il joyeusement. Je crois que le compte y est. »

D'un geste large il désigna la clairière. Un vaste groupe de Werewölfs, les uns en uniforme, les autres non, étaient alignés devant un officier. L'homme appelait les noms d'une liste d'effectifs qu'il tenait à la main. D'un ton maussade, les Allemands répondaient. Don se tourna vers Erik. Il le regarda attentivement et soudain devint grave.

« Dis donc, qu'est-ce qui s'est passé en bas ?

— Peu importe pour l'instant », répondit aussitôt Erik. Il regardait Evans qui redescendait dans l'abri avec deux hommes. Puis revenant à Don, il lui montra un des documents qu'il avait pris sur la table de Krueger.

« Regarde-moi ça.

— Qu'est-ce que c'est ? »

Don prit le papier.

« Les Werewölfs ont une mission. Unité C. Une mission importante. Prévue pour ce soir !

— Quel est l'objectif ? »

Erik le regarda, l'air grave.

« Le cocotier, Don. La mission prioritaire.

— *Ike !* »

Don examina le document qu'il tenait à la main.

« Comment ? »

Son regard parcourut la feuille de papier.

« Ne te fatigue pas. Il n'y a pas de détails. Erik poursuivit rapidement : « La force d'attaque sera constituée à partir d'éléments de l'unité C. L'emplacement de l'unité est donné ! A environ cent vingt kilomètres d'ici, encore dans le secteur du Corps. Dans les bois à l'est de Grafenheim. Mais ils ne disent pas où dans ces foutus bois ! On mentionne un rendez-vous, mais sans en indiquer le lieu. Transports. On fait allusion à un ordre précédent, mais il n'est pas là non plus. »

Il regarda gravement Don.

« Don. Ils ont l'air si sûrs de pouvoir réussir !

— Il faut rapporter ça au Corps ! Mais tout de suite !

— Laisse Evans le faire.

— Evans ?

— Lui et ses M.P. Ils peuvent aussi ramener Krueger et les autres prisonniers. » Il continua d'un ton pressant : « Nous n'avons pas le temps, Don. Nous n'avons pas le temps de persuader les huiles qu'il nous faut deux autres compagnies. Nous n'avons pas le temps de monter une opération avec l'aide du Corps. Nous ne pouvons même pas prévenir qui que ce soit. Nous ne savons pas de quoi ! Non ; toi et moi partons avec le lieutenant James et son peloton. Pour Grafenheim. Il paraît que c'est là leur point de départ. »

Don promena un regard désabusé sur le secteur devant lui.

« On croyait que c'était ici, dit-il. Nous étions persuadés d'avoir tiré toute cette affaire au clair. »

Il regarda Erik.

« Eh bien, il n'y a plus qu'à repartir de zéro ! »

GRAFENHEIM

Unité de Werewölfs C

15 h 19

Jamais de sa vie, Willi ne s'était senti en proie à une telle excitation.

C'était fou !

Ça allait marcher !

Et il fallait en faire partie. Lui, l'Untersturmführer Wilhelm Ritcher, allait aider à changer le cours de l'Histoire !

La dernière conférence avant la mission, qui venait de se terminer, avait été parfaite. Absolument parfaite. Claire, concise, précise. Il était extrêmement impressionné par ceux qui dirigeaient la mission. Et par les hommes. Krueger savait exactement ce qu'il faisait lorsqu'il avait choisi les para-commandos spéciaux de l'Unité C pour cette mission. Ce n'était pas seulement parce que cette unité était la plus proche du point de départ de l'opération. C'était à cause des hommes. Deux d'entre eux étaient même des vétérans qui avaient participé à la fantastique opération montée par le colonel

Skorzeny pour sauver Mussolini de ce sommet alpin. L'élite !

Tout rayonnant d'orgueil et de confiance, il se rappela comment lui et tous ses camarades avaient réagi le jour où ils avaient appris l'exploit fabuleux de Skorzeny...

C'était impossible. On avait dit à Skorzeny qu'il n'y arriverait pas. Mais il l'avait fait quand même malgré le désastre qu'on lui avait prédit. Il avait posé ses planeurs en catastrophe sur une corniche grande comme un timbre-poste au sommet de la montagne du Gran Sasso, avait arraché le Duce à la garnison italienne avec une poignée d'hommes et s'était enfui avec lui en poussant littéralement un petit avion, un Storch, de la corniche dans un ravin plongeant jusqu'au moment où le moteur avait pu soulever l'appareil !

Ç'avait été un exploit plein de vaillance et propre à inspirer l'admiration. Il se souvenait de l'enthousiasme, de la joie formidable qu'il avait éprouvés. Lui, chaque soldat... toute l'Allemagne ! Cela avait redonné du cœur à tout l'effort de guerre.

Ç'avait été un grand coup. Vraiment grand. Cette fois, ce serait encore plus grand...

Tout marchait comme une horloge. Le commandant de l'unité C depuis les deux derniers jours n'était plus en contact avec le représentant du Führer, ce pontifiant petit crétin de Berlin, le Reichsamtsleiter von Eckdorf. On n'avait reçu aucun ordre ni changement de dernière minute de Krueger par l'intermédiaire de la station relais de Munich.

La mission était lancée.

La mission qui allait changer le cours de la guerre. La mission qui allait rallier les défenseurs de l'*Alpenfestung,* l'invincible réduit alpin : les Werewölfs, les Jeunesses hitlériennes, les SS... Tous !

Il savourait le brillant plan d'opération comme un grand vin, lentement, délicieusement...

L'heure H était fixée après la tombée de la nuit. Les commandos, un petit groupe redoutable de *Fallschirmjäger* entraînés, des parachutistes, allaient se glisser hors du secteur de l'unité pour gagner un territoire encore tenu par les Allemands à seulement quelques kilomètres. D'après son expérience personnelle, il savait comme ce serait simple. Sur la route de Salzbourg, juste au sud de Passau, ils avaient rendez-vous avec les camions qui les attendaient.

Mot de passe : *Feuerkampf !* Réponse : *Siegreich !*

De là, il y avait deux heures de trajet jusqu'au terrain d'aviation souterrain à la lisière du réduit, juste au nord de Salzbourg.

Trois avions les attendraient. Trois transports américains, des C-47. Reconstruits à partir d'avions abattus, réparés avec des pièces prises sur d'autres. Simple. Ingénieux.

Puis le décollage.

Ce serait à l'heure la plus sombre de la nuit qu'ils arriveraient au-dessus de la zone de largage de leur objectif...

Il tira son Luger de son baudrier. Pour la dixième fois en une heure, il l'inspecta. Il ôta un grain de poussière imaginaire.

Là-haut, dehors, les ombres devaient s'allonger.

Bientôt...

Ils y arriveraient.

Skorzeny y était bien arrivé.

Ce serait le même genre d'action. A l'envers.

A la place de *sauvetage* il fallait lire *assassinat* !

MUNICH

16 h 03

Le Dr Meister Oberrechtsrat du *Städtischen Ernährungs und Wirtschaftsamt* de Munich attendait sur les marches de la mairie, sur la Marienplatz.

C'était à lui que revenait le fardeau de remettre la capitulation de cette ville historique, la capitale de la Bavière, aux troupes américaines qui l'envahissaient.

Munich avait déjà subi de graves dégâts à la suite de raids

aériens de l'été, et les rues étaient pratiquement désertes.

Depuis le début de la matinée de ce lundi 30 avril, le tonnerre menaçant des pièces lourdes grondait jusqu'au centre de la ville, venant des faubourgs, qui étaient soumis à de terrifiants barrages d'artillerie.

Maintenant tout était silencieux.

Plusieurs véhicules de la Septième armée américaine débouchèrent sur la place et vinrent s'arrêter devant la Mairie. Un commandant descendit de l'un d'eux et s'avança vers le Dr Meister.

L'Allemand jeta un coup d'œil à l'horloge de la tour. Il était exactement quatre heures cinq de l'après-midi.

Munich capitulait.

Les combats avaient été particulièrement rudes jusqu'à la lisière de la ville. On avait massé des unités SS devant la ville dans un effort désespéré pour retarder l'avance des troupes américaines. Dans la ville elle-même des pelotons d'exécution avaient procédé à des exécutions sommaires de chefs civils et militaires qui prêchaient la non-résistance. Partout on ne voyait que destruction, sur toutes les routes menant à la ville, et presque toujours résultant de tirs d'artillerie.

Sur le bas-côté de la route, venant de Heidendorf, au bord d'un champ criblé de cratères, gisaient les restes fracassés d'un chariot encore attelé aux corps mutilés de deux chevaux.

Les troupes qui passaient faisaient un crochet pour l'éviter : la puanteur était accablante. Le chariot était un réservoir à purin. Personne n'avait la moindre envie de venir voir ce que — ou ce qui — pouvait se trouver encore au milieu de cet amas luisant et puant. Personne n'avait touché aux étranges fragments de métal et de verre cassés et déchiquetés qui se mêlaient aux éclats de bois depuis que le chariot avait été touché en plein par un obus à exactement une heure vingt-huit cet après-midi-là...

GRAFENHEIM

19 h 52

La nuit était claire. L'obscurité avait tendu son voile sur la campagne si progressivement que c'était à peine s'il s'en était rendu compte. Il constata que sa vision nocturne était étonnamment bonne. C'était important. C'était justement là-dessus qu'on comptait.

Il jeta un coup d'œil à sa montre. Presque huit heures. Où diable étaient-ils ? S'était-il trompé ? Il n'aimait pas l'incertitude qui le rongeait.

Une fois de plus, il examina le terrain devant lui, qui lui était si familier maintenant. L'embranchement du chemin de terre venant de la forêt apparaissait clairement, une branche menant vers le village de Grafenheim, l'autre le contournant par le nord ; les champs de part et d'autre de la route, le petit bouquet d'arbres juste après la branche nord, le chariot cassé dans le fossé juste avant le carrefour... Et les hommes ? Il savait qu'ils étaient tous là, bien qu'il ne pût voir que Don et le lieutenant James, allongés par terre non loin de lui. Les deux hommes contemplaient en silence la route calme et déserte.

Il regarda encore sa montre. Il fut surpris de voir qu'il n'était pas encore huit heures. Et s'ils étaient au mauvais endroit ?

Ils étaient arrivés à Grafenheim juste au moment où le soleil plongeait derrière les hauteurs peu élevées du Bayrischer Wald à l'ouest, teintant de pourpre leurs sommets couverts de sapins. Ils avaient examiné le terrain et choisi avec soin le lieu de l'embuscade. C'était la seule action qu'ils pouvaient entreprendre. Ç'aurait été une folie désespérée que de vouloir débusquer les Werewölfs de leur installation quelque part dans la forêt. Surtout dans le noir. Ils ne le savaient que trop bien. Force leur était d'attendre qu'ils bougent eux.

La route devant lui était la seule débouchant du secteur de la forêt où d'après la carte se trouvait le cantonnement de l'unité. Ils devraient passer par là. A moins que...

Une fois de plus, il jeta un coup d'œil à sa montre. Huit heures... pas tout à fait. Cela faisait près de deux heures qu'ils étaient en position, à attendre.

Le plan était sain. Il était simple. Ça marcherait.

Si les Werewölfs se montraient.

Il le fallait, bon sang ! Leur seule alternative serait de passer en Tchécoslovaquie, ça ne rimerait à rien. Pas alors que le point de largage était Grafenheim. Et pourtant...

Ordre avait été donné au Corps de ne pas franchir la frontière tchèque en force pour ne pas courir le risque de tomber tête baissée sur les forces russes arrivant de l'Est. Avec l'Allemagne coupée en deux par les Américains, plusieurs armées allemandes destinées à occuper le réduit alpin étaient bouclées dans le bastion de Bohême. Elles n'avaient guère d'autre choix que de rester là, à moins que quelque chose n'arrivât pour faire sauter le bouchon.

Il regarda sa montre. Il savait ce qu'il allait voir. Mais il ne pouvait pas s'en empêcher. Huit heures.

Allons, Bon Dieu !

Il sentit Don se crisper à côté de lui. Aussitôt, il leva les yeux.

Des bois, deux silhouettes avaient émergé. Elles s'avançaient sur le chemin de terre vers l'embranchement. Elles s'arrêtèrent. Un moment, elles s'immobilisèrent. L'oreille tendue. L'œil aux aguets...

Erik retint son souffle. Il priait pour que personne ne fît un geste. Il savait comme le son porte bien la nuit.

Un des hommes, portant ce qui semblait être un fusil, se tourna vers la forêt. Puis il leva le fusil au-dessus de sa tête, en le braquant tout droit vers le ciel nocturne clouté d'étoiles.

Erik poussa un long soupir. L'homme avait donné le signal : Secteur libre d'ennemis.

Et... de la forêt derrière lui, ils arrivèrent. Deux sur le chemin. Puis deux autres. Des formes sombres, à peine visibles, avançant sans bruit, avec précaution. Des bois, ils passaient dans les champs qui suivaient la route. Machinalement Erik se mit à le compter. Dix. Quatorze...

Deux hommes poussaient des bicyclettes devant eux, chargées de paquets. Ou de paquetages. Dix-huit. Vingt et un...

Certains d'entre eux avaient un air étrangement bossu. Des sacs à dos. Tous avaient l'air de porter des instruments aratoires. Ou bien des armes. Trente-deux. Trente-quatre...

Ç'aurait pu être des fermiers. Mais leur démarche était différente. Sûre. Alerte. Avec quelque chose de félin. Qui les trahissait.

Comme des bêtes de proie qui chassent la nuit, songea Erik. Comme une meute de... de loups.

Quarante...

Il cessa de compter. Son visage arborait une expression farouche. Les Werewölfs montaient leur mission en force.

Il vit le lieutenant James lever lentement son arme, la braquant vers les Werewölfs qui arrivaient. Encore quelques secondes...

Soudain un coup de feu claqua !

Bon Dieu ! songea Erik, furieux. Trop tôt !

A l'instant même où l'écho de la détonation retentissait à travers les champs, les lumières s'allumèrent. Six. Dix. Une douzaine de véhicules disposés en demi-cercle devant les Werewölfs qui s'avançaient braquèrent tous à la fois l'éblouissante lumière de leurs phares sur les hommes. Aveuglante, la lumière baignait le paysage nocturne d'un blanc éblouissant. Dans la fraction de seconde qui s'écoula avant qu'il ne ferme les yeux, Erik vit les Werewölfs, pris dans la lumière éclatante, s'immobiliser comme de statues de sel, puis se plaquer contre le sol. Ils les avaient ! Les yeux soigneusement fermés, il tourna la tête de côté. Comme on le lui avait dit. C'était sa protection. Il fallait sauvegarder sa vision nocturne soigneusement acquise. C'était l'atout qui leur assurerait la victoire.

Pendant quelques secondes de confusion, les Werewölfs

abasourdis se trouvèrent assaillis par les faisceaux éblouissants des phares. Il y eut quelques coups de feu ; des rafales d'armes automatiques. Puis Erik entendit une voix autoritaire crier :

« *Licht ausschiessen* ! Tirez dans les phares ! »

Il entendit aussitôt une volée de balles, le tintement léger du verre qui se cassait, puis il sentit les lumières qui s'éteignaient sur tous les véhicules.

Il ouvrit les yeux.

Sa vision nocturne était toujours intacte. Il voyait très bien.

Mais pas les Werewölfs.

Aveuglés par la lumière brutale, ils se trouvaient maintenant isolés dans l'obscurité qui les enveloppait, incapables de distinguer autre chose que les flammes qui jaillissaient des fusils de ceux qui leur avaient tendu l'embuscade. Ils restaient plaqués au sol. Quelques-uns d'entre eux se levèrent et coururent vers l'abri de la forêt. Ils furent aussitôt repérés par les G.I's qui s'étaient protégé les yeux de la lumière. Et aussitôt abattus.

Erik aperçut vaguement un unique pinceau de lumière qui balayait le champ au loin sur sa droite. Les phares du véhicule de flanc étaient toujours allumés. Plus exactement l'un d'eux était allumé. Il savait que la position était occupée par la jeep du lieutenant James, avec son chauffeur au volant. Il comprit soudain que le chauffeur avait dû être touché avant de pouvoir éteindre ses phares.

La fusillade était plus nourrie. Les G.I's avaient effectué leur mouvement de flanc pour couper la retraite aux Werewölfs s'enfuyant vers les bois. Ils étaient encerclés.

Soudain Erik se figea. Il tourna brusquement la tête vers la jeep dont l'unique phare brillait comme un œil de cyclope.

Une silhouette apparut, jaillissant de l'ombre du chariot démoli, fonçant droit vers la jeep. Pendant une fraction de seconde, l'homme s'immobilisa, silhouette noire se découpant à la lueur du phare. Il tira un seul coup de feu, puis bondit vers le véhicule. Une silhouette informe tomba de la jeep.

Erik entendit le moteur démarrer, et il vit la jeep projeter de la terre et des cailloux tout en tournant et en partant en flèche vers la route qui menait au village.

Erik se leva.

« Don ! cria-t-il. Amène notre jeep ! » Il se tourna vers le lieutenant James.

« Nous allons partir à sa poursuite. Ramassez le reste. Tous. Je veux deux hommes avec nous. »

James ne prit pas le temps de répondre. Il désigna aussitôt les deux hommes les plus proches de lui.

Don arriva et freina brutalement en dérapant sur la route. Erik et les deux G.I's sautèrent à bord et la jeep démarra, dépassant l'embranchement à la poursuite du véhicule volé qui venait d'entrer dans le village devant eux, son phare unique balayant follement les bâtiments bas des fermes.

Don écrasa la pédale d'accélérateur. La jeep bondit sur la route. Il fallait rattraper le Werewölf en fuite. Ils ne pouvaient pas le laisser s'échapper. Pas un seul homme.

Devant eux l'unique phare de la jeep volée s'éteignit tout d'un coup...

La jeep de Willi bringuebalait sur le pavé inégal de la rue du village abandonné. Il conduisait aussi vite qu'il osait sans lumière. C'était un risque calculé. Il espérait que ses poursuivants ne sauraient pas dans quelle direction il s'en allait en sortant de Grafenheim. Il réussirait peut-être à les semer. Il *fallait* y arriver !

L'unité C avait été trahie. Comment ? Par qui ? C'était sans importance maintenant. Mais on pouvait encore monter la mission. On pouvait encore réussir. C'était de la plus haute importance. Pour sa patrie. Pour son Führer...

Il devait atteindre le point du rendez-vous. Il connaissait à fond les instructions. Il pouvait mettre en action un plan de secours. Obtenir des troupes de remplacement de la garnison du réduit. Il pouvait encore s'en tirer !

Il arriva à l'embranchement vers Passau, qu'il faillit manquer dans l'obscurité. Il s'arrêta. Il fit quelques mètres sur la mauvaise route et s'arrêta de nouveau. Au loin il entendait la jeep de ses poursuivants qui fonçait vers lui.

Il appuya de toutes ses forces sur la pédale de frein et emballa le moteur. Les roues tournoyèrent, projetant des nuages de poussière.

Il recula rapidement et prit la route de Passau, accélérant à fond. Il espérait que les phares de ses poursuivants allaient repérer la poussière qui retombait et qu'ils allaient prendre la mauvaise route.

La grenade à main pendue à sa ceinture le gênait pour conduire. Il la décrocha et la posa sur le plancher.

Il eut soudain une brusque sensation d'humidité. Il était étonné. Avait-il pissé dans son pantalon ? Et puis tout d'un coup la vérité le frappa et il eut un haut-le-cœur.

C'était le siège. Le siège du chauffeur de la jeep. Il était saturé de sang qui imprégnait son pantalon. L'Américain avait dû saigner comme un porc ; peut-être était-il déjà mort avant que Willi ne lui tire dessus. Il était écœuré par la sensation humide et poisseuse du sang d'un mort sur sa peau. Tout son corps se révoltait, voulait s'éloigner.

Mais il resta là.

Il se força à penser à autre chose. Bon Dieu ! Il n'était pas une femmelette !

Il jeta un coup d'œil par-dessus son épaule.

Les phares de la jeep de ses poursuivants étaient toujours là.

Ils gagnaient du terrain...

Il n'allait pas y arriver.

Il se contraignit à examiner la situation à la lueur froide et sans compromission de la réalité. Pas de rêve.

Il avait encore une avance appréciable. Les Américains gagnaient du terrain, mais lentement. Toutefois, il devrait abandonner la jeep avant d'atteindre les premières lignes. Si fluide que fût la situation, il ne manquerait pas d'être arrêté s'il débouchait en trombe comme ça. Surtout avec une autre jeep sur ses talons. Il serait obligé de traverser les lignes à pied, mais il n'en aurait pas le temps. Pas avec cette *verfluchte* de jeep qui se rapprochait sans cesse de lui.

Bon. Il ne pourrait pas y arriver. Pas tout seul. Il avait besoin d'aide.

Mais où pouvait-il aller ? Où ?

Il franchit un carrefour à toute allure. Il aperçut un poteau indicateur : WALDGRUBE.

Tout d'un coup, il sut où il devait aller.

La mine !

Ce n'était qu'à quelques kilomètres. Il savait exactement comment y parvenir. Il était passé devant en revenant de livrer l'or à Rattendorf. Avec ce commandant SS. Kratzer. Il y avait plus de deux semaines de cela. Ils étaient juste en train de terminer les travaux alors. Ils devaient être prêts.

C'était une des fortifications d'approche cachées du réduit.

Creusée dans une mine de graphite abandonnée dans les montagnes. Là, il pourrait trouver de l'aide. Les Américains le suivraient, c'était certain.

Ce serait la dernière chose qu'ils feraient jamais !

Il alluma son unique phare.

Maintenant ce n'était qu'une question de vitesse...

La lourde clôture métallique surmontée d'une formidable barrière de barbelés semblait rouillée et délabrée à la lueur de l'unique phare de Willi. Les grandes portes métalliques étaient béantes, l'une d'elle penchait même de côté, les gonds du haut cassés.

Il n'y avait aucun signe de vie. Les parages de l'ancienne mine avaient l'air désolé d'un site abandonné depuis longtemps.

Willi ne ralentit qu'à peine. Il suivit la route de terre grise qui descendait vers l'entrée de la mine ouverte à la dynamite dans le flanc rocheux de la montagne.

Son phare éclairait un spectacle d'abandon et de délabrement. Quelques cabanes, leur toit de tôle ondulée déformé et rouillé ; une baraque en bois, aux planches brisées et pourries sur un côté ; d'autres dont la peinture s'écaillait, qui n'avaient plus de portes ni de fenêtres. A l'entrée de la mine, les formes étranges de toute une collection d'équipement minier semblaient reprendre timidement vie tandis que les ombres noires projetées par le faisceau du phare dansaient grotesquement. Des broyeurs, des foreuses, des pompes, se dit Willi. Cela faisait bien dans le décor.

Il stoppa la jeep non loin de l'entrée et sauta à terre. Les deux grandes portes de fer du tunnel étaient ouvertes. C'était le silence. Le noir.

Willi était tendu. Tout dépendait de la façon dont il se conduirait.

Il était impressionné par le camouflage de la fortification. Il n'avait vu aucun signe d'améliorations récentes. C'était exactement comme cela que ce devait être. Ils avaient été prudents...

Il se dirigea rapidement vers l'entrée. Il baissa les yeux pour ne pas trébucher sur les rails des wagons à minerai qui s'enfonçaient dans la mine. Il jura sous cape.

Ils étaient prudents. Mais pas assez. Dans la poussière il aperçut les traces de pneus parfaitement reconnaissables de gros camions militaires allemands. Des Büssing sans doute. Et quelques empreintes de bottes cloutées. Récentes. C'était un oubli inexcusable. Il était furieux. Il allait falloir faire nettoyer ça.

Il prit brusquement conscience du rugissement de la jeep de ses poursuivants. Le bruit lui parut proche. Les Américains devaient être sur le point de pénétrer dans le secteur de la mine.

Il fit en courant les derniers mètres qui le séparaient de l'orifice du tunnel. Il ne s'inquiéta pas de ne pas être interpellé. Les défenseurs de l'ouvrage devaient avoir les mêmes ordres que les Werewölfs : ne vous trahissez que lorsque la découverte est certaine.

Il s'arrêta dans l'ouverture béante qui conduisait à l'intérieur de la mine. Il prit une profonde inspiration.

« *Hier Sonderkampfgruppe Karl !* » cria-t-il dans l'obscurité. Sa voix lui parut anormalement aiguë. Il regretta soudain qu'elle ne fût pas mieux timbrée. « *Die Amis sind hinter mit her !* Les Américains sont derrière moi ! Je suis seul ! J'entre !»

Il se précipita aussitôt dans l'obscurité du tunnel. Il sentait son cœur battre follement. Un frisson d'impatience lui parcourut le corps.

Allait-on le croire ?... Allait-on tirer ?...

Il n'y eut pas un coup de feu.

Il était sauvé.

Erik fit signe à Don d'arrêter la jeep devant la porte d'entrée démolie du secteur de la mine et d'arrêter le moteur.

Les lettres noires sur la peinture blanche qui s'écaillait du panneau accroché de guingois à la clôture près de la porte annonçaient :

ZUTRITT VERBOTEN !
KREIS PASSAU GRAPHIT A/G
GRUBENKENNKARTE VORZEIGEN

« Qu'est-ce que dit le panneau ? demanda un des G.I's.

— C'est une mine de graphite lui répondit Erik. Ça dit : « Entrée interdite. Veuillez montrer vos laissez-passer. »

— Bon sang, c'est bien Boche, fit le G.I. Avec eux tout est interdit ou bien obligatoire. »

Pendant un moment ils restèrent en silence à tendre l'oreille. La forêt de la nuit était tranquille. On n'entendait aucun bruit de la jeep qu'ils poursuivaient. Elle était arrêtée.

L'ancienne mine de graphite était donc la destination du Werewölf en fuite.

Pourquoi ?

Erik examina l'installation abandonnée qu'éclairait crûment la lueur froide des phares de la jeep.

L'endroit semblait totalement abandonné, tout avait l'air de crouler. C'était l'image même de la décrépitude.

Mais il y avait quelque chose qui clochait dans tout cela. Un petit détail qui le mettait mal à l'aise. Qu'était-ce donc ?

Il avait la bizarre impression de l'avoir juste sous son nez mais de ne pas le remarquer.

Il examina le décor devant lui. L'abandon. La désintégration. La décrépitude. De mauvaises herbes poussaient au milieu des débris et des bâtiments en ruine. Partout, sauf...

Il regarda mieux. Il sentit soudain l'excitation monter en lui. Sauf sur la route elle-même.

Si le secteur était bien abandonné, si on n'utilisait plus du tout la mine, la route ne devrait-elle pas être envahie elle aussi de mauvaises herbes ? Ou bien était-ce le conglomérat bien tassé de graphite et de poussière qui les empêchait de pousser ?

Il lança un ordre bref. Les deux G.I's descendirent de la jeep et prirent rapidement position de part et d'autre de la route, l'arme au poing. Erik dégaina son pistolet, se tourna vers Don et lui fit un signe de la tête.

Lentement ils se mirent tous à avancer sur la route déserte, les phares perçant l'obscurité devant eux...

La jeep volée semblait étrangement déplacée, arrêtée là, près de l'entrée noire du tunnel, son œil de cyclope mort et obscur.

Don s'arrêta devant l'entrée. Les faisceaux des deux phares s'enfonçaient dans l'ombre de la nuit, ne révélant qu'un long tunnel large et vide percé dans le roc de la montagne. Dans l'obscurité au loin, il semblait décrire un tournant.

Erik jeta un rapide coup d'œil autour de lui. Il remarqua aussitôt les traces de pneus des camions. Il inspecta les débris d'équipement minier laissés devant le tunnel et les rails des wagons de minerai qui s'enfonçaient dans la mine, pour disparaître au loin dans l'obscurité, suivant des entretoises en bois disposées sur le sol. Les planches étaient fondues et délabrées, quelques-unes, bien que décolorées et couvertes d'entailles, paraissaient neuves.

Les deux hommes échangèrent un long regard. Ils parlaient à voix basse et tendue.

« Qu'est-ce que tu en penses ? Il est là-dedans ?

— Il doit y être. Je n'aime pas ça.

— Moi non plus. » Erik désigna les rails. « Cet endroit n'est pas aussi innocent qu'il en a l'air.

« Alors ? Qu'est-ce qu'on fait ? On va chercher de l'aide ? »

Erik regarda son camarade.

« Qui reste en arrière ? Toi ? Moi ? Tous les deux ? Je vais te dire une chose, Don. D'abord j'en ai ras le bol d'attendre pour aujourd'hui. » Il eut un geste vers la mine. « Et ce type là-dedans ? Il faut l'attraper.

— J'imagine. Mais...

— Don. As-tu jamais entendu parler d'une opération majeure qui ne comportait pas un plan de secours ?

— C'est vrai ce que tu dis.

— J'imagine que ce type est décidé à tenter quelque chose. Il a prouvé qu'il avait de la ressource, ce salaud. Peut-on être sûr qu'il n'y a pas une autre issue ? Peut-on être sûr qu'il ne fout pas le camp pendant qu'on reste assis sur nos fesses à attendre. Il ne peut pas être bien loin. Pas avec cette jeep arrêtée là. Pouvons-nous nous permettre d'attendre ? »

Erik s'interrompit un moment. Puis il reprit d'un ton ferme : « A mon avis, il faut découvrir à quoi nous avons affaire avant de crier à l'aide. »

Don fit la grimace.

« Alors, on va risquer le coup encore une fois, c'est ça ? » Il haussa les épaules. « Bon. Je marche avec toi.

— Tu restes ici. Couvre nos arrières. Nous allons entrer. Et voir ce que nous pouvons trouver. »

Don descendit de la jeep. Erik se glissa derrière le volant. Don le regarda, l'air soucieux.

« Hé ! Si tu tombes sur quelque chose, mon vieux, ne va pas jouer les héros, d'accord ?

— D'accord, mon vieux. »

Ils partirent.

Quelques secondes plus tard, les ténèbres de la mine les avaient avalés...

Erik descendait doucement au milieu du tunnel, en suivant les rails. Il avait engagé le craboteur pour obtenir la traction sur les quatre roues. Dans l'ombre de chaque côté de la jeep il distinguait les silhouettes fantomatiques des deux G.I's Le tunnel qui s'étendait devant lui, à la lueur des phares de la jeep, était désert. Il apercevait, fixé au plafond rugueux un gros câble électrique, d'où pendaient à intervalles réguliers des ampoules. Elles n'étaient pas allumées. Les parois gris-noir du tunnel absorbaient une étonnante quantité de lumière ; les faisceaux de ses phares étaient comme des lances jumelles d'un éclat éblouissant qui perçaient les ténèbres devant lui. Au loin le tunnel faisait un coude vers la droite.

Erik se sentait exposé de façon intolérable. Chacune de ses terminaisons nerveuses, chacun de ses sens était en alerte, à l'affût du moins signe de danger, du plus infime mouvement dans l'obscurité devant eux.

Il n'y avait rien...

Don était accroupi juste à l'entrée du tunnel. Il voyait fort bien tout le secteur alentour et il ne le quittait pas des yeux. Pistolet au poing, il écoutait, crispé, le bruit de plus en plus lointain de la jeep d'Erik s'enfonçant plus profondément dans la mine.

Il aurait voulu pouvoir être à sa place. Pour une fois. Mais, bon sang, ça devait être Erik, il le savait. Ils le savaient tous les deux. Lorsqu'une confrontation était probable, les connaissances d'allemand d'Erik se révéleraient sans doute le facteur décisif. Il ne mettait jamais cela en doute. Ni l'un ni l'autre ne le contestait. Merde !

Il tendit l'oreille, guettant le premier signe d'accrochage le premier coup de feu, espérant qu'il ne l'entendrait pas, mais sachant pourtant que cela viendrait, ayant hâte aussi que cela se produise pour mettre un terme à cette insupportable appréhension.

C'est comme l'histoire du type qui attend que l'autre chaussure tombe par terre, songea-t-il.

Mais le ronflement assourdi de la jeep continuait imperturbable, faiblissant régulièrement...

Erik atteignit le tournant. Avec précaution, il le négocia, en suivant soigneusement les rails. Son univers était rempli du grondement grinçant de la jeep avançant en première, de la tension et de cette attente intolérable, tandis que ses yeux fixaient les deux cercles lumineux projetés par ses phares suivant lentement la paroi du tunnel avant d'arriver au mur noir dans le tournant...

Soudain, par-dessus le bruit du moteur qui peinait, il entendit le cliquetis du métal heurtant le métal dans les ténèbres devant lui.

Il éteignit aussitôt les phares et plongea dans l'obscurité. Il arrêta le moteur. Il retint son souffle. Il tendit l'oreille.

Il entendait le sang qui battait à ses tempes ; les petits bruits du moteur de la jeep qui refroidissait, le soufle rauque d'un des G.I's. Rien d'autre. Le cliquetis métallique ne se répéta pas.

Un moment il resta assis dans le noir, un noir absolu comme le néant. Il répugnait à rallumer ses phares et à s'offrir à la cible impossible à manquer. Il ne pouvait rien faire. Y avait-il une solution ?

Il remit en marche la jeep. Il ralluma les phares. La lumière fut soudain aveuglante. Il se glissa à la place du passager et appuya le pied gauche sur la pédale d'accélérateur. Tenant le volant de la main gauche, étreignant son pistolet dans la main droite, il avança prudemment dans le tournant du tunnel. Quiconque se trouvait dans l'obscurité devant lui ne pourrait pas le voir à cause des phares éblouissants, on supposerait qu'il était assis derrière le volant. De cette façon il pourrait éviter le risque d'être touché au premier coup de feu...

Il avait presque négocié le tournant. Il donna brusquement un coup de volant, la jeep parcourut les derniers mètres et déversa la lumière de ses phares sur la scène devant lui.

Dans un éclair toute la scène incroyable se grava dans l'esprit d'Erik.

L'immense caverne de la mine qui se perdait au loin dans

l'obscurité, était encombrée d'un extraordinaire entassement de matériel.

Des amoncellements de vieux wagons à minerai rouillés et d'équipement minier avaient été poussés contre les parois rocheuses pour faire place à des caisses et des cantines soigneusement empilées, des inscriptions au pochoir précisant s'il s'agissait d'outillage, de vivres ou de munitions, tout cela bien rangé...

Des râteliers d'armes... vides. Des tas de madriers, de bûches et de poutres, et des châlits pas encore montés. Des panneaux fraîchement peints appuyés contre des coffres et des caisses annonçaient LAZARETT — Hôpital... LAGER — Entrepôt... RUSTKAMMER — Armurerie... Transmissions, Parc automobile, Réfectoire...

Des piles de chaises et de tabourets ; des boîtes d'outils, de quincaillerie et d'équipement électrique... encore clouées... tout ce qui était nécessaire à équiper complètement une installation militaire...

Tout cela intact.

Il réfléchit rapidement pour essayer de comprendre ce qui s'offrait à sa vue. Il embrassa toute la scène d'un coup d'œil.

Toute la scène... Et la silhouette esseulée d'un homme accroupi au milieu des rails, prisonnier dans le double faisceau des phares...

Willi se trouva pétrifié pendant un instant lorsque l'obscurité se déchira et qu'il pût voir.

Son esprit refusait d'accepter le témoignage de ses sens. Il s'attendait à voir la jeep ennemie volatilisée par ses camarades cachés. Mais cette pensée disparut aussitôt dans le triste éclat de la réalité.

La fortification n'était pas terminée. Inoccupée. Morte.

Il était seul.

Il avait refusé d'accepter le doute qui commençait à ronger sa foi, à mesure qu'il poursuivait son chemin dans l'obscurité de la mine en suivant les rails du tunnel, inexorablement poursuivi par le grondement sourd de la jeep ennemie. Mais maintenant ?

Il contempla le bastion vide.

Inutile. Impuissant.

Un long frisson le parcourut tandis que le doute s'abattait définitivement sur lui.

L'*Alpenfestung ?*

Avec un petit cri de déception et de rage, il s'agenouilla, faisant face à l'ennemi détesté qui l'aveuglait.

Il fit feu.

La première balle traversa le pare-brise du côté du chauffeur, le faisant volet en éclats. Le second coup de feu atteignit un des phares.

Les G.I's aussitôt ripostèrent.

Willi sentit un choc à l'extérieur de son bras. Il évalua aussitôt la situation. Ils étaient trop nombreux. Il lança son fusil par terre.

« *Kamerad !* cria-t-il. *Kamerad ! Nicht schiessen !* Ne tirez pas ! »

Il se leva, les mains au-dessus de la tête. Il fut surpris de sentir une douloureuse crispation dans l'une d'elles. Avait-il été touché ? Il chassa cette pensée. Son esprit était pris dans un tourbillon. Les quelques instants suivants étaient cruciaux.

Il observa intensément les trois hommes qui s'approchaient de lui, leur silhouette se découpant à la lueur des phares. Il les jaugea. Deux d'entre eux étaient des fantassins amerloques. De simples soldats. Le troisième ? Un officier peut-être. Ils étaient trois...

Il réfléchit rapidement. Il avait commis une erreur en venant ici. Mais tout n'était pas encore fini. Pas encore. Il fallait arriver à la jeep à l'entrée du tunnel. Il avait laissé la grenade dedans. Sur le plancher. Il pourrait faire sauter ses poursuivants lorsqu'ils déboucheraient du tunnel sur ses talons. Avec un peu de chance il pourrait encore atteindre le territoire tenu par les Allemands...

Il tendit les bras vers la voûte du tunnel.

« *Kamerad !* » dit-il en souriant.

Erik l'observait attentivemnt.

« Couvrez-moi », dit-il aux deux G.I's.

Les hommes prirent position de part et d'autre du Werewölf. Erik s'avança vers lui.

Les deux jeunes hommes se dévisageaient.

Soudain Willi eut une grimace de douleur. Il leva les yeux vers son bras blessé. Du sang suintait à travers sa manche.

Les deux G.I's instinctivement suivirent son regard. L'espace d'un instant leur attention fut détournée et Willi mit cet instant à profit pour agir. Il abaissa brusquement les mains, empoigna l'homme le plus proche de lui et le jeta brutalement sur Erik. Reculant, essayant de ne pas perdre l'équilibre Erik trébucha sur les rails derrière lui. Le G.I. et lui s'effondrèrent.

Willi s'enfuyait déjà en courant. Si seulement il pouvait échapper à la lueur des phares et replonger dans l'ombre...

Le G.I. qui était toujours debout se remit rapidement de sa surprise. Il épaula aussitôt sa carabine.

Erik cria : « Ne tirez pas ! »

Le G.I. avait déjà fait feu.

« Il n'ira nulle part ! » Les paroles d'Erik retentirent au moment même où le coup de feu claqua, se répercutant entre les parois de la caverne, l'emplissant du tonnerre de la mort violente.

Willi trébucha. Il fit deux pas en vacillant. Puis il s'effondra.

Erik se précipita vers lui. Il était furieux. Dégoûté. De lui-même. Bon sang, il n'avait pas voulu la mort de cet homme ! Mais il aurait dû s'en douter. C'était un Werewölf. Un fanatique. Il aurait dû savoir qu'il allait tenter quelque chose.

Il était auprès du blessé. Celui-ci vivait encore. Erik le retourna. La balle avait pénétré le poumon. Elle était ressortie par la poitrine, laissant une plaie béante, ensanglantée. L'homme étouffait dans son propre sang. Une mousse rosâtre éclatait en bulles sur ses lèvres.

Erik le souleva. Il ôta son blouson et le plia sous la tête du jeune Werewölf. Il s'agenouilla auprès de lui.

Don déboucha en courant de l'obscurité. Il regarda Erik.

Erik secoua la tête.

« Il a son compte. »

Willi luttait contre les vagues rouges de douleur qui martelaient sa conscience. *La mission,* songea-t-il avec désespoir. *Il faut que je sauve la mission — la mission...*

Il sentit ses forces le quitter. Il eut brusquement dans ses narines l'odeur des pins frais. Il sourit. Il avait déjà senti ses forces le quitter. Avec Gerti... « *In Ordnung !* » « Mais maintenant...

Il fallait rester fort. Pour son fils. Pour cet enfant qui était le sien et celui de Gerti. Pour faire une grande et glorieuse Allemagne où vivrait son fils... Pour... la mission !

Ses pensées devenaient floues. Ses yeux au regard embrumé parcouraient la caverne violemment illuminée. Ça brille, songea-t-il. Ça brille de tout l'or des Juifs. Le silence retentit des cris des corbeaux...

Il entendit soudain la devise des Werewölfs résonner dans son esprit. « *Es gibt keine Kameraden* ! Un ami, ça n'existe pas ! Si ta mission est en jeu, attaque-le. Si besoin en est, tue-le ! » Il fallait sauver la mission. Maintenant. L'ennemi ne devait pas... Ne devait... Il était soudain éperdu de désespoir. Affolé. Il fallait avoir la certitude qu'ils ne détruiraient pas la mission. Ça dépendait de lui. Il fallait leur donner un autre objectif. Un objectif important. *Un ami, ça n'existe pas ! Tue-le ! Tue-le ! Tue !*

Il saisit le bras d'Erik.

« Je... murmura-t-il dans son agonie, je suis un Werewölf ! Je suis... du quartier général Werewölf. » Il tira avec insistance sur la manche d'Erik. « Je dépends... du général Krueger ! »

Il éprouva un calme soudain. Il savait exactement ce qu'il avait à faire. Krueger était un ami... Un père... Un ami, ça n'existe pas.

« Je... je vais vous emmener là-bas, souffla-t-il. Je vais vous livrer... le général Krueger... »

Il regardait avec ses yeux brillants le visage d'Erik...

« Maintenant, dit-il. Maintenant ! Il faut y aller... Tout de suite ! »

Les vagues noires, rouges, aveuglantes, sombres, déferlaient sur lui. Il se sentit sombrer dans le néant... Puis remonter à la surface.

Il jeta un coup d'œil autour du tunnel de la mine. Il était impuissant ! Il sentait tout son univers s'effondrer...

Tout d'un coup il éprouva un besoin désespéré de s'affirmer. Il essaya de s'asseoir... mais son corps refusait d'obéir. Il regarda le visage de l'ennemi penché sur lui. Il murmura :

« Ça... aurait pu marcher ?... »

Son regard était suppliant. C'était la plus importante question de sa vie. Sa raison même d'exister. D'avoir existé...

« Ça aurait pu marcher, répéta-t-il, avec une force soudaine dans sa voix. Tout était arrangé. *Ça aurait pu marcher...* »

Mais les yeux qui contemplaient les ténèbres de la fortification inutile ne voyaient plus le rêve brisé.

Erik regarda le jeune Werewölf. « Ça aurait pu marcher », dit-il doucement.

BERLIN

20 h 17

La destruction était infernale. La ville en flammes sous le fantastique tir d'artillerie des forces russes volait en éclats. Au loin vers le nord-ouest, un réseau toujours mouvant de projecteurs fouillait le ciel nocturne d'un noir rougeâtre. De temps en temps, des explosions qui ébranlaient le sol effaçaient la constante cacophonie des incendies qui ronflaient, des murs qui s'écroulaient, des hurlements lointains des sirènes d'ambulances et de voitures de pompiers. C'étaient les cris de mort d'une ville.

Dans la rue presque totalement obstruée devant les ruines

de la Chancellerie, une petite silhouette se frayait un chemin au milieu des décombres, contournant les trous d'obus, se recroquevillant à chaque explosion. C'était un soldat de la Wehrmacht. Il traversa la rue en courant. Son manteau militaire était beaucoup trop grand pour lui, il lui pendait aux épaules, les manches lui recouvraient les mains, les pans lui battaient les talons. C'était un courrier. Deux jours plus tôt, il avait eu quatorze ans.

Un obus vint s'écraser dans les ruines déjà mortes et vides d'un immeuble voisin. L'enfant-soldat se jeta à l'abri d'un pan de maçonnerie. Il regarda vers la Chancellerie. Son visage juvénile était maculé de suie, de sueur ou bien de larmes. Il avait l'air mortellement terrifié mais déterminé. Il tenait bien serrée la sacoche de courrier, pendue à son épaule et il courba le dos tandis qu'un autre obus éclatait un peu plus loin.

Il se redressa et se précipita vers les bâtiments de la Chancellerie, disparaissant au milieu des ruines torturées...

Le jardin de la Chancellerie offrait un consternant spectacle de ruines.

La lourde porte d'acier de l'entrée du bunker du Führer était béante. Auprès de la bétonneuse abandonnée, non loin de là, on avait creusé dans le sol une petite tranchée. Un feu d'enfer y brûlait ; des flammes avides, dévorant une masse sans forme, projetaient vers le ciel ardent une fumée lourde et noire. Des bidons d'essence vides gisaient alentour ; une pelle au manche brisé dépassait grotesquement d'un trou d'obus.

Dans l'ombre d'un mur effondré, le colonel Hans Heinrich Stauffer, le visage dur et crispé, regardait immobile la fosse en feu. Cette horrible odeur de bacon brûlé avait considérablement diminué, se dit-il. Au moins, c'était supportable.

Trois officiers SS étaient là, très raides, à l'entrée du bunker. Il les connaissait tous. Günsche, le garde du corps du Führer, Kempka, son chauffeur, et Linge, son valet de chambre.

Stauffer contemplait cette scène infernale avec un sourire cynique.

Etait-ce là la gloire de la mort d'un grand chef ? se demanda-t-il. Avec pour témoins un garde du corps, un chauffeur et un valet de chambre ?

Un obus vint s'écraser dans le mur du jardin. Les trois officiers disparurent dans l'abri du bunker.

Stauffer resta là.

Ça n'avait pas l'air vrai.

Rien de tout ça.

Il y a seulement quelques heures encore, il était convaincu que Hitler avait absolument l'intention de partir pour Berchtesgaden pour diriger personnellement le combat à partir de l'*Alpenfestung*. Après tout, le Führer avait envoyé là la plupart du personnel de sa maison au début du mois pour préparer son arrivée. Et quand son pilote personnel, Hanna Reitsch, était arrivé dans la ville assiégée seulement quelques jours plus tôt, il était certain qu'elle était venue pour faire partir le Führer. Stauffer savait qu'elle avait essayé de le persuader de partir tout de suite, mais il n'avait cessé de remettre son départ, presque comme s'il attendait que quelque chose arrive. Un répit de dernière minute ?

Et puis ce matin seulement, elle était repartie. Sans lui.

Stauffer se demandait ce qui s'était passé à la dernière conférence tenue dans le bunker à midi. La dernière conférence de Hitler, songea-t-il. Stauffer n'y avait pas assisté. Il savait qu'un courrier avait aussitôt après apporté une dépêche au bunker et il savait qu'après cela Kempka, qui était chargé du garage de la Chancellerie, avait reçu du Führer en personne l'ordre de rassembler deux cents litres d'essence. Deux cents litres !

Il tourna les yeux vers le feu qui faisait rage dans la tranchée. Les flammes bondissantes faisaient danser leur reflet obscène sur son visage pâle et blême. Il ne se rendait pas compte qu'il frissonnait. Il n'entendait pas le rugissement constant de l'artillerie russe. Seul l'unique et fatal coup de feu qui avait mis un terme à la vie du Führer retentissait inlassablement dans son esprit.

Il aperçut soudain une petite figure qui courait dans le jardin au milieu des ruines de la Chancellerie. Un courrier.

« Soldat ! Par ici ! » cria-t-il.

Le courrier, hors d'haleine, se mit impeccablement au garde à vous devant lui. Il tendit la main.

« Heil Hitler ! »

Stauffer le regarda. Ça n'est guère plus qu'un enfant, songea-t-il. Une profonde compassion l'envahit. Pour ce petit garçon soldat, pour lui, pour sa patrie dévastée...

« Qu'est-ce que c'est ? interrogea-t-il.

— Une dépêche, Herr Oberst ! » Le jeune garçon se redressa fièrement. « Pour les yeux du Führer seul ! »

Un moment Stauffer contempla cet enfant plein d'ardeur, le regard perdu et lointain. Puis lentement il se tourna vers le feu qui continuait à flamber dans la tranchée.

« Tu arrives trop tard, mon garçon », dit-il d'un ton absent.

Le jeune courrier contempla le feu. Les flammes baignaient d'une lueur rouge son visage horrifié. Il se retourna vers Stauffer, l'interrogeant des yeux, ne voulant pas croire ce qu'il voyait.

L'officier tendit la main.

« Donne-la-moi », dit-il doucement.

Comme en transe, le jeune garçon ouvrit sa sacoche et tendit la dépêche à Stauffer. Il avait les yeux irrésistiblement attirés par le feu.

Un obus soudain vint se fracasser dans le mur tout près d'eux. Le jeune garçon tressaillit violemment. Mais il ne bougea pas.

Stauffer désigna de la tête le blockhaus.

« Descends dans le bunker, ordonna-t-il. Va ! »

L'enfant-soldat se précipita vers l'abri.

Stauffer contempla la dépêche qu'il tenait à la main. Lentement il s'approcha de la tranchée. Il regarda la ville ravagée par l'incendie. Sa ville. L'holocauste devant lui continuait à consumer tout. Le bûcher funéraire d'une ère qui s'achevait...

Il jeta un coup d'œil à l'enveloppe qu'il tenait. Il allait l'ouvrir. Il s'arrêta.

Quelle importance ! songea-t-il amèrement. Qu'est-ce que

ça change, que ça annonce une victoire imaginaire ou l'échec d'un ultime effort désespéré ?

Il avait le visage pétrifié — vide de toute émotion ; seules les flammes se reflétaient dans ses yeux. Lentement il froissa le papier dans ses mains et le lança dans la tranchée.

Il s'embrasa un instant et disparut en cendres dans ce feu infernal.

ACHEVÉ D'IMPRIMER
LE 11 JANVIER 1974
SUR LES PRESSES DE
L'IMPRIMERIE HÉRISSEY
A ÉVREUX (EURE)
POUR LES ÉDITIONS
ROBERT LAFFONT

N° d'Éditeur : 5283
N° d'Imprimeur : 14054
Dépôt légal : 1er trimestre 1974